Texas GO Math!

¡Vivan las matemáticas! - Volumen 2

Printed in the U.S.A.

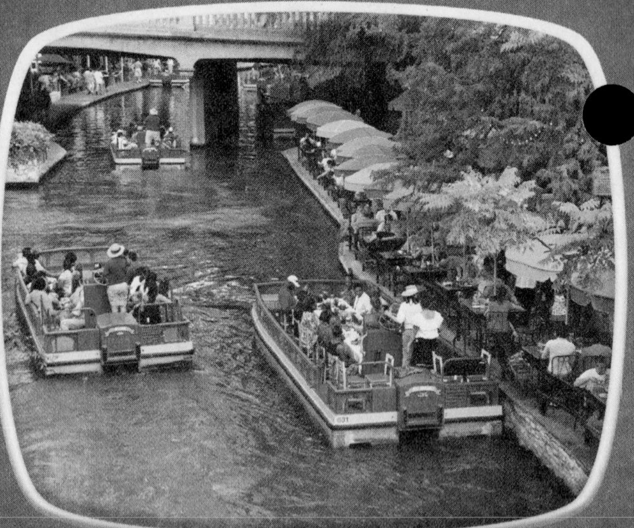

ISBN 978-0-544-08573-2
9 10 0928 21 20 19 18 17
4500648931 C D E F G

Cover Image Credits: (coyote pup) ©Grambo Photography/First Light/Getty Images; (field) ©Piotr Tomicki/Shutterstock; (lighthouse) ©Jason McCartney/Shutterstock; (truck) ©Leena Robinson/Shutterstock; (bluebonnets) ©Dorti/Shutterstock.

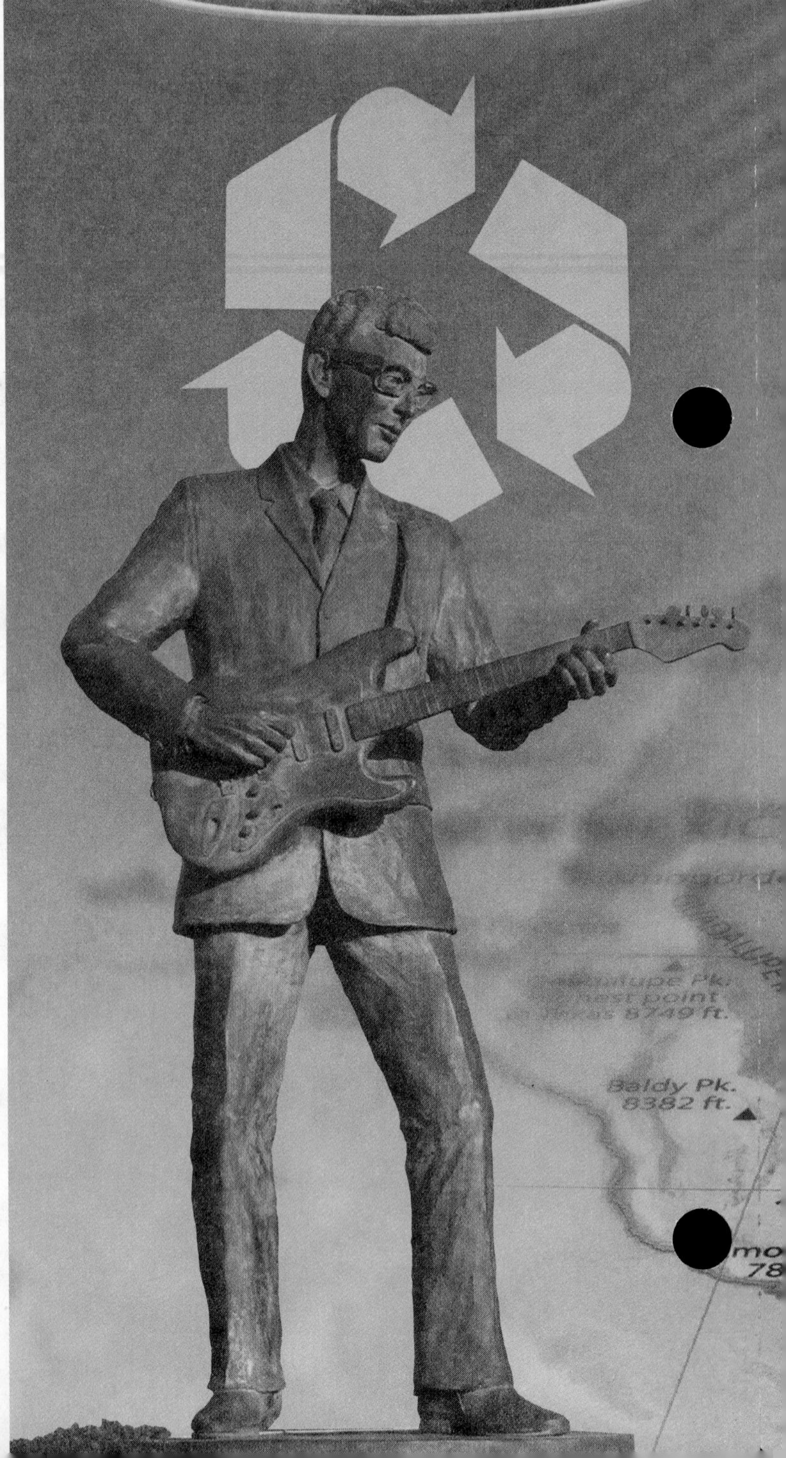

Estimados estudiantes y familiares:

Bienvenidos a ***Texas Go Math! ¡Vivan las matemáticas!*** para Kindergarten. En este interesante programa, encontrarán actividades prácticas y problemas de la vida diaria que tendrán que resolver. Y lo mejor de todo es que podrán escribir sus ideas y sus respuestas directamente en el libro. El hecho de que puedan escribir y dibujar en las páginas les ayudará a percibir más detalladamente lo que están aprendiendo y ¡verán qué bien entienden las matemáticas!

A propósito, todas las páginas de este libro están hechas con papel reciclado. Queremos que sepan que al participar en el programa ***Texas Go Math! ¡Vivan las matemáticas!*** estarán ayudando a proteger el medio ambiente.

Atentamente,

Los autores

Hecho en los Estados Unidos
100% impreso en papel reciclado

Texas GoMath!

¡Vivan las matemáticas!

Autores

Juli K. Dixon, Ph.D.
Professor, Mathematics Education
University of Central Florida
Orlando, Florida

Edward B. Burger, Ph.D.
President
Southwestern University
Georgetown, Texas

Matthew R. Larson, Ph.D.
K-12 Curriculum Specialist for Mathematics
Lincoln Public Schools
Lincoln, Nebraska

Martha E. Sandoval-Martinez
Math Instructor
El Camino College
Torrance, California

Autora de consulta

Valerie Johse
Math Consultant
Texas Council for Economic Education
Houston, Texas

Volumen 1

Unidad 1 • Números y operaciones: Representar, contar, escribir y comparar los números hasta el 20

Busca estas secciones:

H.O.T. Alta capacidad de razonamiento

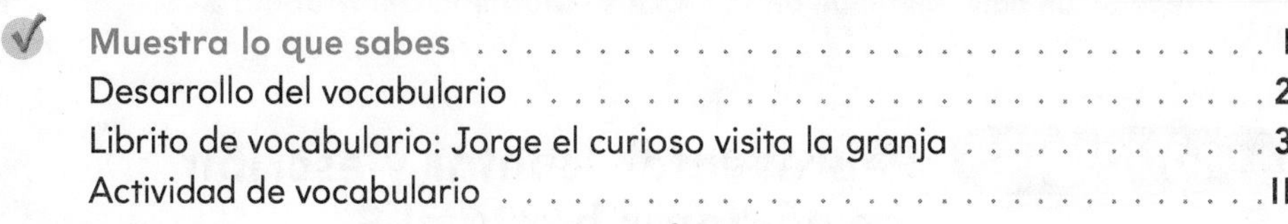

Módulo 1 Contar, escribir y representar los números del 1 al 4

Tarea y práctica de TEKS en cada lección

Módulo 2 Contar, escribir y representar los números hasta el 5

Recursos

RECURSOS EN LÍNEA
Busca en línea el Libro interactivo del estudiante y los videos de Matemáticas al instante. Usa *i*Tools en español, el Glosario multimedia y otros recursos.

Módulo 3 Comparar los números hasta el 5

Busca estas secciones:

H.O.T. Alta capacidad de razonamiento

Módulo 4 Representar, contar y escribir los números hasta el 8

Módulo 5 Representar, contar y escribir los números hasta el 10

APRENDE EN LÍNEA Recursos

RECURSOS EN LÍNEA
Busca en línea el Libro interactivo del estudiante y los videos de Matemáticas al instante. Usa *i*Tools en español, el Glosario multimedia y otros recursos.

Módulo 6 Comparar los números hasta el 10

Módulo 7 Contar, escribir y representar los números hasta el 15

Módulo 8 Contar, escribir y representar los números hasta el 20

Busca estas secciones:

H.O.T. Alta capacidad de razonamiento

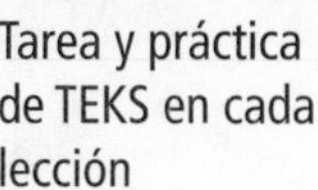

Tarea y práctica de TEKS en cada lección

Volumen 2

Unidad 2 • Números y operaciones: Componer y descomponer números, sumar y restar, monedas

Módulo 9 Componer y descomponer los números hasta el 5

Módulo 10 Componer y descomponer los números hasta el 10

Busca estas secciones:

H.O.T. Alta capacidad de razonamiento

APRENDE EN LÍNEA **Recursos**

RECURSOS EN LÍNEA
Busca en línea el Libro interactivo del estudiante y los videos de Matemáticas al instante. Usa *i*Tools en español, el Glosario multimedia y otros recursos.

Módulo 11 Sumas con los números hasta el 5

Módulo 12 Restas con los números hasta el 5

Módulo 13 Sumas con los números hasta el 10

Módulo 14 Restas con los números hasta el 10

Busca estas secciones:

En el mundo

H.O.T. Alta capacidad de razonamiento

Tarea y práctica de TEKS en cada lección

Módulo 15 Monedas

Busca estas secciones:

H.O.T. Alta capacidad de razonamiento

Volumen 2

Unidad 3 • Razonamiento algebraico

Módulo 16 Contar hasta el 100

APRENDE EN LÍNEA **Recursos**

RECURSOS EN LÍNEA
Busca en línea el Libro interactivo del estudiante y los videos de Matemáticas al instante. Usa *i*Tools en español, el Glosario multimedia y otros recursos.

Volumen 2

Unidad 4 • Geometría y medición

Módulo 17 Figuras de dos dimensiones

Módulo 18 Figuras de tres dimensiones

Módulo 19 Mediciones

Busca estas secciones:

H.O.T. Alta capacidad de razonamiento

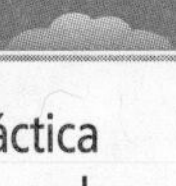

Tarea y práctica

Tarea y práctica de TEKS en cada lección

Busca estas secciones:

H.O.T. Alta capacidad de razonamiento

Volumen 2

Unidad 5 • Análisis de datos

Módulo 20 Datos

Volumen 2

Unidad 6 • Comprensión de finanzas personales

Módulo 21 Comprensión de finanzas

APRENDE EN LÍNEA Recursos

RECURSOS EN LÍNEA
Busca en línea el Libro interactivo del estudiante y los videos de Matemáticas al instante. Usa *i*Tools en español, el Glosario multimedia y otros recursos.

Números y operaciones

Muestra lo que sabes

Nombre Paloma

Representar más

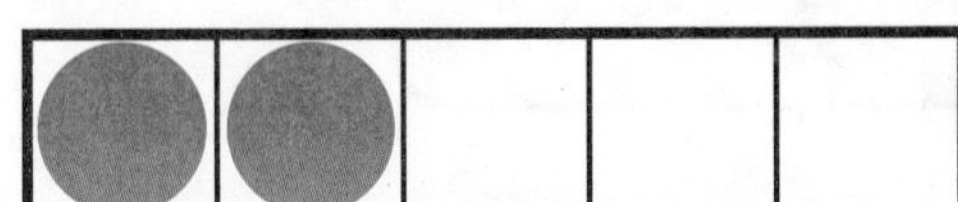

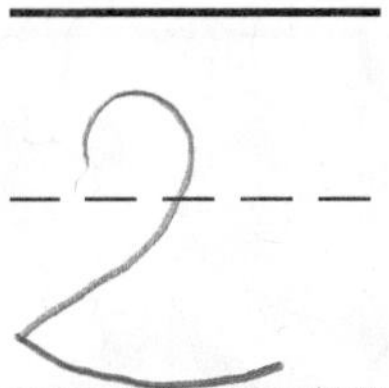

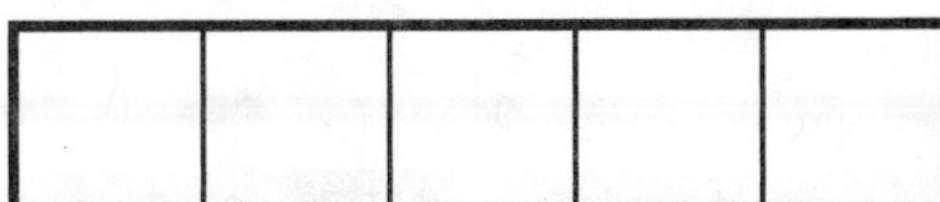

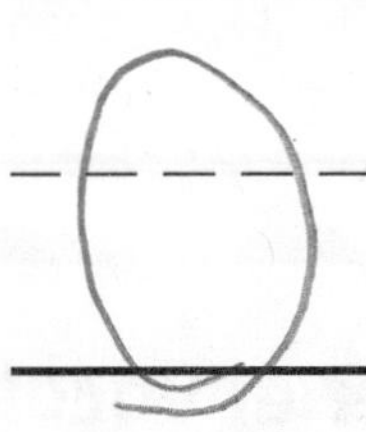

Maneras de formar los números hasta el 8

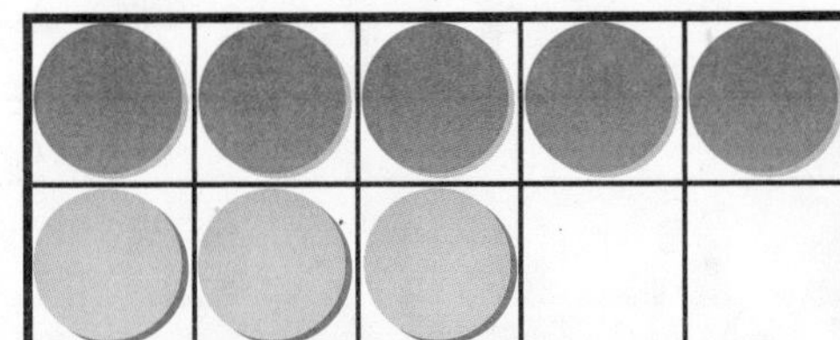

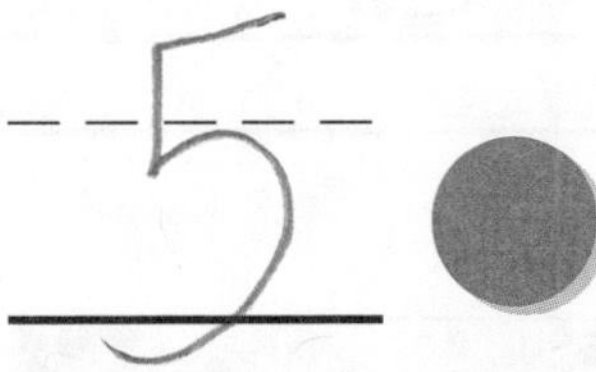

y

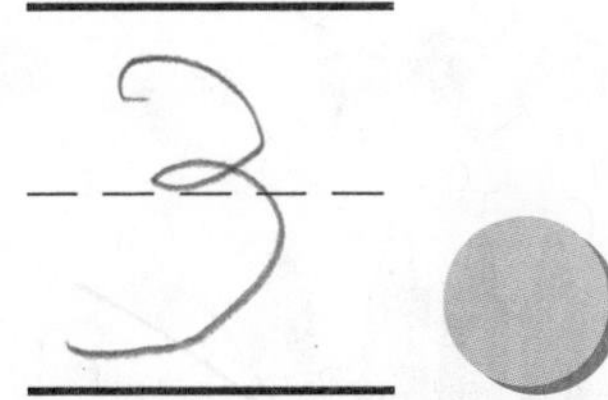

INSTRUCCIONES **1.** Cuenta y escribe el número. Dibuja un conjunto para mostrar un número que es uno más. Escribe el número. **2.** Mira las fichas. Escribe los números que forman 8.

NOTA PARA LA FAMILIA: El propósito de esta página es comprobar si su niño comprende las destrezas importantes que se necesitan para tener éxito en la Unidad 2.

APRENDE EN LÍNEA **Opciones de evaluación: Soar to Success Math**

Desarrollo del vocabulario

Palabras de repaso	
uno	dos
tres	cuatro
cinco	seis
siete	ocho
nueve	diez

Visualizar

dos

nueve

cinco

Comprender el vocabulario

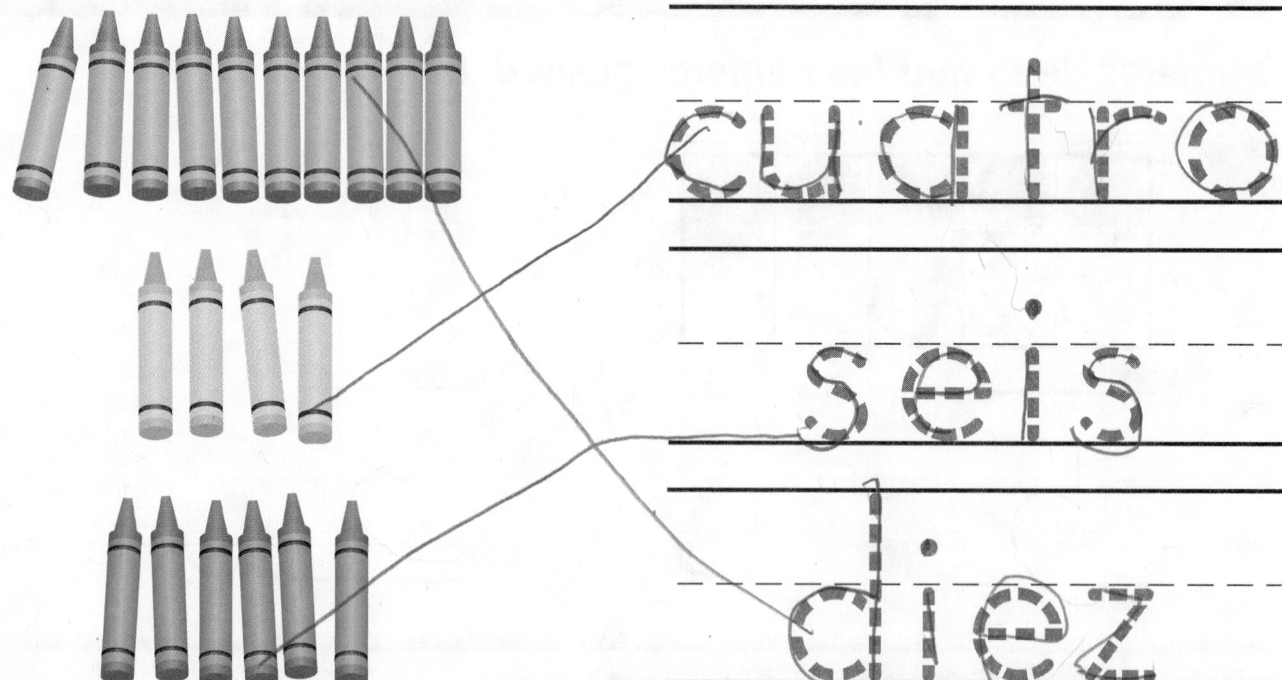

INSTRUCCIONES **Visualizar** Dibuja algunos objetos en la caja para mostrar el número.

Comprender el vocabulario Traza las palabras. Conecta con líneas para emparejar la palabra de repaso y el conjunto de crayones.

- Libro interactivo del estudiante
- Glosario multimedia

Librito de vocabulario

Vuela presurosa, linda mariposa

escrito por Chloe Weasley

ilustrado por Francesco Santalucia

Este librito para la casa pertenece a:

Paloma

Lectura y redacción de matemáticas

Este librito para la casa te servirá para repasar el conteo y la escritura de los números, así como la comparación de conjuntos de hasta 12 objetos.

PROCESOS MATEMÁTICOS K.1.D, K.1.E

Vuela presurosa, linda mariposa.

¿Cuántas mariposas están volando?

¿Cuántas mariposas están posadas sobre las flores?

¿Cuántas mariposas hay en total?

Néctar por aquí, néctar por allá.
Hay mariposítas por todo el lugar.

¿Cuántas flores son rosadas? 5
¿Cuántas flores son anaranjadas? 5
¿Cuántas flores hay en total? 10

Mariposa voladora,
¿acaso el aire es tu amigo?
¡Ya quisiera yo volar
para estar allí contigo!

¿Cuántas mariposas hay en total?

¿Cuántas mariposas se alejan volando?

¿Cuántas mariposas quedarán?

Las mariposas Monarca
muy lejos se marcharán.

Pero no te preocupes,

¡pues un día volverán!

Colorea las mariposas para formar conjuntos. Describe tu dibujo.

Nombre ________________________________

Escribe sobre las matemáticas

Repaso del vocabulario

contar

INSTRUCCIONES Mira la ilustración del jardín. Dibuja algunas mariposas sobre las flores. Dibuja algunas mariposas en el cielo. Pide a un amigo que cuente las mariposas de tu dibujo.

¿Cuántas mariposas hay?

1

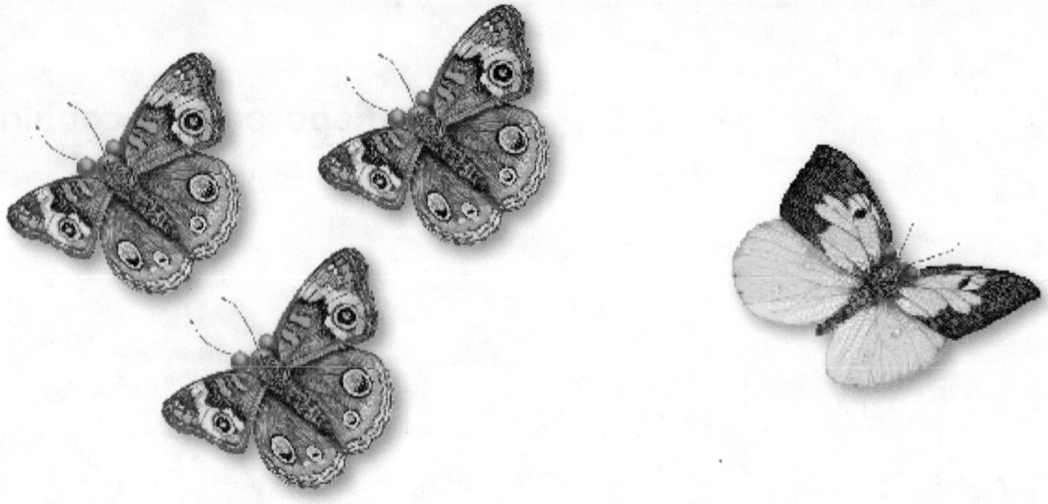

3 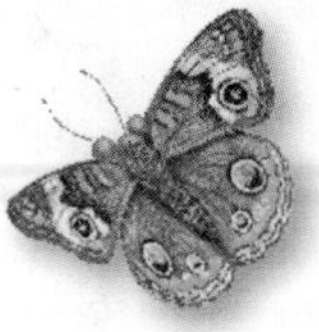 1 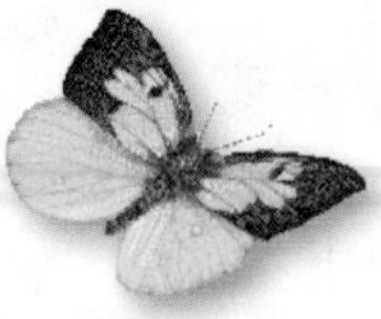 4 en total

2

2 3 5 en total

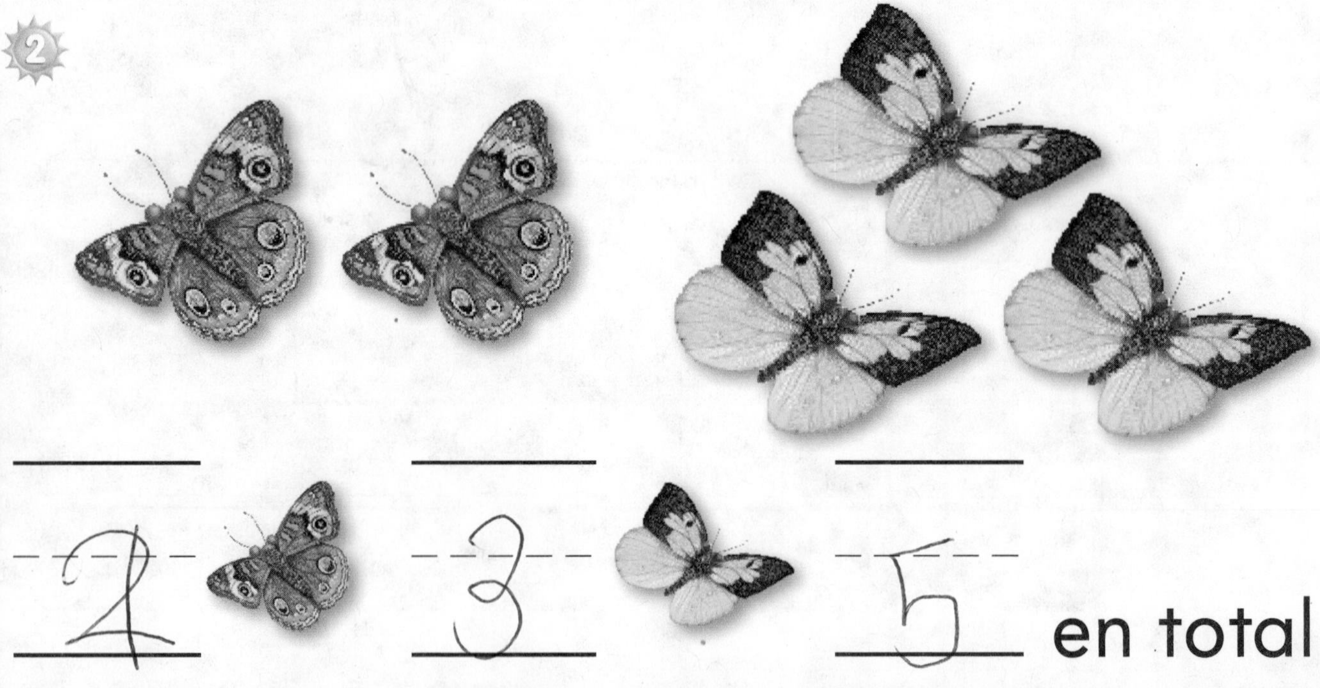

INSTRUCCIONES **1 y 2.** Cuenta y luego escribe cuántas mariposas de color café hay. Cuenta y luego escribe cuántas mariposas amarillas hay. Luego, cuenta y escribe cuántas mariposas hay en total.

Nombre Paloma

TEKS Números y operaciones: K.2.I
PROCESOS MATEMÁTICOS
K.1.C, K.1.E

9.1 Componer los números hasta el 3

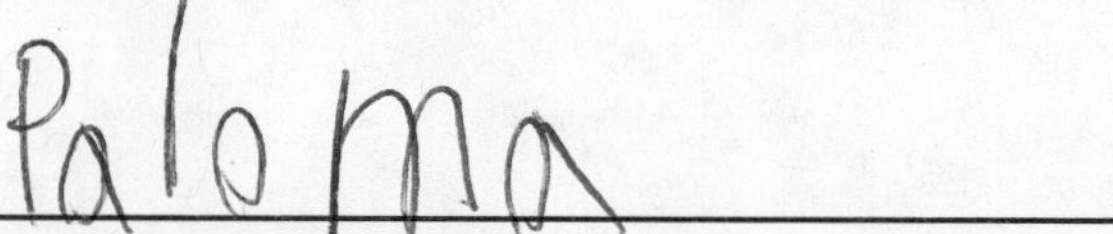

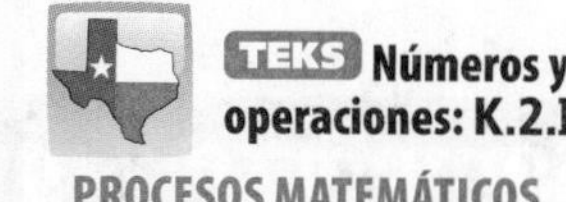

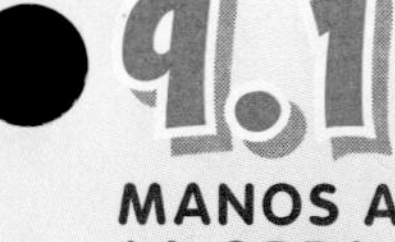

MANOS A LA OBRA: ÁLGEBRA

Pregunta esencial ¿De qué manera puedes juntar números para formar otros números hasta el 3?

Explora

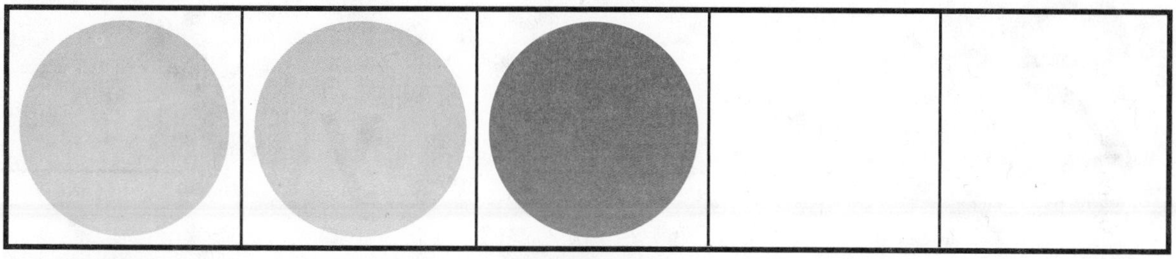

3   2   y   1

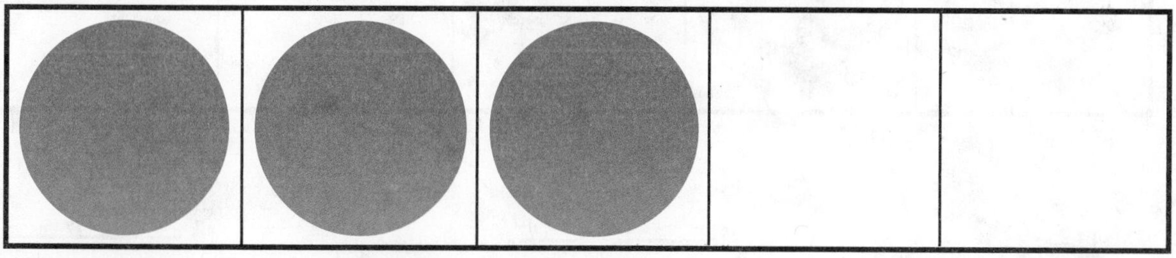

3   ____   y   ____

INSTRUCCIONES Coloca las fichas rojas y amarillas en los cuadros de cinco como se muestra. Hay 3 fichas. Escribe el número de fichas amarillas. Escribe el número de fichas rojas.

Comparte y muestra

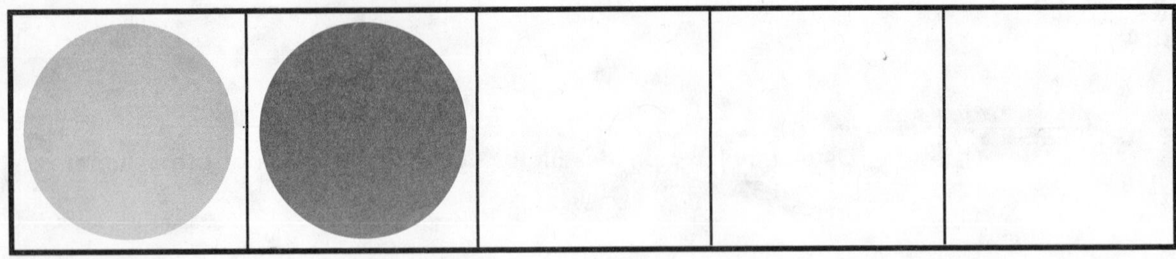

2 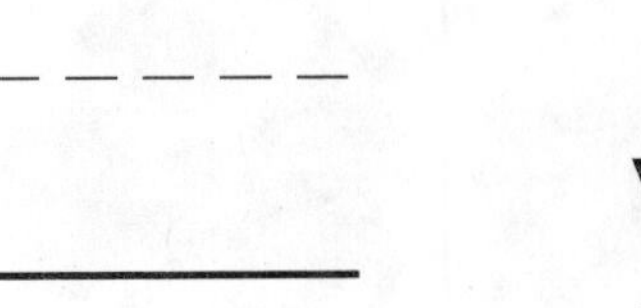

y

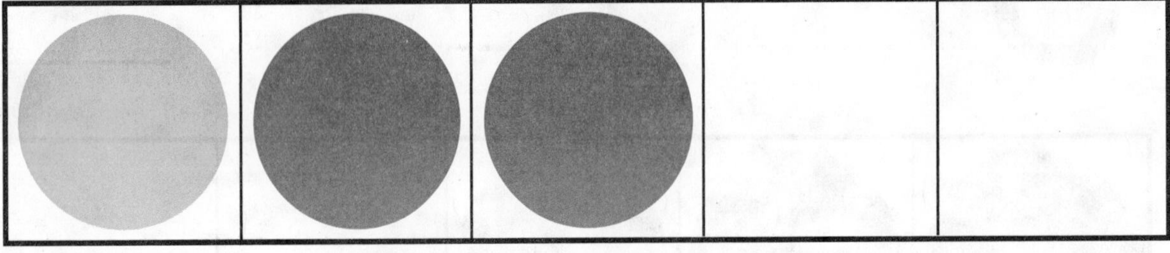

3 

y

INSTRUCCIONES Coloca las fichas en los cuadros de cinco como se muestra. **1.** Hay 2 fichas. Escribe el número de fichas amarillas. Escribe el número de fichas rojas. **2.** Hay 3 fichas. Escribe el número de fichas amarillas. Escribe el número de fichas rojas.

Nombre ______________________________

2 ___ y ___

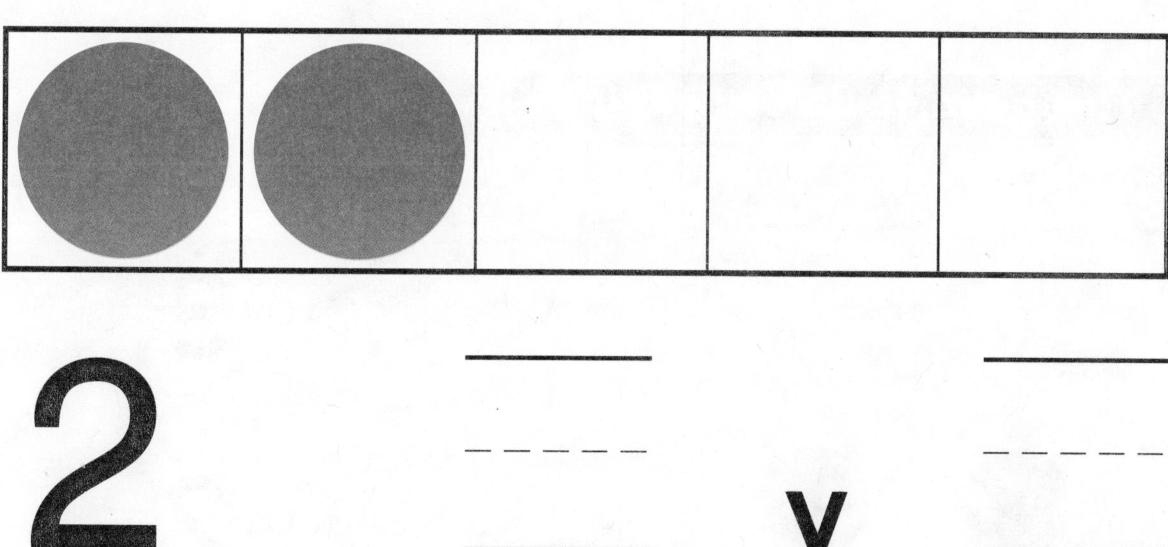

2 ___ y ___

INSTRUCCIONES 3 y 4. Coloca las fichas en los cuadros de cinco como se muestra. Mira el número. Escribe el número de fichas amarillas. Escribe el número de fichas rojas.

ACTIVIDAD PARA LA CASA • Muestre a su niño un conjunto de dos objetos. Pídale que añada un objeto más al conjunto y que diga cuántos hay ahora.

Procesos matemáticos

Representar • Razonar • Comunicar

Resolución de problemas En el mundo

Escribe

5

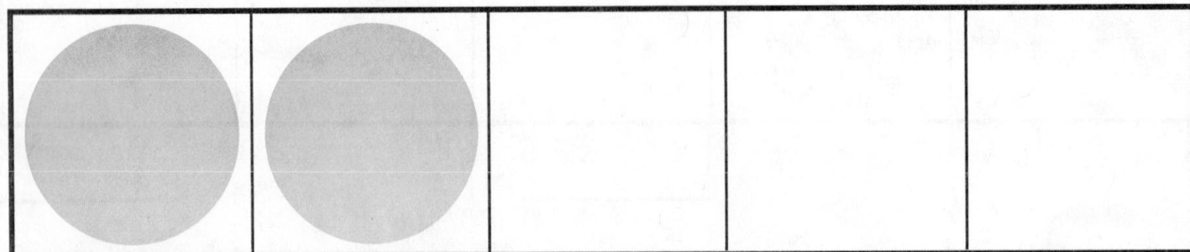

3 ______ y ______

Tarea diaria de evaluación

6

○ 3

○ 2

INSTRUCCIONES **5.** Sasha quiere tener 3 fichas. Tiene 2 fichas amarillas en el cuadro de cinco. ¿Con cuántas fichas rojas tendrá 3? Escribe el número de fichas amarillas. Dibuja las fichas rojas. Escribe el número de fichas rojas. **6.** Elige la respuesta correcta. ¿Cuántos puntos hay en total?

Tarea y práctica

Nombre ______________________

9.1 Componer los números hasta el 3

MANOS A LA OBRA: ÁLGEBRA

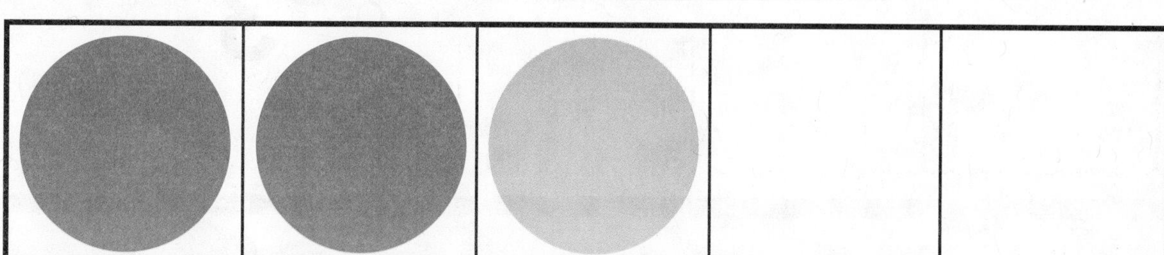

3 ______ y ______

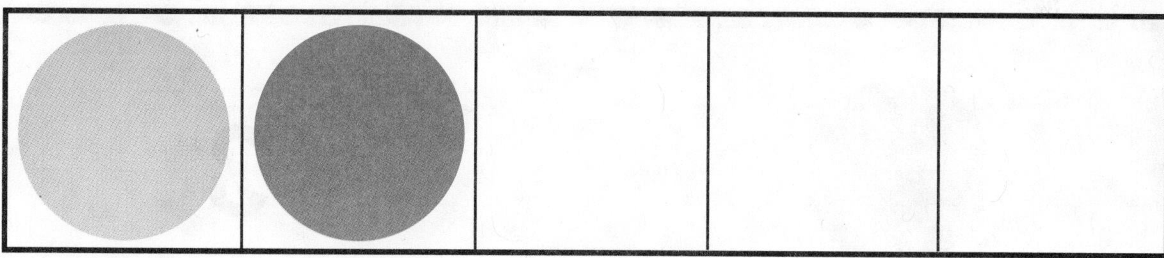

2 ______ y ______

INSTRUCCIONES **1.** Hay 3 fichas. Escribe el número de fichas rojas. Escribe el número de fichas amarillas. **2.** Mira el número. Escribe el número de fichas amarillas. Escribe el número de fichas rojas.

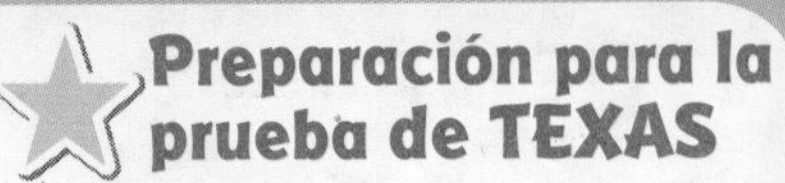

Repaso de la lección

3

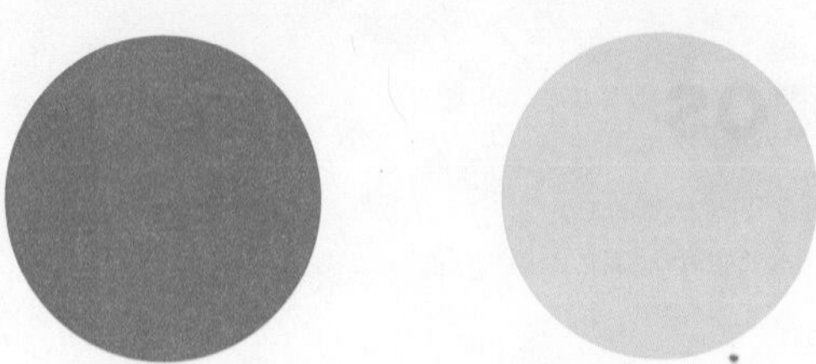

○ 2

○ 3

4

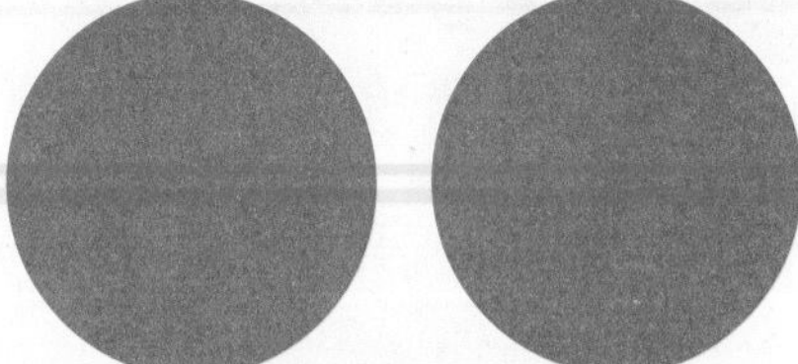

○ 2

○ 3

5

○ 3

○ 2

INSTRUCCIONES Elige la respuesta correcta.
3 a 5. ¿Cuántos puntos hay en total?

Nombre ______________________________

9.2 Componer los números 4 y 5

MANOS A LA OBRA: ÁLGEBRA

Pregunta esencial ¿De qué manera puedes juntar números para formar otros números hasta el 4 y el 5?

Explora

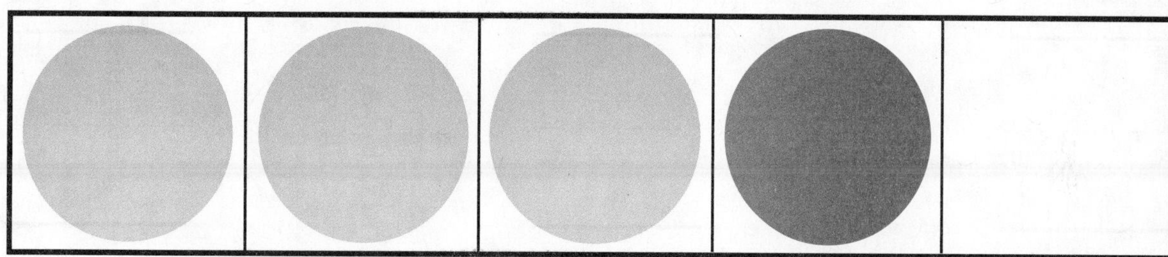

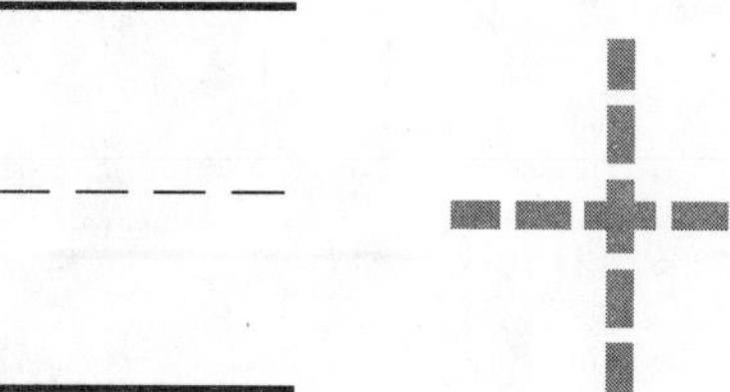

4 ______ + ______

INSTRUCCIONES Coloca las fichas rojas y amarillas en el cuadro de cinco como se muestra. Traza el número que muestra cuántas fichas hay en total. Escribe el número de fichas amarillas. Traza el signo. Escribe el número de fichas rojas.

Comparte y muestra

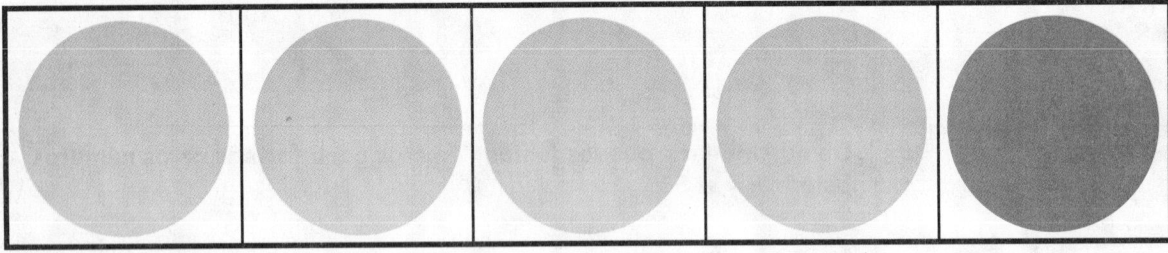

más

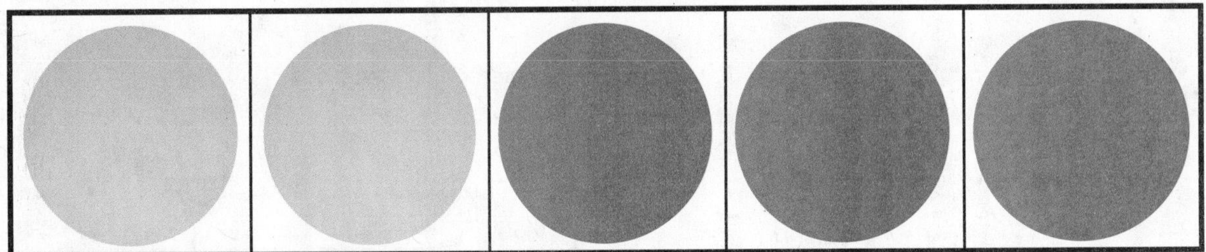

más

INSTRUCCIONES **1 y 2.** Coloca las fichas en los cuadros de cinco como se muestra. Escribe el número que muestra cuántas fichas hay en total. Escribe el número de fichas amarillas. Traza el signo. Escribe el número de fichas rojas.

Nombre ______________________________

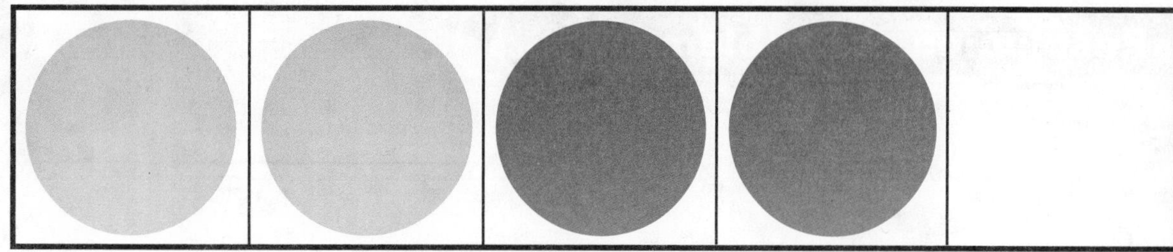

más

______ ______ + ______

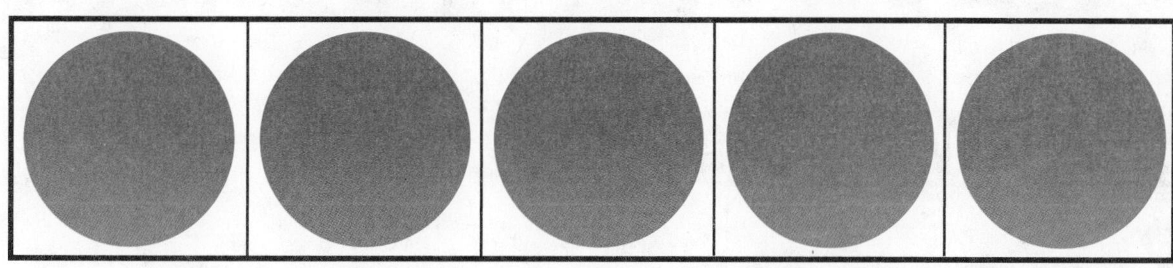

más

______ ______ + ______

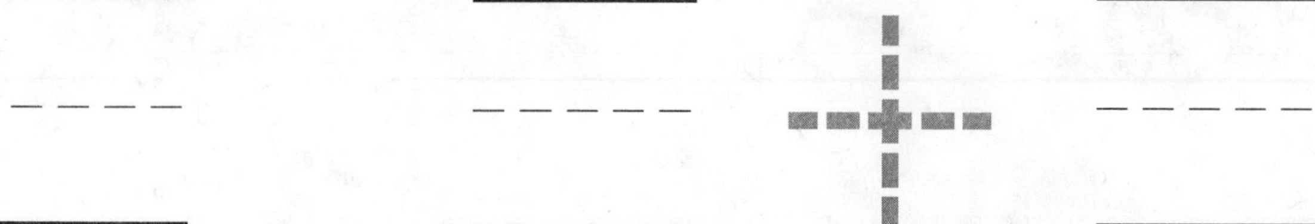

INSTRUCCIONES 3 y 4. Coloca las fichas en los cuadros de cinco como se muestra. Escribe el número que muestra cuántas fichas hay en total. Escribe el número de fichas amarillas. Traza el signo. Escribe el número de fichas rojas.

ACTIVIDAD PARA LA CASA • Muestre a su niño dos conjuntos de dos objetos. Pídale que junte los conjuntos y que diga cuántos objetos hay en total.

Procesos matemáticos

Representar • Razonar • Comunicar

Resolución de problemas En el mundo

5

Escribe

$+$

Tarea diaria de evaluación

6

4 ○ 3 ○

INSTRUCCIONES **5.** Hay cinco manzanas sobre la mesa. Tres manzanas son rojas y dos manzanas son verdes. Escribe el número que muestra cuántas manzanas hay en total. Escribe los números y traza el signo para mostrar cómo juntar las manzanas. **6.** Elige la respuesta correcta. ¿Cuántos animales de juguete hay?

Tarea y práctica

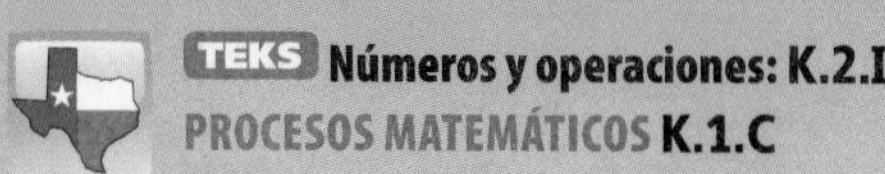

Nombre ______________________

9.2 Componer los números 4 y 5

MANOS A LA OBRA: ÁLGEBRA

1

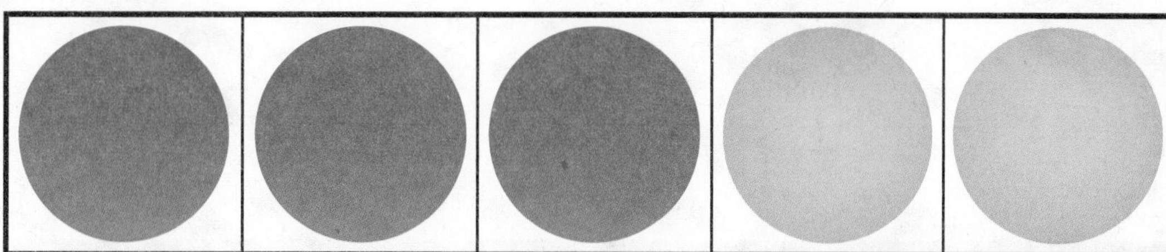

más

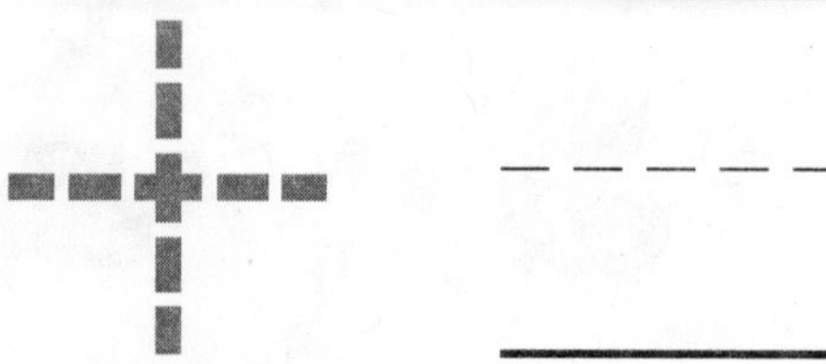

2

más

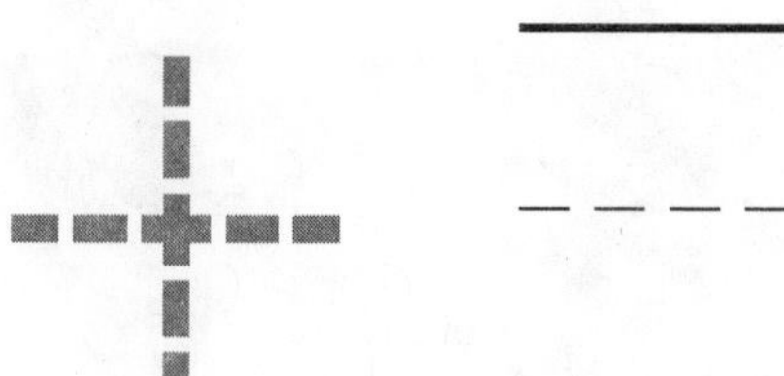

INSTRUCCIONES **1 y 2.** Escribe el número que muestra cuántas fichas hay en total. Escribe el número de fichas rojas. Traza el signo. Escribe el número de fichas amarillas.

Repaso de la lección

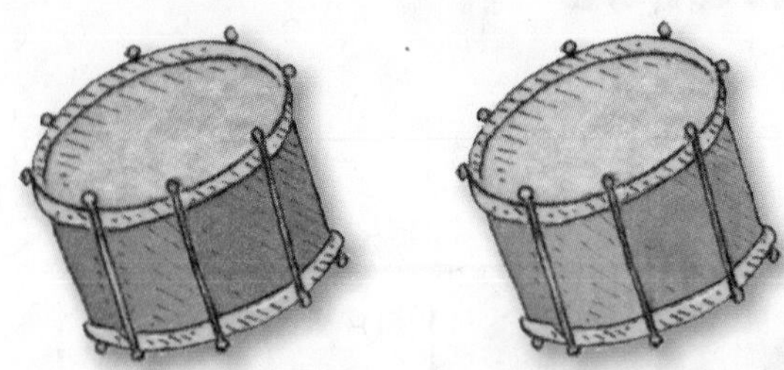

○ 3

○ 2

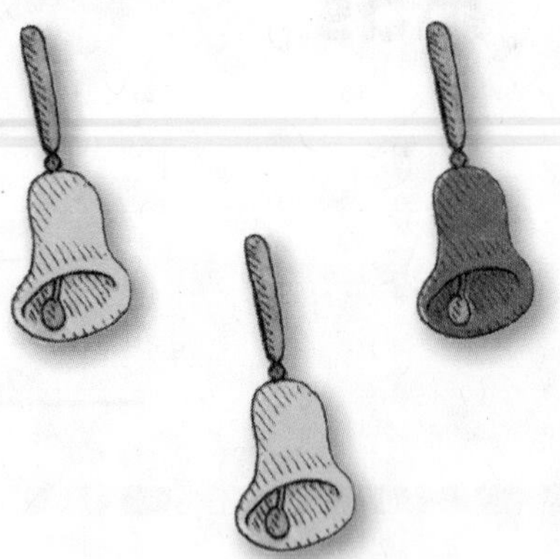

○ 3

○ 2

5

○ 1

○ 2

INSTRUCCIONES Elige la respuesta correcta. **3.** ¿Cuántos tambores hay? **4.** ¿Cuántas campanillas hay? **5.** ¿Cuántas guitarras hay?

Nombre ____________________________________

MANOS A LA OBRA

Descomponer los números hasta el 5

PROCESOS MATEMÁTICOS
K.1.E

Pregunta esencial ¿De qué manera puedes quitar un número de otro número hasta el 5?

Explora

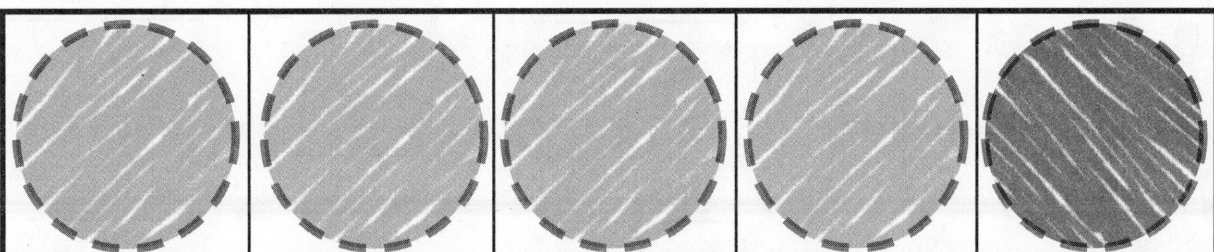

menos

5 – 1 = ___

INSTRUCCIONES Coloca 5 fichas en el cuadro de cinco como se muestra. Traza las fichas. Traza el número que muestra cuántas fichas son rojas. Traza el signo. Escribe el número de fichas que son amarillas.

Comparte y muestra

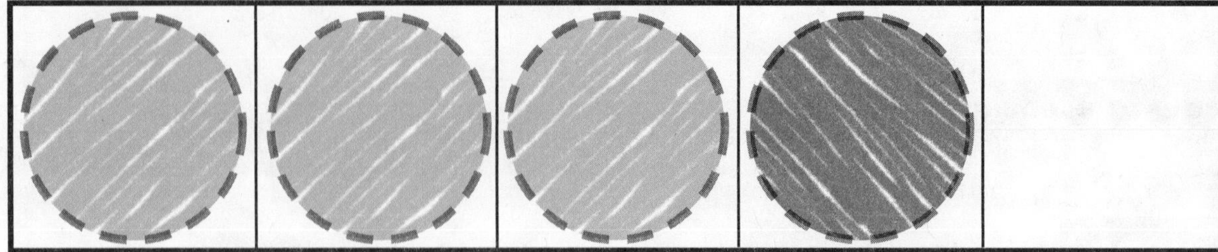

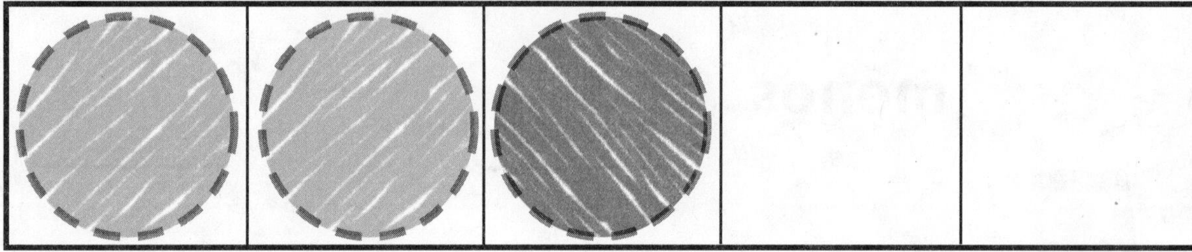

menos

3 –

INSTRUCCIONES **1.** Coloca 4 fichas en el cuadro de cinco como se muestra. Traza las fichas. Escribe el número de fichas que son rojas. Escribe el número de fichas que son amarillas. Traza el signo. **2.** Coloca 3 fichas en el cuadro de cinco como se muestra. Traza las fichas. Escribe el número de fichas que son rojas. Escribe el número de fichas que son amarillas. Traza el signo.

Nombre ______________________________

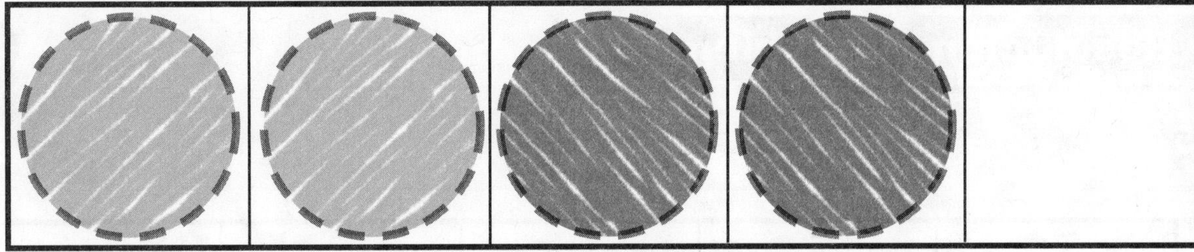

menos

4 --- ______ ______

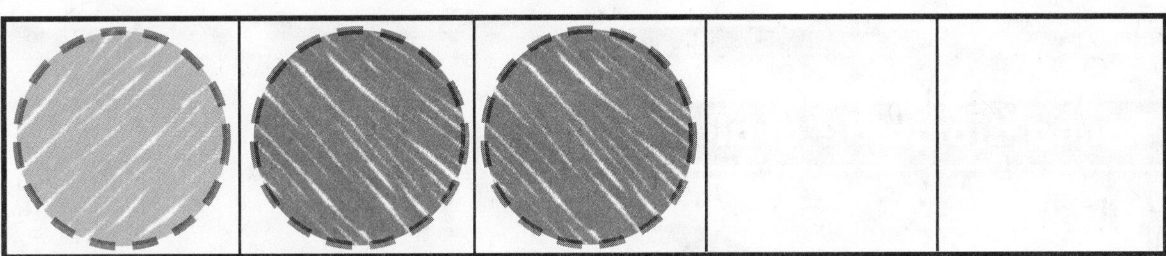

menos

3 --- ______ ______

INSTRUCCIONES **3.** Coloca 4 fichas en el cuadro de cinco. Traza las fichas. Escribe el número de fichas que son rojas. Escribe el número de fichas que son amarillas. Traza el signo. **4.** Coloca 3 fichas en el cuadro de cinco. Traza las fichas. Escribe el número de fichas que son rojas. Escribe el número de fichas que son amarillas. Traza el signo.

ACTIVIDAD PARA LA CASA • Muestre a su niño un conjunto de 5 objetos pequeños. Quite tres objetos. Pídale que describa cómo descompuso el conjunto.

Procesos matemáticos

Representar • Razonar • Comunicar

Resolución de problemas

5

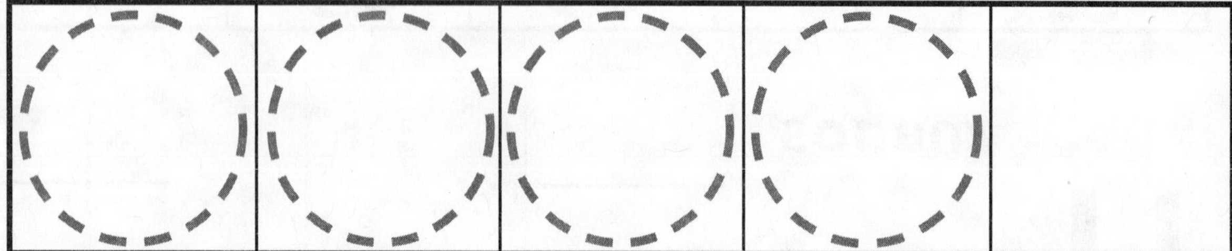

Tarea diaria de evaluación

6

○ 2

○ 3

INSTRUCCIONES **5.** Hay 4 fichas en el cuadro de cinco. Una ficha es amarilla. ¿Cuántas fichas son rojas? Colorea las fichas. Escribe el número de fichas que hay en el cuadro de cinco. Escribe el número de fichas que son amarillas. Escribe el número de fichas que son rojas. **6.** Elige la respuesta correcta. Hay 4 conejos. Dos conejos son grandes. ¿Cuántos conejos son pequeños?

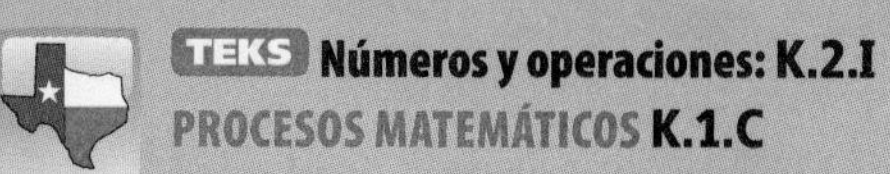

Nombre ______________________

MANOS A LA OBRA

Descomponer los números hasta el 5

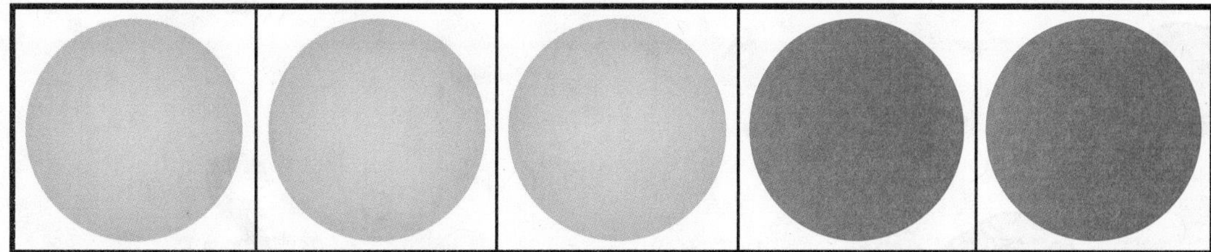

menos

5 --- ______ ______

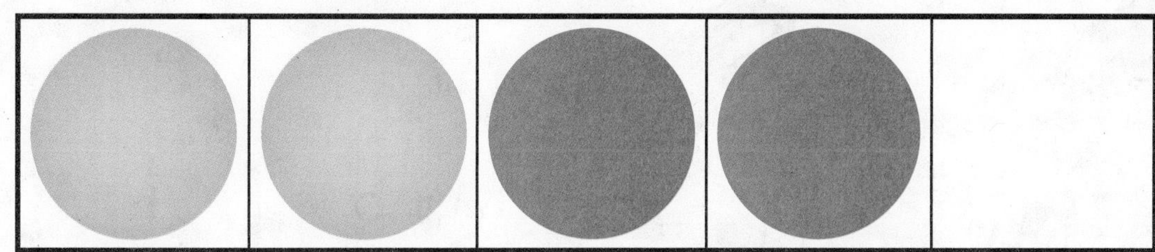

menos

4 --- ______ ______

INSTRUCCIONES **1.** Hay 5 fichas en el cuadro de cinco. Traza el signo y escribe el número de fichas que son rojas. Escribe el número de fichas que son amarillas. **2.** Hay 4 fichas en el cuadro de cinco. Traza el signo y escribe el número de fichas que son rojas. Escribe el número de fichas que son amarillas.

Repaso de la lección

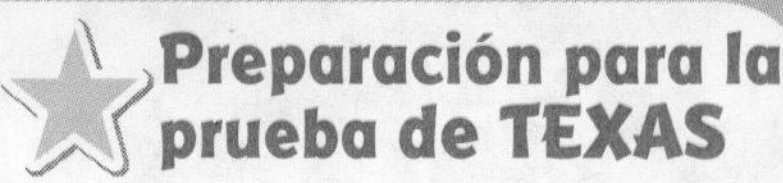

○ 3

○ 2

○ 1

○ 3

INSTRUCCIONES Elige la respuesta correcta. **3.** Hay 5 tortugas. Tres tortugas son verdes. ¿Cuántas tortugas son de color café? **4.** Hay 3 conejos. Dos conejos son de color café. ¿Cuántos conejos son blancos?

Nombre ______________________________

PROCESOS MATEMÁTICOS
K.1.B

RESOLUCIÓN DE PROBLEMAS • Componer y descomponer los números hasta el 5

Pregunta esencial ¿De qué manera puedes usar la estrategia de *hacer un modelo* para resolver problemas?

Soluciona el problema En el mundo

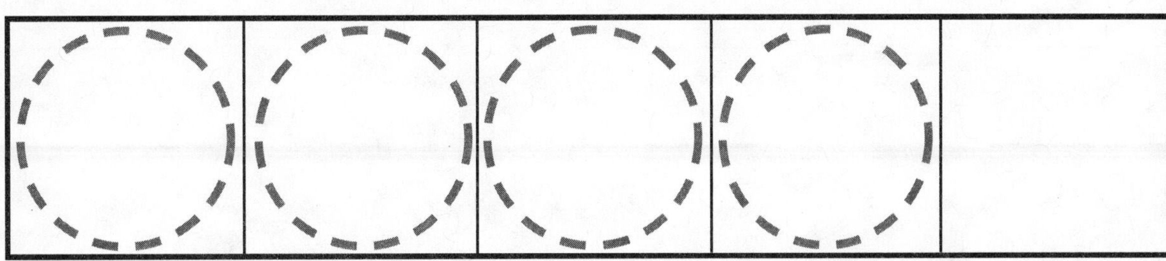

______ + ______

______

INSTRUCCIONES Hannah tiene 4 fichas. ¿Cuántas fichas rojas y amarillas podría tener? Coloca las fichas rojas en el cuadro de cinco. Traza las fichas y coloréalas. Escribe el número. Traza el signo más. Coloca las fichas amarillas en el cuadro de cinco. Traza las fichas y coloréalas. Escribe el número. Escribe el número para mostrar cuántas fichas hay en total.

Haz otro problema

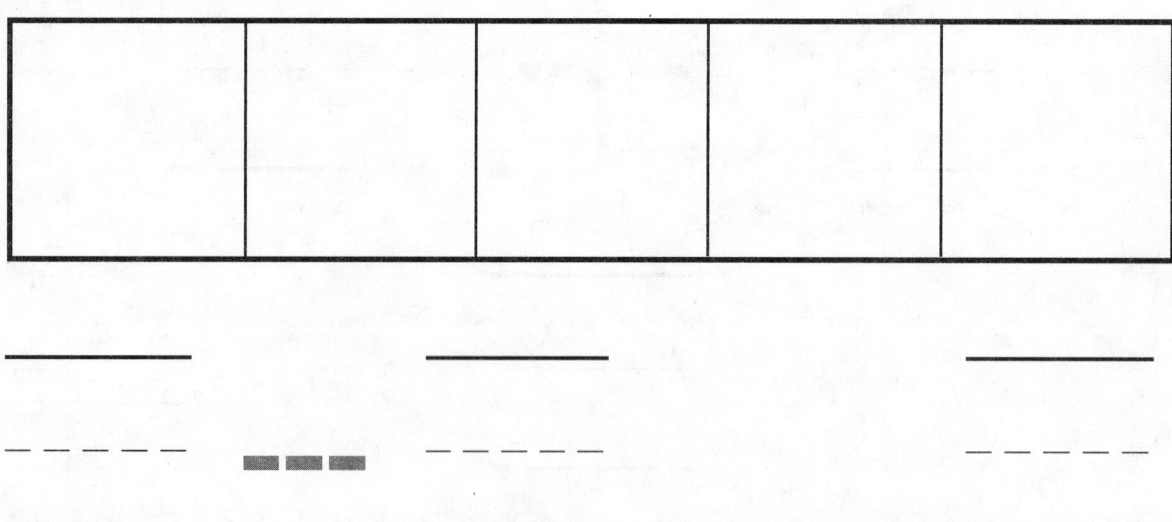

INSTRUCCIONES **1 y 2.** Escucha el problema. Dibuja y colorea las fichas para resolverlo. Escribe los números y traza el signo.

Nombre ______________________

Comparte y muestra

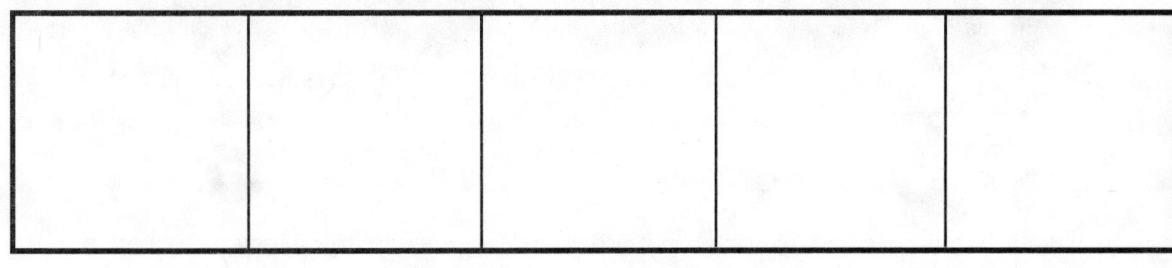

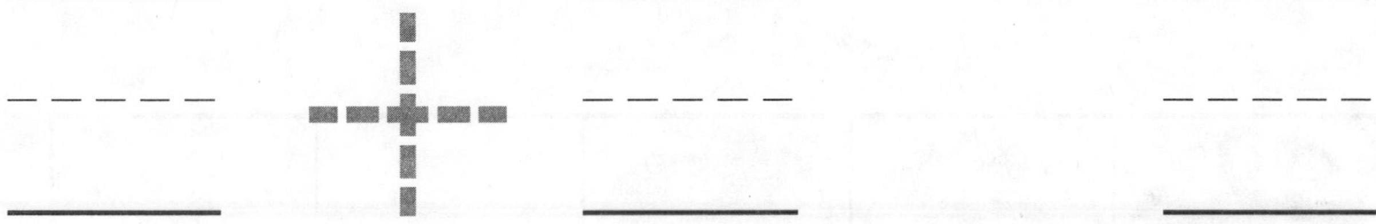

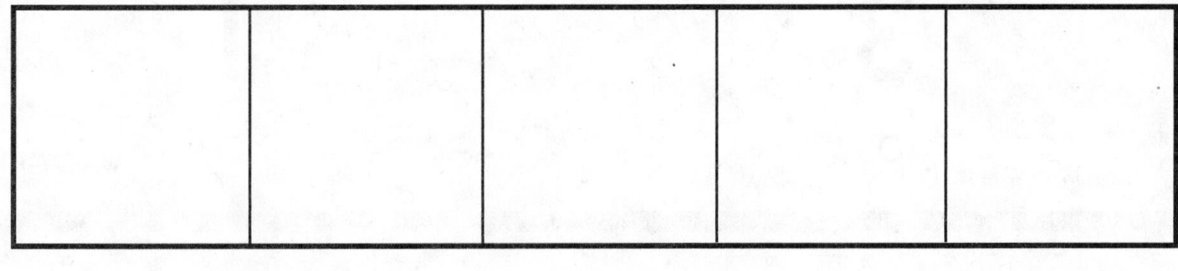

INSTRUCCIONES 3 y 4. Escucha el problema. Dibuja y colorea las fichas para resolverlo. Escribe los números y traza el signo.

ACTIVIDAD PARA LA CASA • Pida a su niño que diga un problema corto acerca de alguna de las ilustraciones de esta página.

Tarea diaria de evaluación

5

5 ○ 3 ○

6

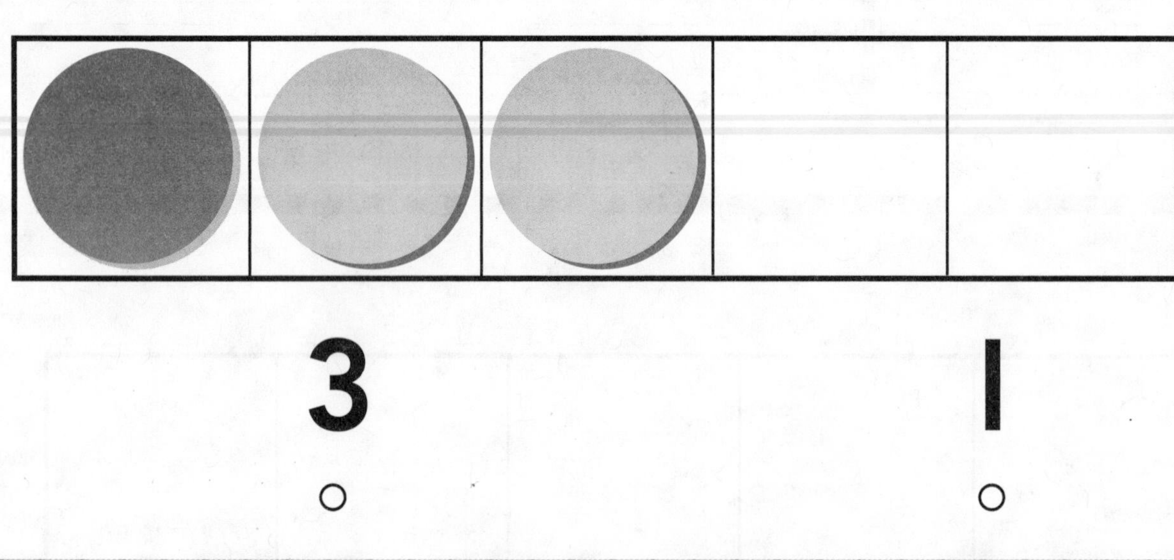

3 ○ 1 ○

7

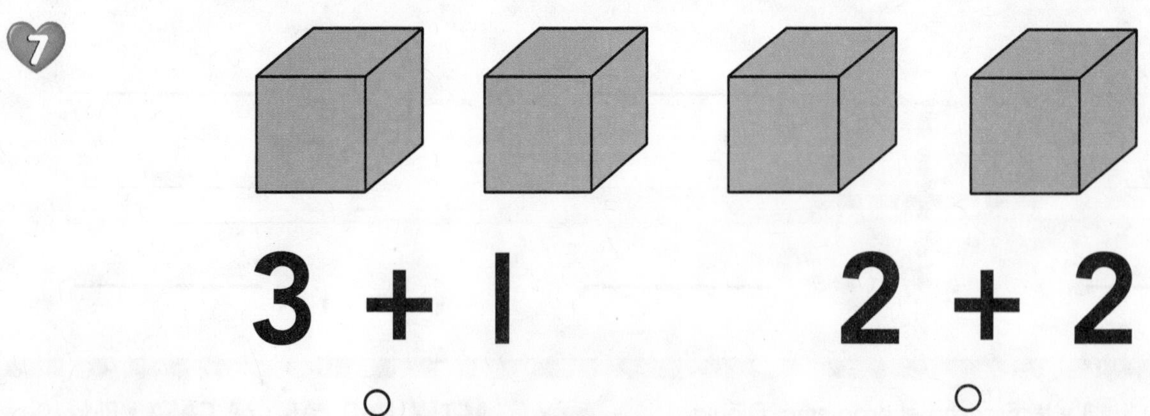

3 + 1 ○ 2 + 2 ○

INSTRUCCIONES Escucha el problema. Elige la respuesta correcta. **5.** El equipo tiene 3 pelotas de fútbol azules. También tiene 2 pelotas de fútbol amarillas. ¿Cuántas pelotas de fútbol hay en total? **6.** Hay 3 fichas. Dos son amarillas. Las demás son rojas. ¿Cuántas fichas son rojas? **7.** ¿Qué proposición matemática describen los cubos?

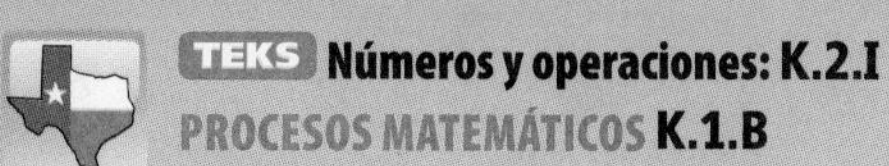

Nombre ______________________

9.4 MANOS A LA OBRA RESOLUCIÓN DE PROBLEMAS • Componer y descomponer los números hasta el 5

1

_____ + _____ _____

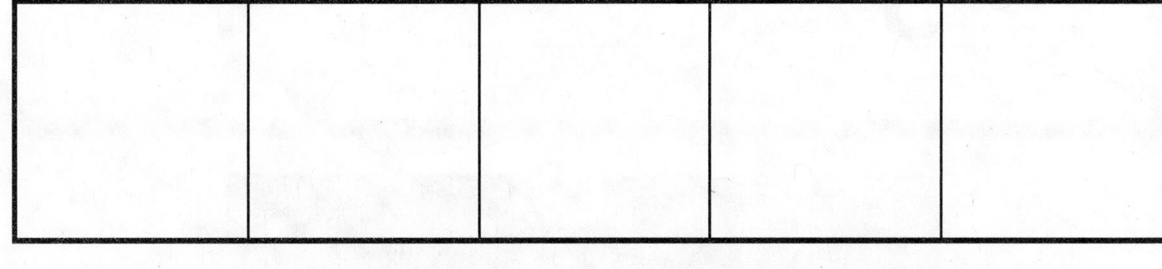

_____ + _____ _____

INSTRUCCIONES I y 2. Dibuja 5 fichas. Colorea de amarillo algunas fichas. Escribe el número. Traza el signo. Colorea de rojo las otras fichas. Escribe el número. Escribe el número para mostrar cuántas fichas hay en total.

Repaso de la lección

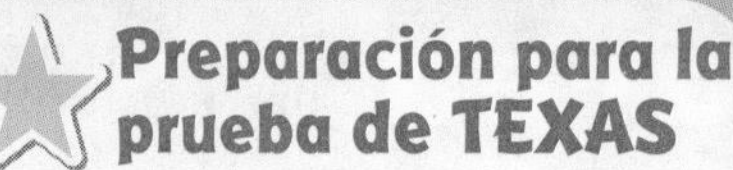

3

○ 5 ○ 4

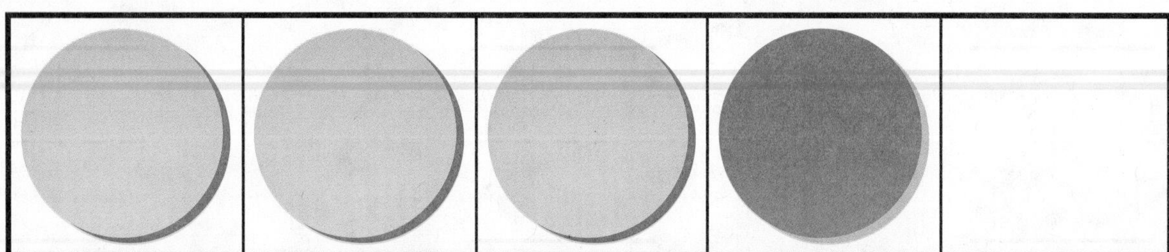

○ 3 ○ 4

5

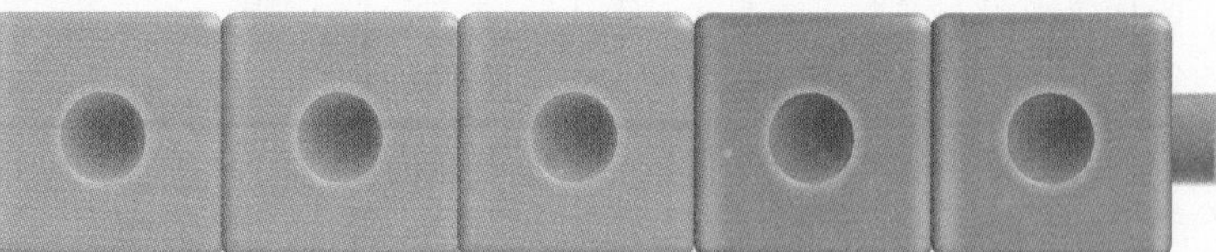

○ 2 + 1 ○ 3 + 2

INSTRUCCIONES Elige la respuesta correcta. **3.** Juan tiene 2 gorras amarillas. También tiene dos gorras moradas. ¿Cuántas gorras tiene en total? **4.** Hay 4 fichas. 1 es roja. Las otras son amarillas. ¿Cuántas fichas son amarillas? **5.** ¿Qué proposición matemática describen los cubos?

Nombre ______________________

Evaluación del Módulo 9

Conceptos y destrezas

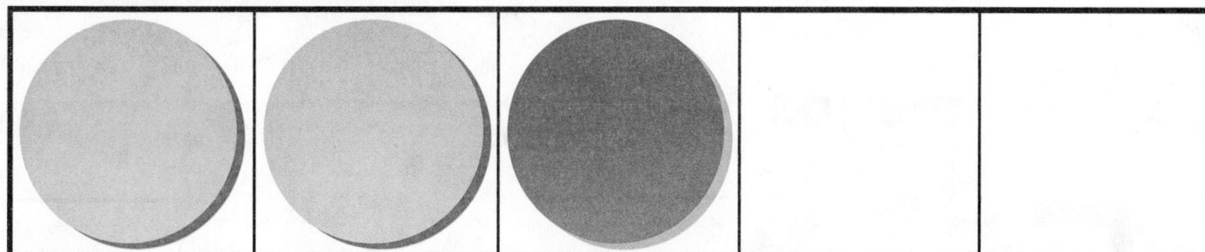

3 ______ y ______

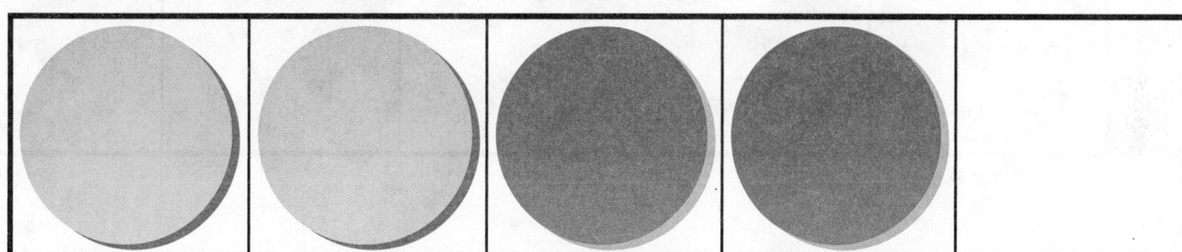

más

______ ______ 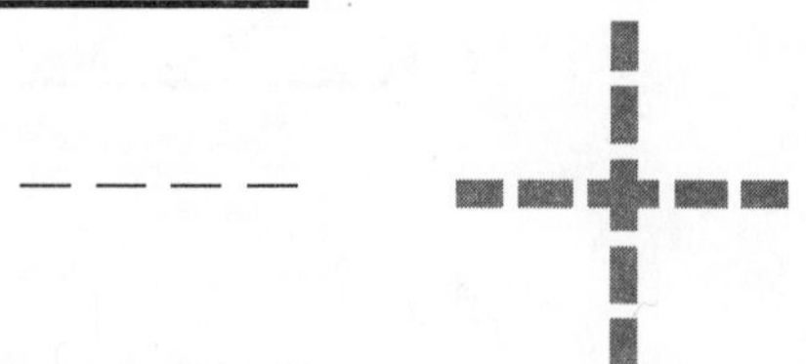 ______

INSTRUCCIONES **1.** Hay 3 fichas. Escribe el número de fichas amarillas. Escribe el número de fichas rojas. TEKS K.2.I **2.** Escribe el número total de fichas. Escribe el número de fichas amarillas. Escribe el número de fichas rojas. TEKS K.2.I

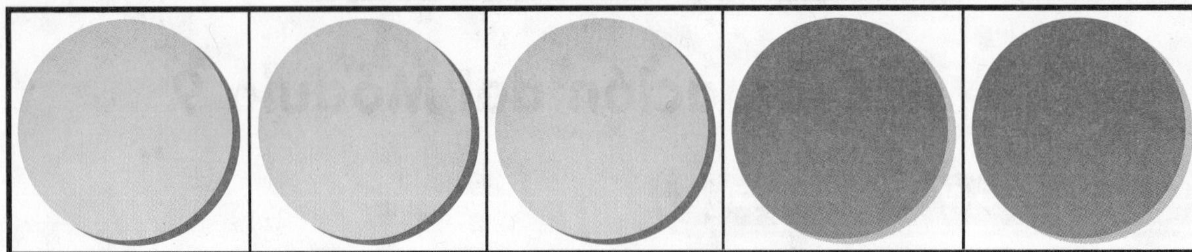

menos

5 ---

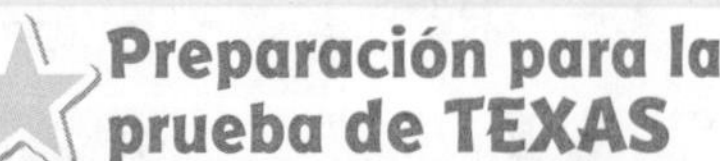

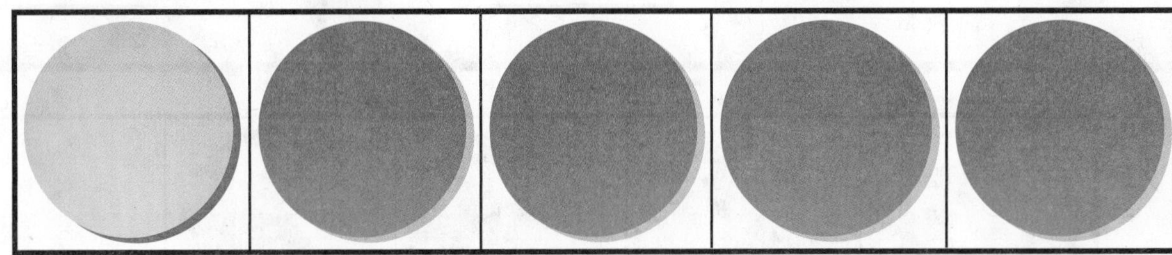

INSTRUCCIONES 3. Cuenta las fichas que hay en el cuadro de cinco. Escribe el número de fichas rojas. Traza el signo. Escribe el número de fichas amarillas. TEKS K.2.I **4.** Leila tiene 5 fichas. Cuatro fichas son rojas. Las demás son amarillas. ¿Cuántas fichas amarillas tiene Leila? Escribe los números y traza el signo. TEKS K.2.I

Nombre ________________________________

TEKS Números y operaciones: K.2.I
También K.2.B, K.2.C, K.2.D
PROCESOS MATEMÁTICOS
K.1.D, K.1.E

10.1 Componer 6 y 7

MANOS A LA OBRA

Pregunta esencial ¿De qué manera puedes juntar números para formar 6 y 7?

Explora

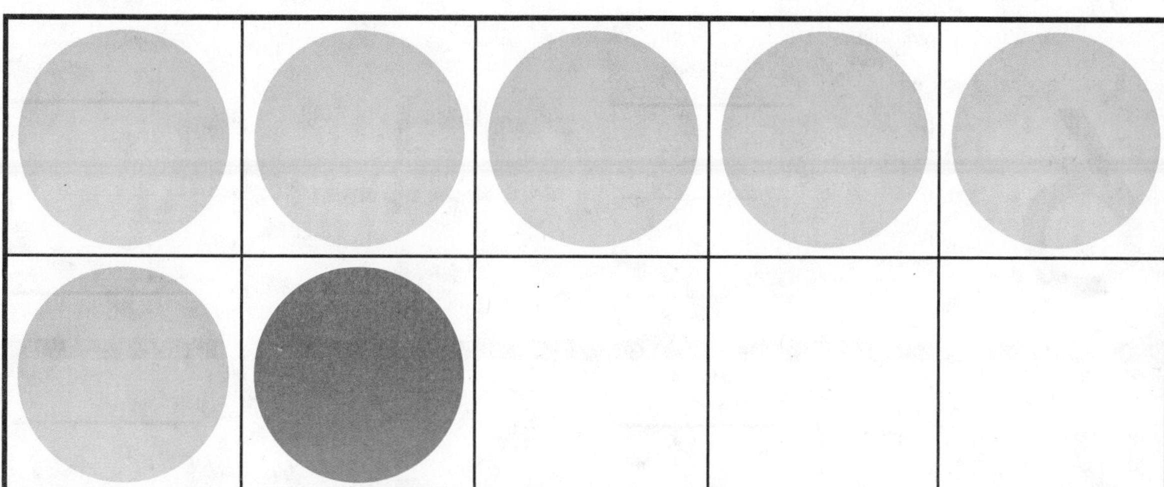

7 ____ + ____

INSTRUCCIONES Coloca las fichas amarillas y rojas en el cuadro de diez como se muestra. Escribe los números y traza el signo para mostrar los conjuntos que juntas.

Comparte y muestra

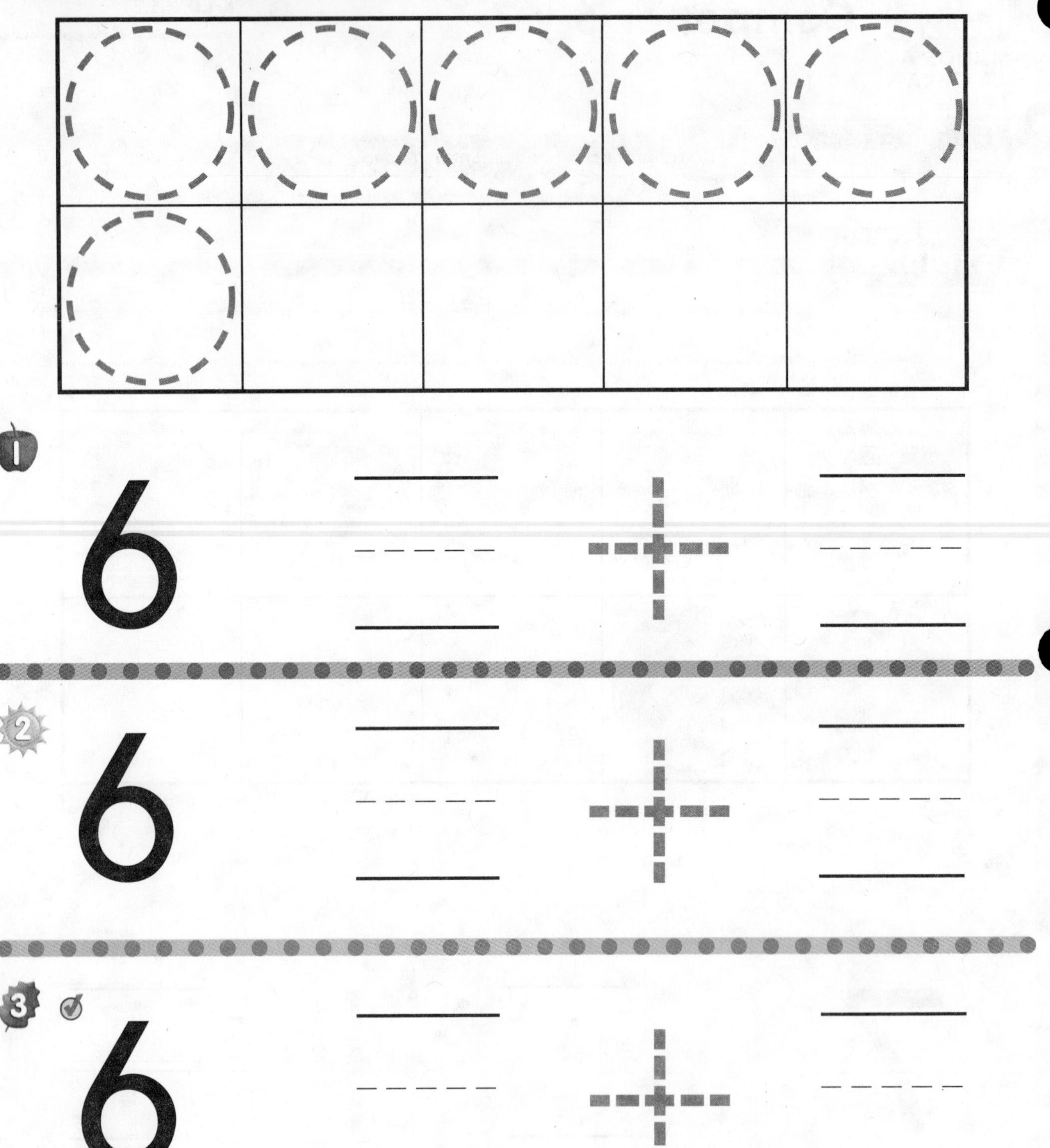

INSTRUCCIONES **1 y 2.** Coloca las fichas en el cuadro de diez para representar los números que juntas para formar 6. ¿Cuántas fichas de cada color hay? Escribe los números y traza el signo. **3.** Coloca las fichas en el cuadro de diez para representar los números que juntas para formar 6. Escribe el número de fichas que hay de cada color y traza el signo. Dibuja las fichas y coloréalas para mostrar los números.

Nombre ______________________________

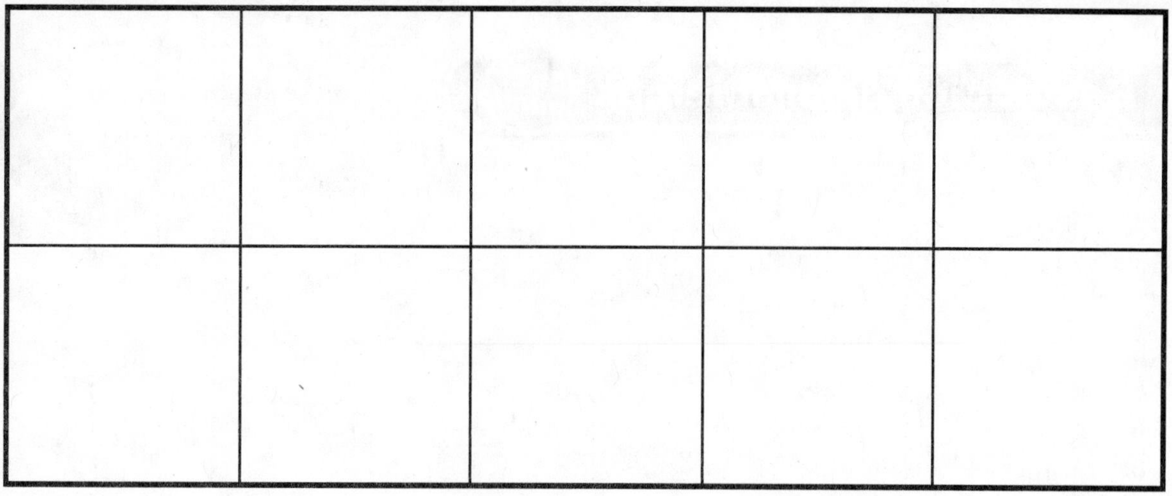

4 7 ____ + ____

5 7 ____ + ____

6 7 ____ + ____

INSTRUCCIONES 4 y 5. Coloca las fichas en el cuadro de diez para representar los números que juntas para formar 7. Escribe los números y traza el signo. **6.** Dibuja las fichas y coloréalas para representar los números que juntas para formar 7. Escribe los números y traza el signo.

ACTIVIDAD PARA LA CASA • Muestre a su niño un número del 1 al 7. Pídale que halle el número con el que lo debe juntar para formar 6 ó 7.

Procesos matemáticos

Representar • Razonar • Comunicar

Resolución de problemas En el mundo

___ ___ + ___

Tarea diaria de evaluación

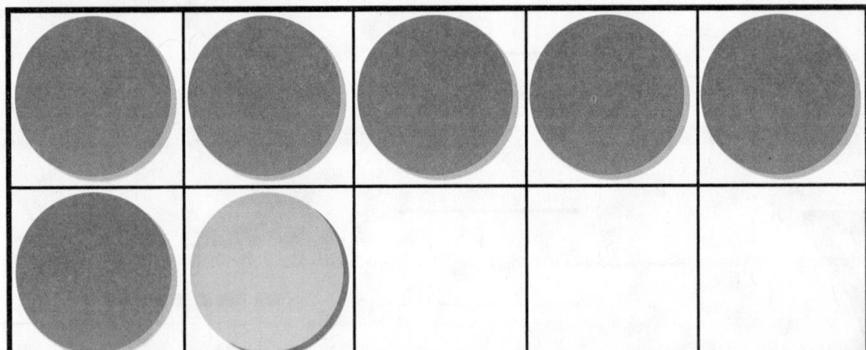

○ 7 + 3 ○ 6 + 1

INSTRUCCIONES **7.** Troy tiene algunos camiones de juguete. Dos camiones son rojos. Escribe el número y traza el signo. Cuatro camiones son azules. Escribe el número. ¿Cuántos camiones tiene Troy? Haz dibujos para resolver el problema. Escribe el número. **8.** Elige la respuesta correcta. Cuenta las fichas. ¿Qué dos números juntas?

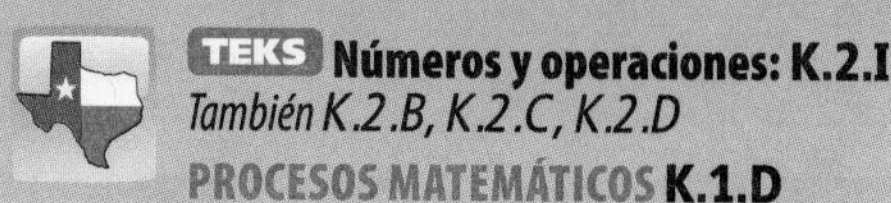

Nombre ______________________

10.1 Componer 6 y 7

MANOS A LA OBRA

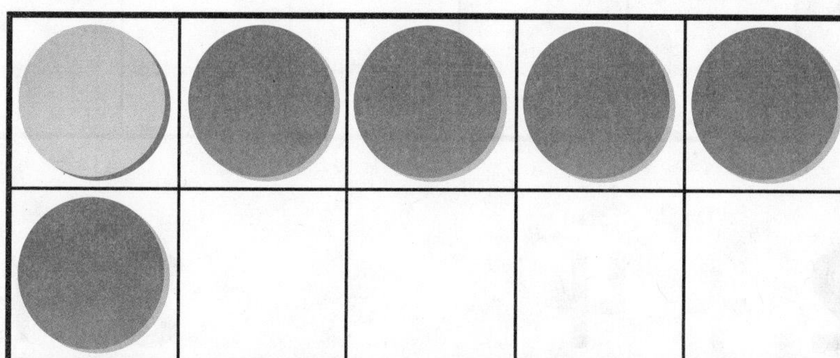

6

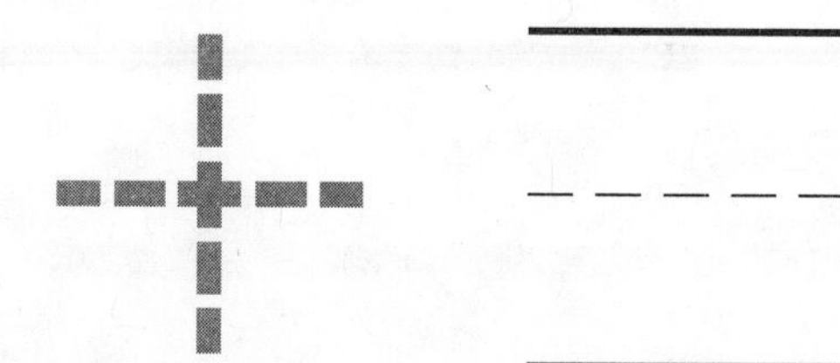

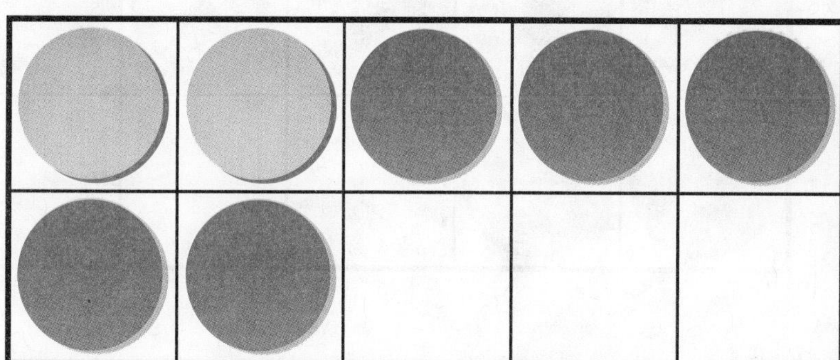

7

INSTRUCCIONES **1 y 2.** Cuenta las fichas del cuadro de diez que representan los números que juntas. ¿Cuántas fichas de cada color hay? Escribe los números y traza el signo.

Repaso de la lección

Preparación para la prueba de TEXAS

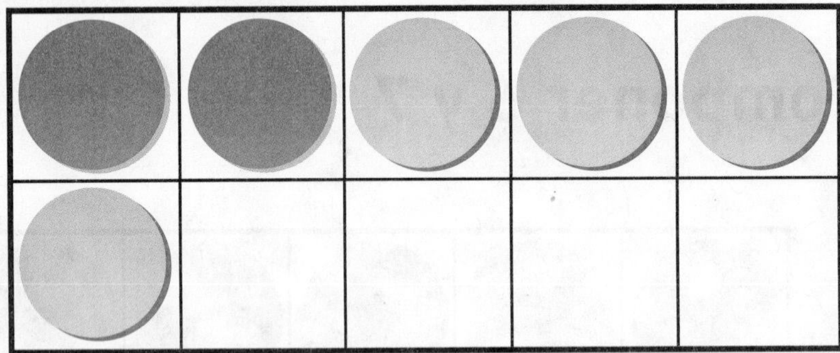

○ 2 + 4 ○ 3 + 3

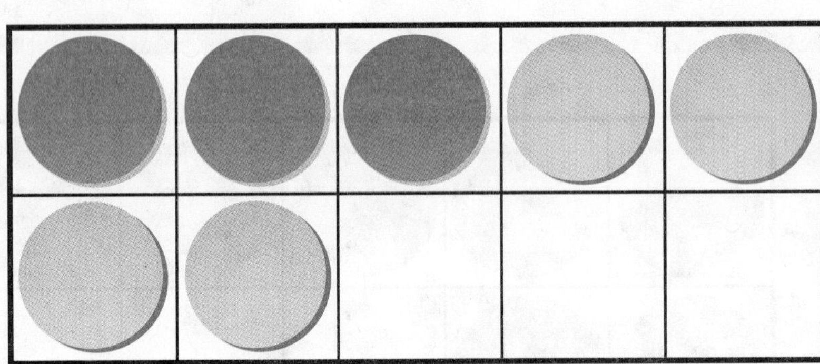

○ 3 + 2 ○ 3 + 4

INSTRUCCIONES Elige la respuesta correcta. **3 y 4.** Cuenta las fichas. ¿Qué números juntas?

Nombre ______________________________

10.2 Componer 8

MANOS A LA OBRA

Pregunta esencial ¿De qué manera puedes juntar números para formar 8?

Explora

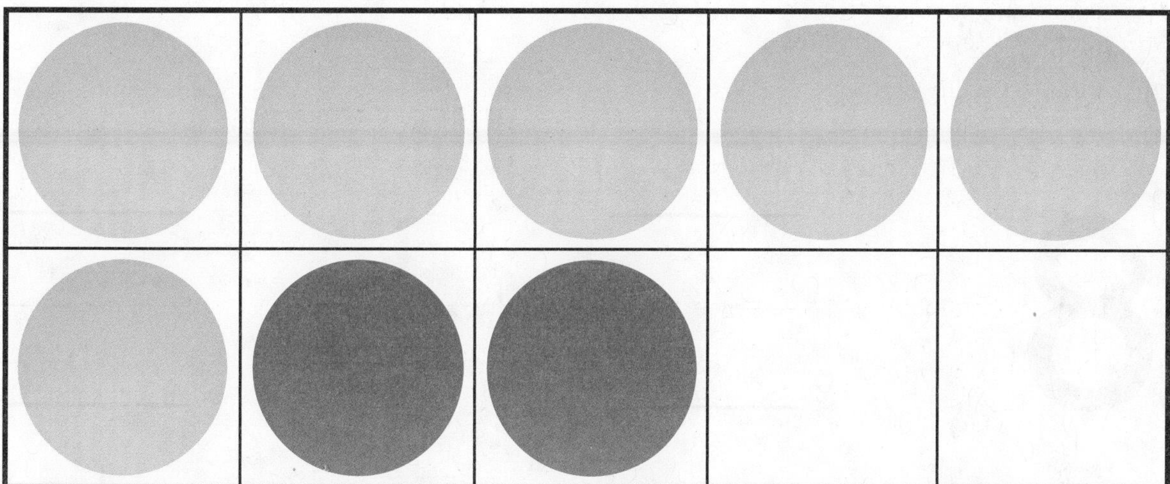

8

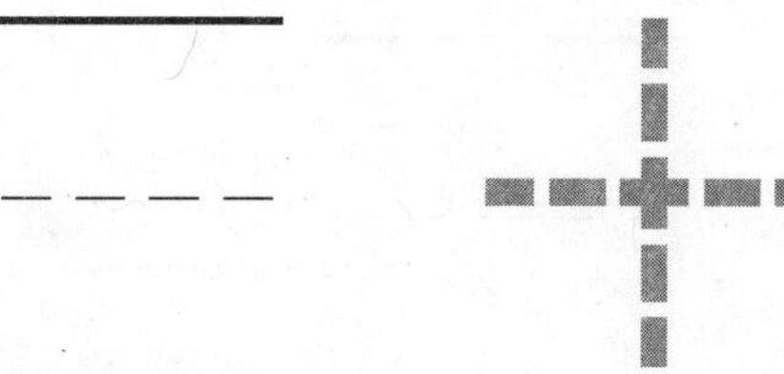

INSTRUCCIONES Coloca las fichas amarillas y rojas en el cuadro de diez como se muestra. Escribe los números y traza el signo para mostrar los conjuntos que juntas.

Comparte y muestra

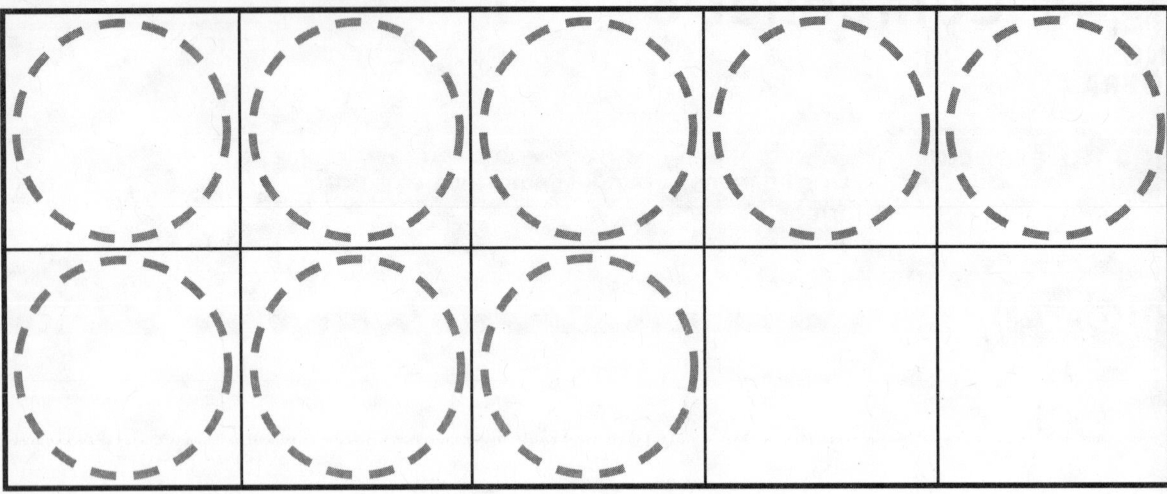

8 ___ + ___

8 ___ + ___

INSTRUCCIONES **1.** Coloca las fichas en el cuadro de diez para representar los números que juntas para formar 8. ¿Cuántas fichas de cada color hay? Escribe los números y traza el signo. **2.** Coloca las fichas en el cuadro de diez para representar los números que juntas para formar 8. Escribe los números y traza el signo. Dibuja las fichas y coloréalas para mostrar los números.

Nombre ___________________________

3

8 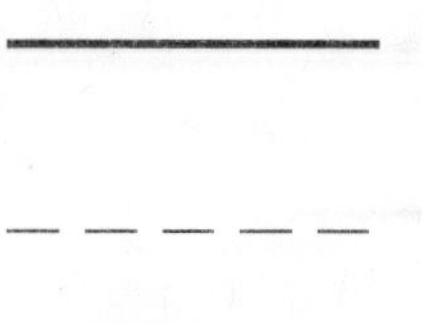 

4

8  

INSTRUCCIONES **3.** Coloca las fichas en el cuadro de diez para representar los números que juntas para formar 8. Escribe los números y traza el signo. **4.** Dibuja las fichas y coloréalas para representar los números que juntas para formar 8. Escribe los números y traza el signo.

ACTIVIDAD PARA LA CASA • Muestre a su niño 8 objetos. Pídale que descomponga el conjunto para mostrar las diferentes maneras de formar 8.

Procesos matemáticos

Representar • Razonar • Comunicar

Resolución de problemas En el mundo

5

Escribe

8 ___ + ___

Tarea diaria de evaluación

6

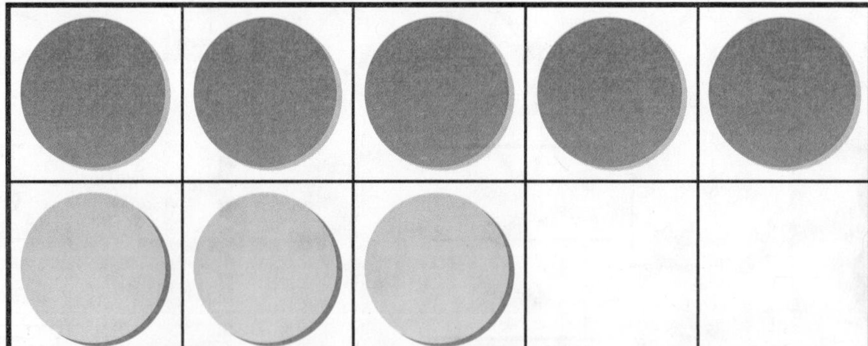

○ 5 + 3 ○ 2 + 6

INSTRUCCIONES **5.** Madison tiene 8 fichas. 6 son amarillas. Las otras son rojas. ¿Cuántas son rojas? Haz un dibujo para resolver el problema. Escribe los números y traza el signo. **6.** Cuenta las fichas. ¿Qué números juntas? Elige la respuesta correcta.

TEKS Números y operaciones: K.2.I
También K.2.B, K.2.C, K.2.D
PROCESOS MATEMÁTICOS **K.1.C**

Nombre ______________________

10.2 Componer 8

MANOS A LA OBRA

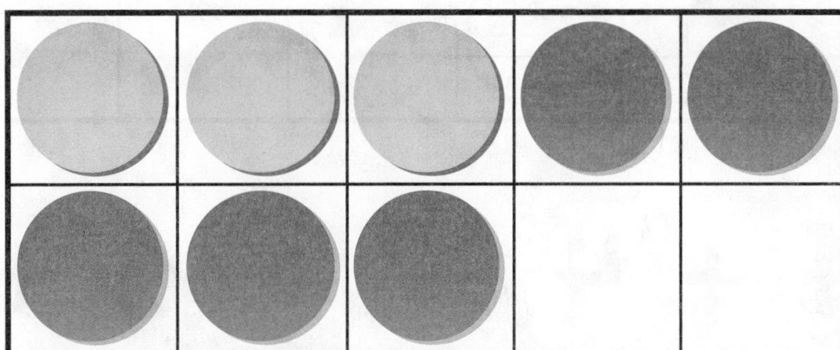

8

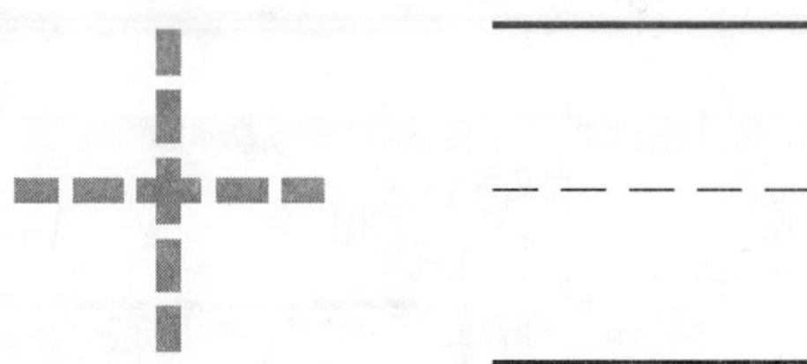

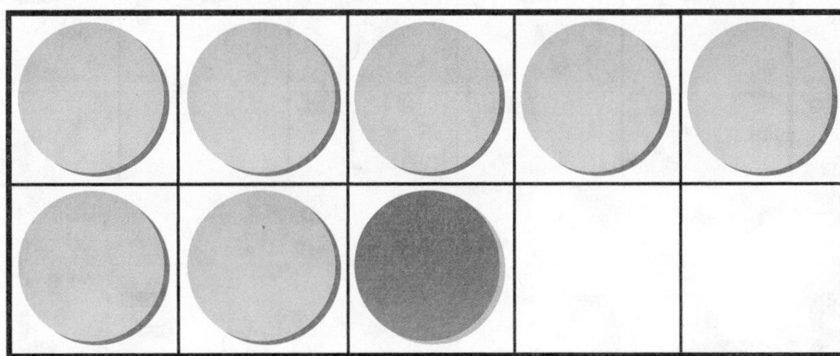

8

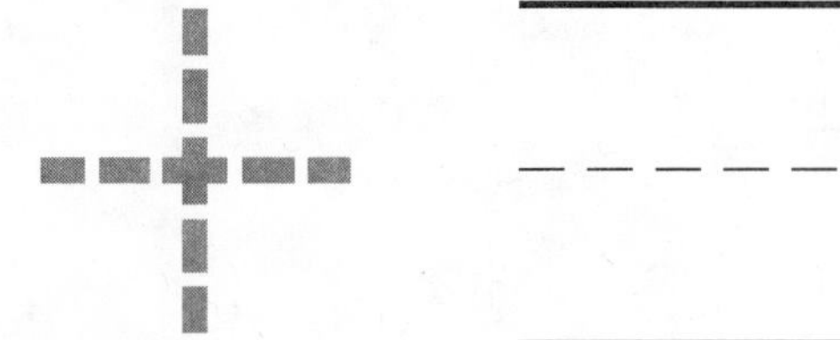

INSTRUCCIONES 1 y 2. Cuenta las fichas del cuadro de diez que representan los números que juntas. ¿Cuántas fichas de cada color hay? Escribe los números y traza el signo.

Repaso de la lección

Preparación para la prueba de TEXAS

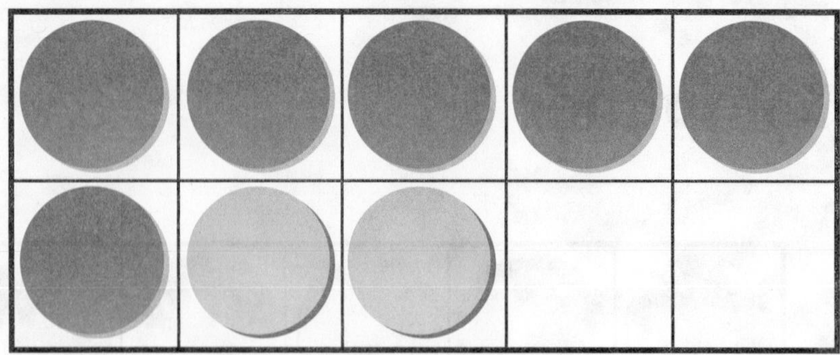

○ 4 + 4 ○ 6 + 2

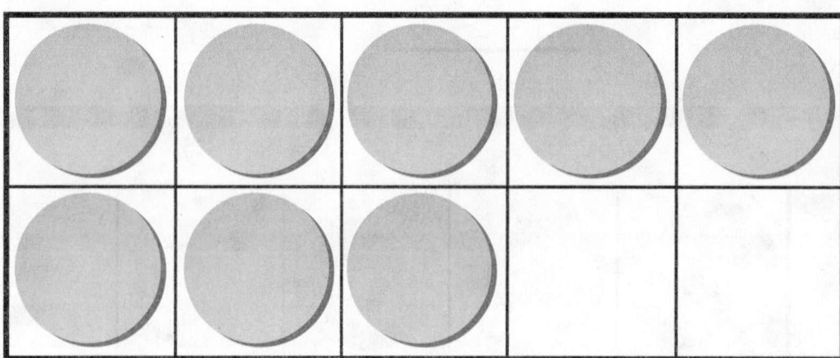

○ 8 + 0 ○ 5 + 3

INSTRUCCIONES Elige la respuesta correcta.
3 y 4. Cuenta las fichas. ¿Qué números juntas?

Nombre ______________________

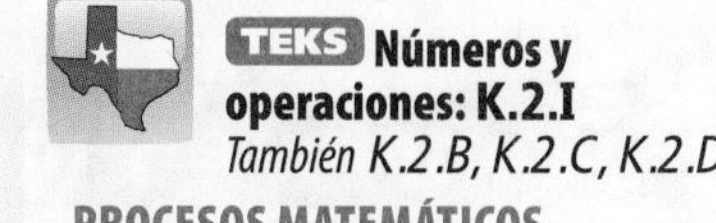

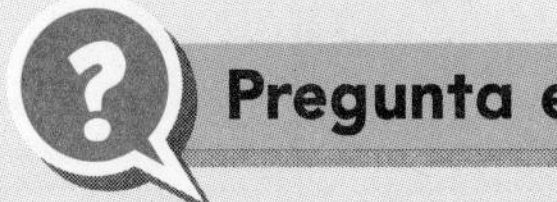

Componer 9

Pregunta esencial ¿De qué manera puedes juntar pares de números para formar 9?

Explora

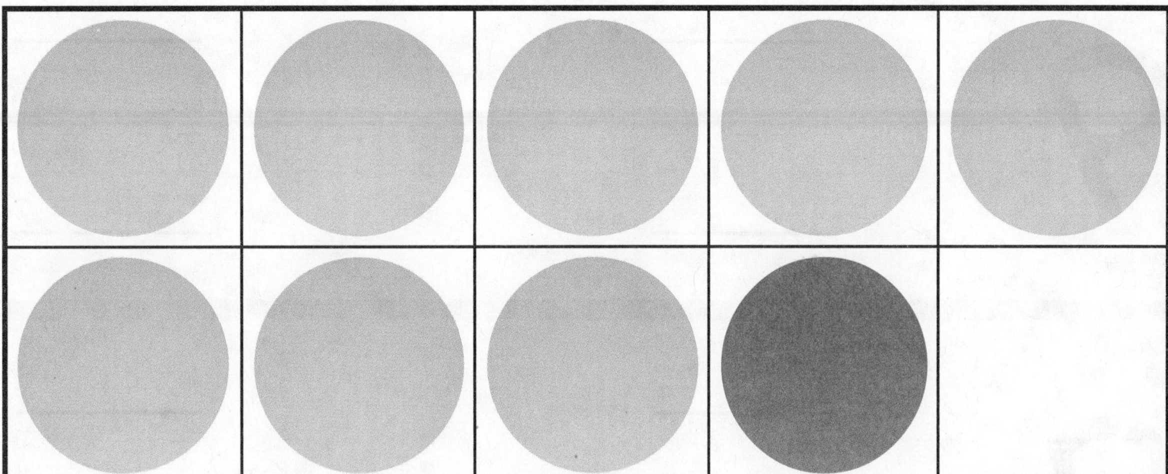

9 ____ + ____

INSTRUCCIONES Coloca las fichas amarillas y rojas en el cuadro de diez como se muestra. Escribe los números y traza el signo para mostrar el par de números que forman 9.

Comparte y muestra

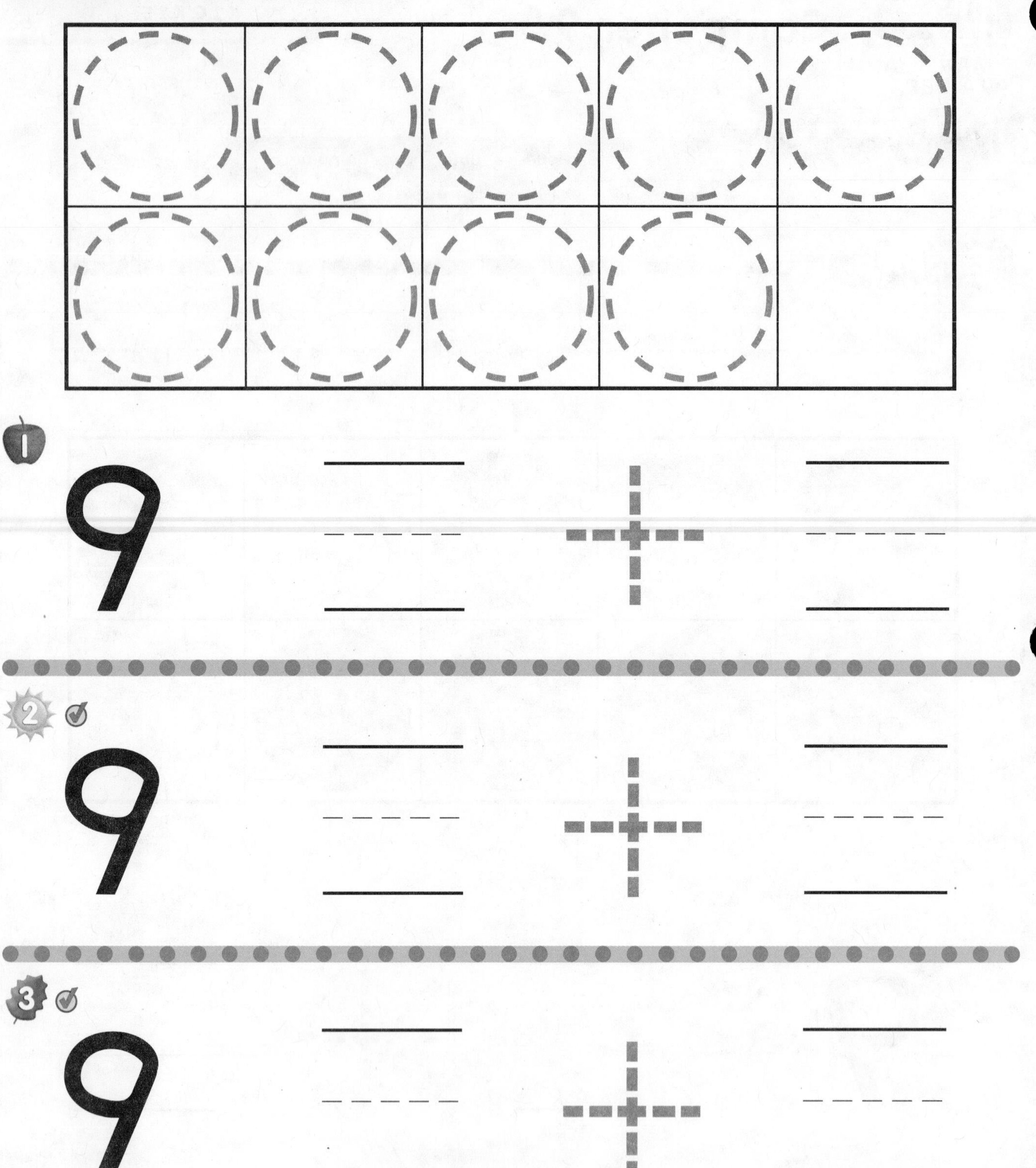

INSTRUCCIONES Usa las fichas para mostrar diferentes pares de números que forman 9. **1 a 3.** Escribe el par de números y traza el signo. En el Ejercicio 3, colorea las fichas para representar el par de números que forman 9.

Nombre ______________________________

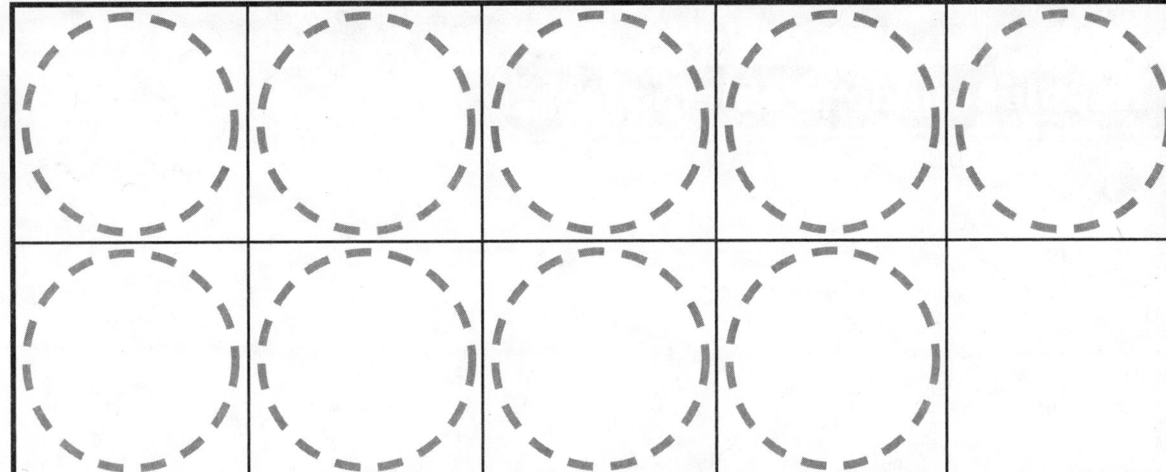

4

9  

5

9 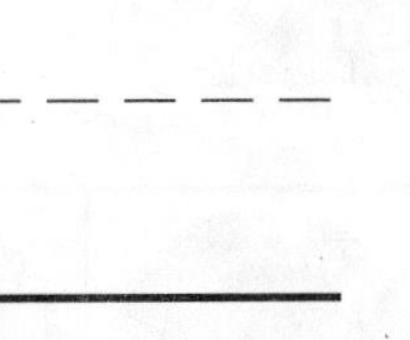 

6

9  

INSTRUCCIONES Usa las fichas para mostrar diferentes pares de números que forman 9. **4 a 6.** Escribe el par de números y traza el signo. En el Ejercicio 6, colorea las fichas para representar el par de números que forman 9.

ACTIVIDAD PARA LA CASA • Pida a su niño que use los dedos de las dos manos para mostrar un par de números que formen 9.

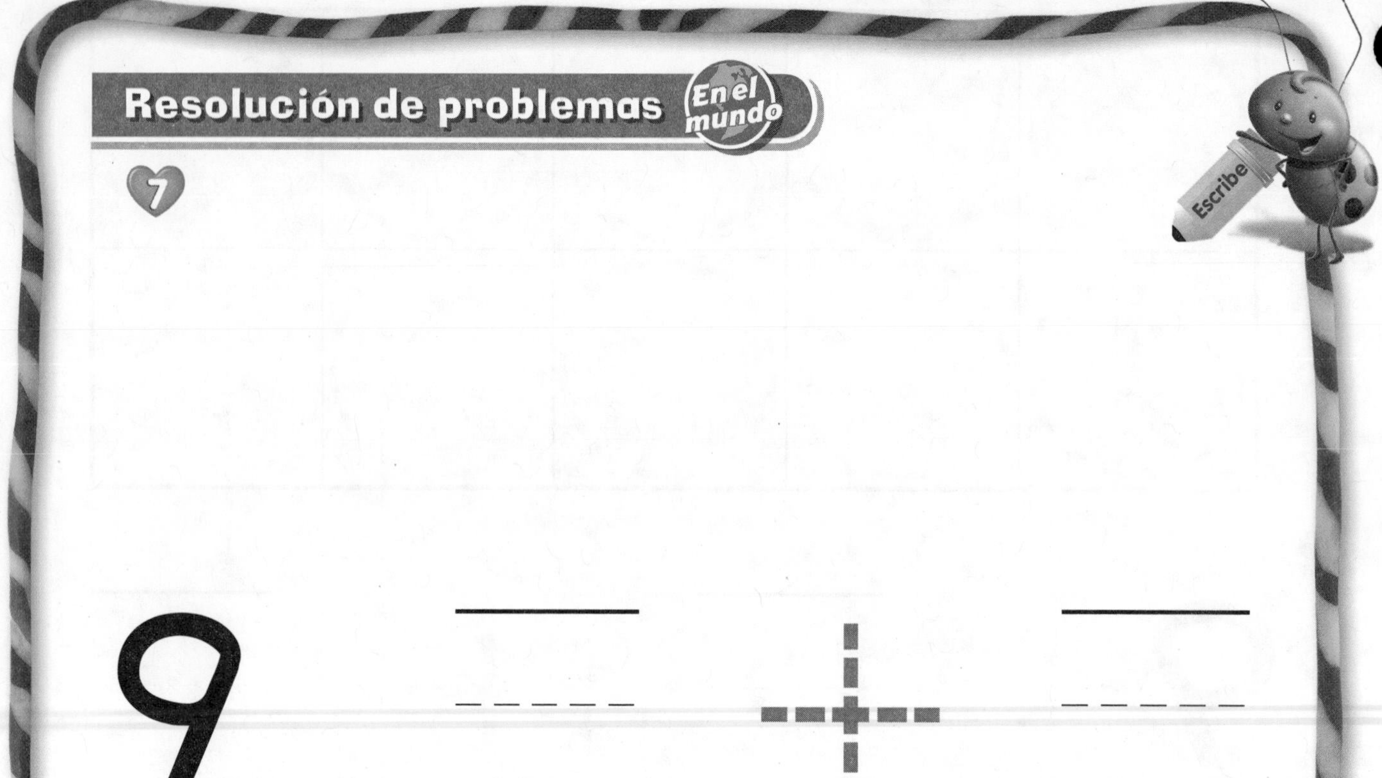

Tarea diaria de evaluación

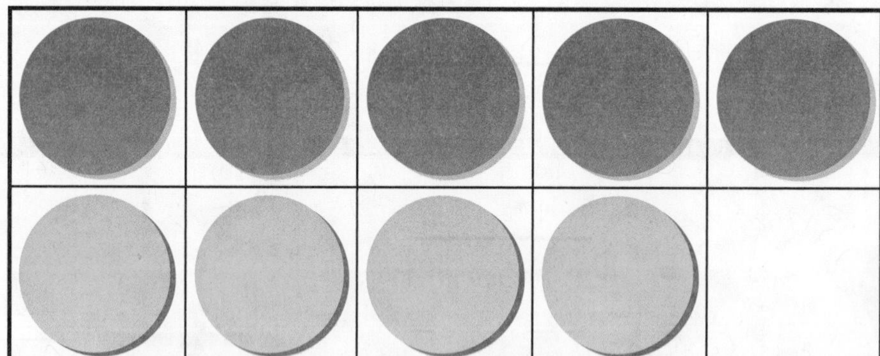

○ 5 + 4 ○ 3 + 6

INSTRUCCIONES **7.** Shelby tiene nueve fichas. Ninguna es roja. Las otras son amarillas. ¿Cuántas son amarillas? Haz un dibujo para resolver el problema. Escribe los números y traza el signo. **8.** Elige la respuesta correcta. Cuenta las fichas. ¿Cuál es el par de números que se muestra?

Nombre ______________________

10.3 Componer 9

MANOS A LA OBRA

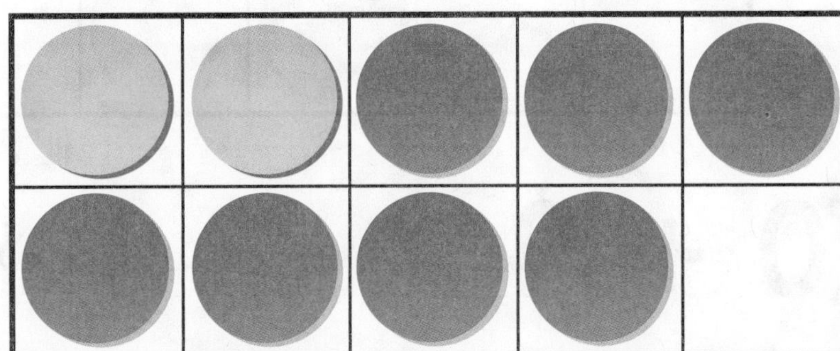

9

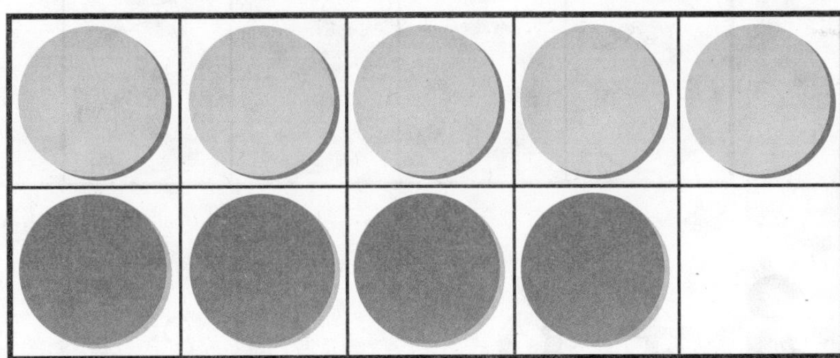

9

INSTRUCCIONES **1 y 2.** Cuenta las fichas del cuadro de diez que representan el par de números que forman 9. Escribe el par de números y traza el signo.

Repaso de la lección

Preparación para la prueba de TEXAS

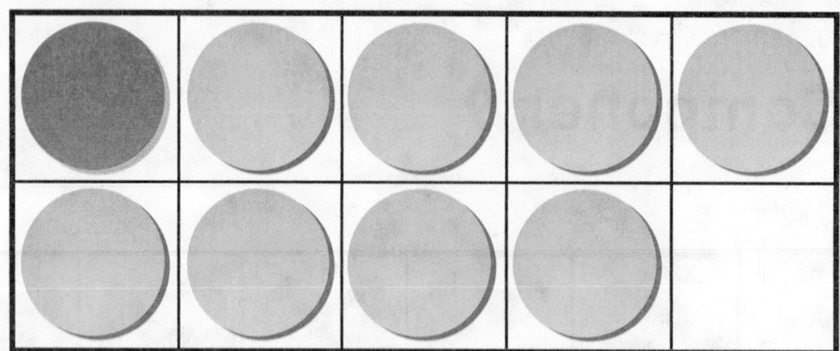

○ 0 + 9   ○ 1 + 8

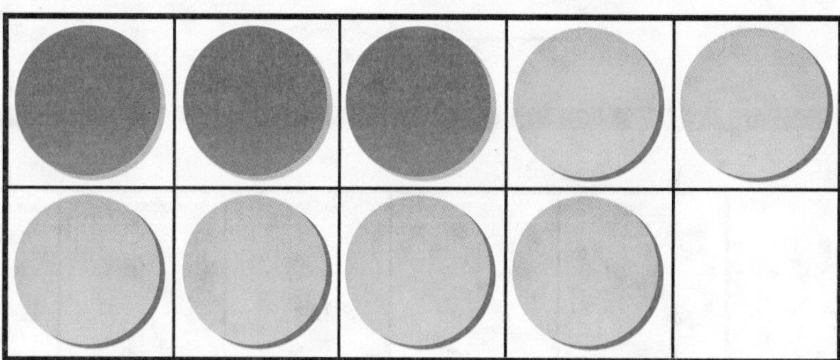

○ 3 + 6   ○ 2 + 7

INSTRUCCIONES Elige la respuesta correcta.
3 y 4. Cuenta las fichas. ¿Cuál es el par de números que se muestra?

Nombre ______________________

10.4 Componer 10

MANOS A LA OBRA

Pregunta esencial ¿De qué manera puedes juntar números para formar 10?

Explora

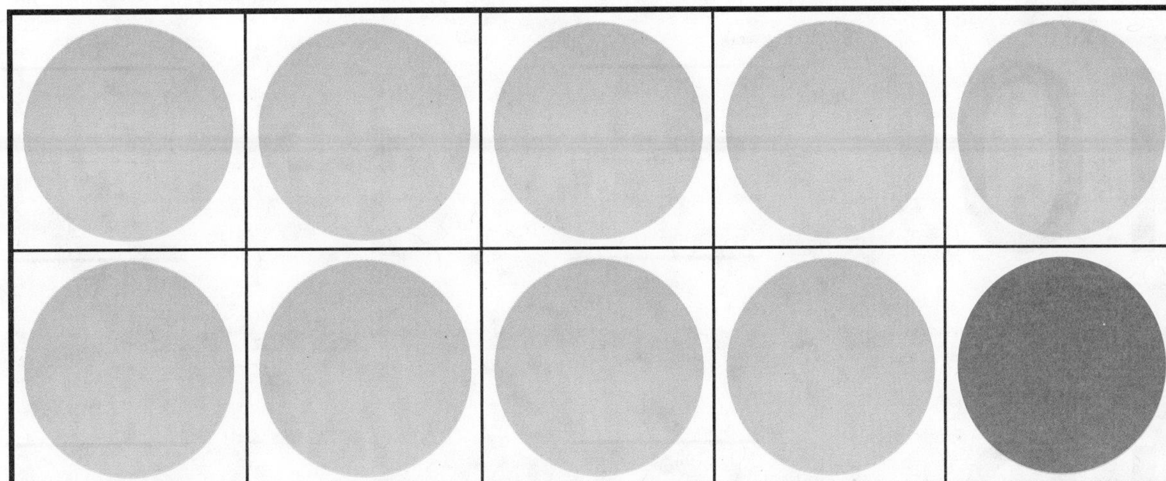

10 ___  ___

INSTRUCCIONES Coloca las fichas amarillas y rojas en el cuadro de diez como se muestra. Escribe los números y traza el signo para mostrar el par de números que forman 10.

Comparte y muestra

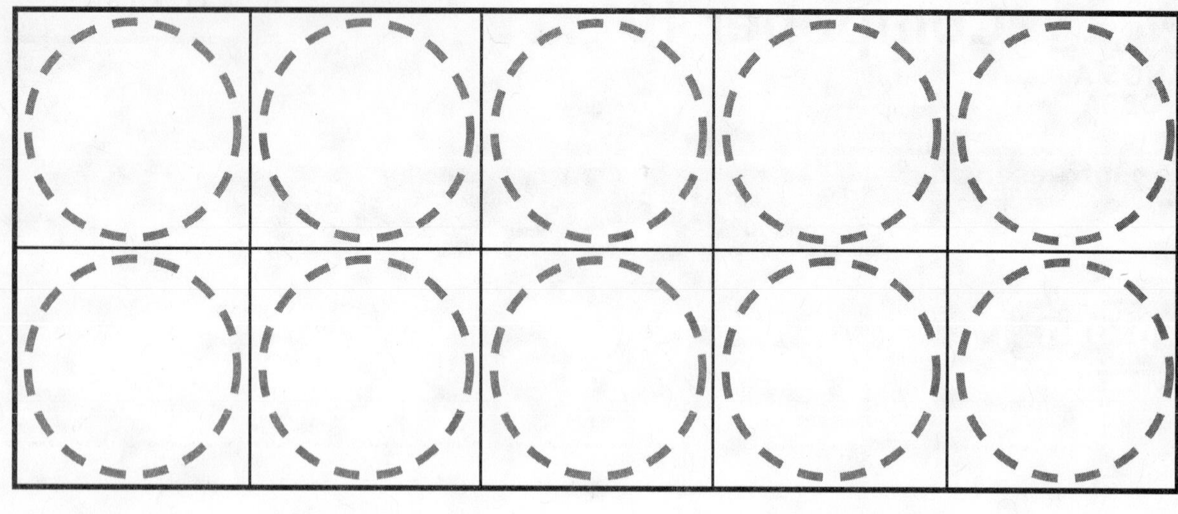

1

10 ____ + ____

2

10 ____ + ____

3

10 ____ + ____

INSTRUCCIONES Usa las fichas para mostrar diferentes pares de números que forman 10. **1 a 3.** Escribe el par de números y traza el signo. En el Ejercicio 3, colorea las fichas para representar el par de números que forman 10.

Nombre ______________________________

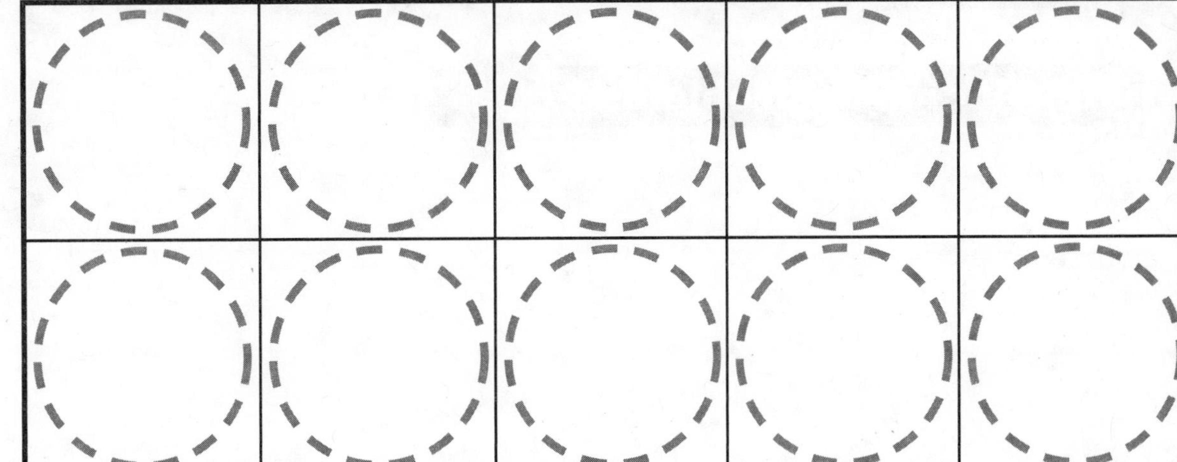

4

10 ______ + ______

5

10 ______ + ______

6

10 ______ + ______

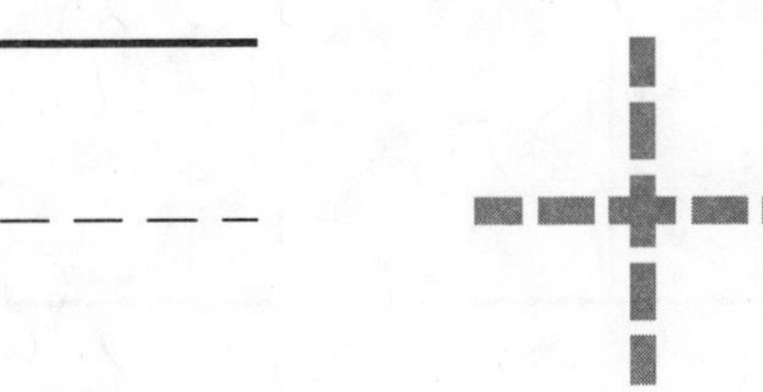

INSTRUCCIONES Usa las fichas para mostrar diferentes pares de números que forman 10. **4 a 6.** Escribe el par de números y traza el signo. En el Ejercicio 6, colorea las fichas para representar el par de números que forman 10.

ACTIVIDAD PARA LA CASA • Pida a su niño que use los dedos de las dos manos para mostrar un par de números que formen 10.

Procesos matemáticos

Representar • Razonar • Comunicar

Resolución de problemas En el mundo

7

Escribe

______ ______ + ______

Tarea diaria de evaluación

8

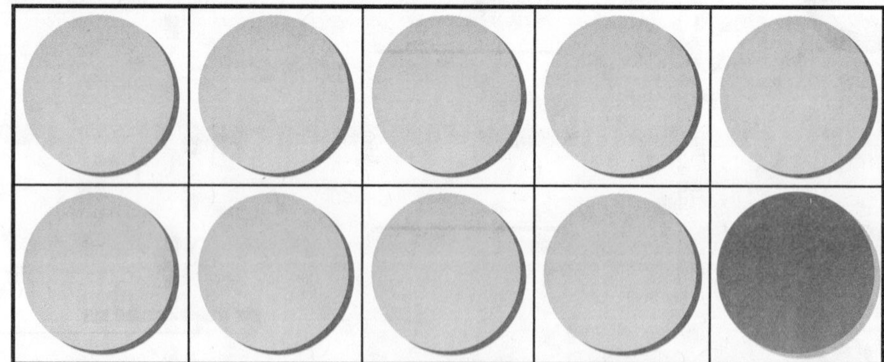

○ 9 + 1 ○ 5 + 5

INSTRUCCIONES **7.** Riley tiene 9 fichas rojas y 1 ficha amarilla. ¿Cuántas fichas tiene Riley? Haz un dibujo para resolver el problema. Escribe los números y traza el signo. **8.** Elige la respuesta correcta. Cuenta las fichas. ¿Cuál es el par de números que se muestra?

Tarea y práctica

Nombre ________________

10.4 Componer 10

MANOS A LA OBRA

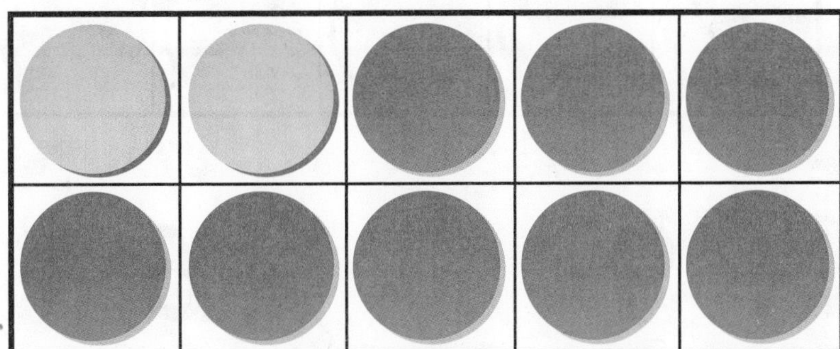

10 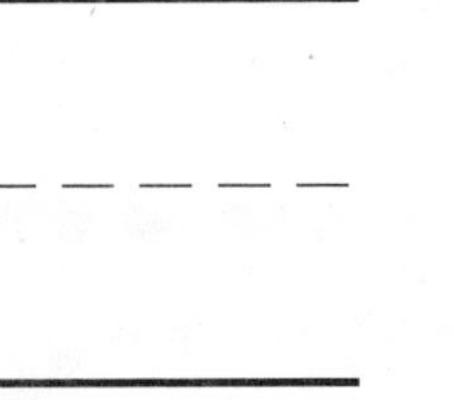 

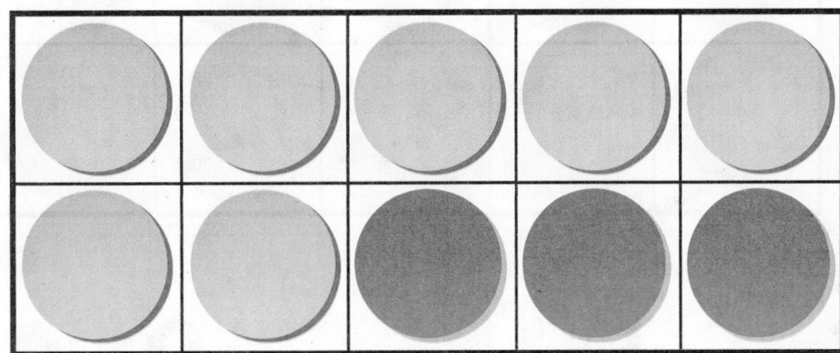

10 ___ + ___

INSTRUCCIONES **1 y 2.** Cuenta las fichas del cuadro de diez que representan el par de números que forman 10. Escribe el par de números y traza el signo.

Repaso de la lección

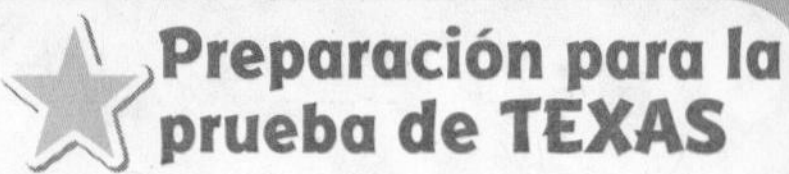

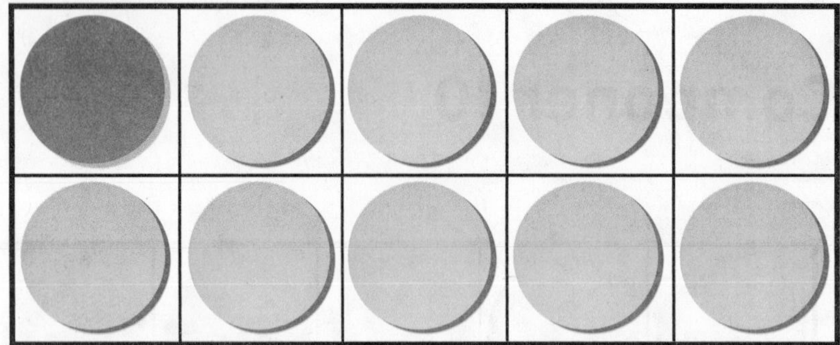

○ 1 + 9 ○ 6 + 4

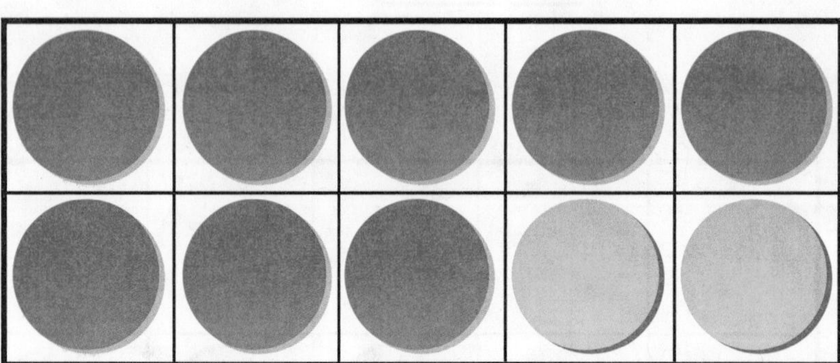

○ 5 + 5 ○ 8 + 2

INSTRUCCIONES Elige la respuesta correcta.
3 y 4. Cuenta las fichas. ¿Cuál es el par de números que se muestra?

Nombre ______________________________

TEKS Números y operaciones: K.2.I
También K.2.B, K.2.C, K.2.D
PROCESOS MATEMÁTICOS
K.1.C, K.1.D

10.5 Descomponer 6 y 7

MANOS A LA OBRA

Pregunta esencial ¿Cuáles son diferentes maneras de quitar de 6 y de 7?

Explora

6 — ____ ____

INSTRUCCIONES Haz un modelo de un tren de seis cubos. Un cubo debe ser amarillo y los otros deben ser rojos. Separa el tren en partes para representar el conjunto que quitaste. Dibuja los trenes de cubos y coloréalos. Traza el signo y escribe los números para mostrar cómo se separa 6 en partes.

Comparte y muestra

6 — ___ ___

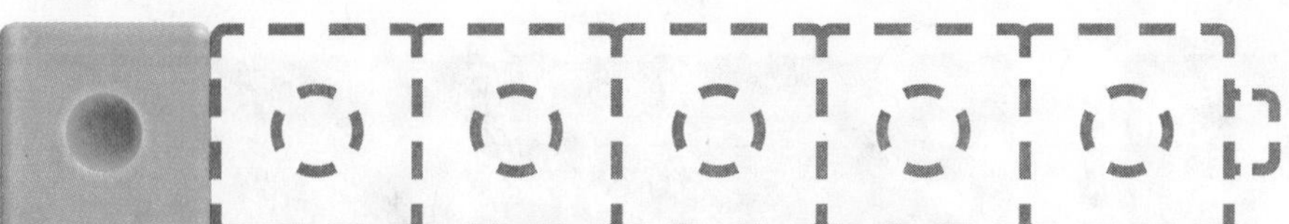

6 — ___ ___

INSTRUCCIONES **1.** Haz un modelo de un tren de seis cubos. Dos cubos deben ser azules y los otros deben ser verdes. Separa el tren en partes para representar el conjunto que quitaste. Dibuja los trenes de cubos y coloréalos. Traza el signo y escribe los números para mostrar cómo se separa 6 en partes. **2.** Haz un modelo de un tren de seis cubos. Un cubo debe ser anaranjado y los otros deben ser azules. Separa el tren en partes para representar el conjunto que quitaste. Dibuja los trenes de cubos y coloréalos. Traza el signo y escribe los números para mostrar cómo se separa 6 en partes.

Nombre ______________________________

7 — ___ ___

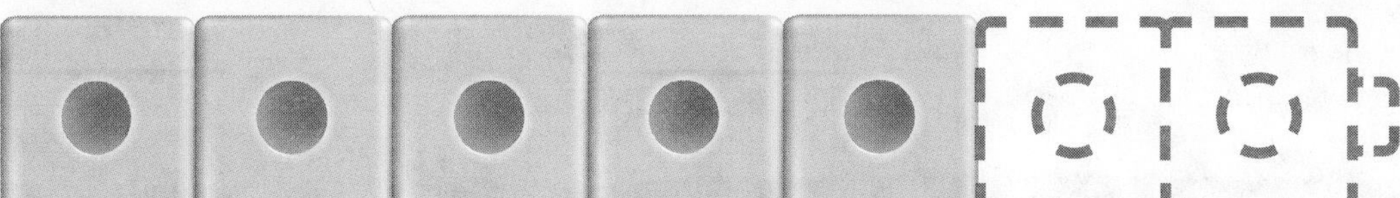

7 — ___ ___

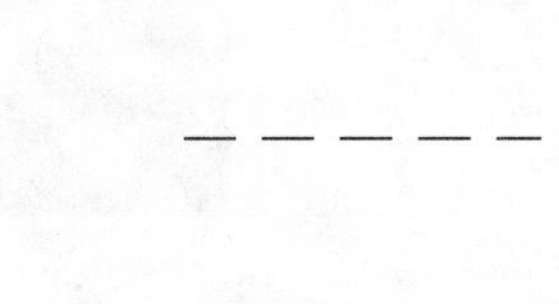

INSTRUCCIONES **3.** Haz un modelo de un tren de siete cubos. Tres cubos deben ser rojos y los otros deben ser azules. Separa el tren en partes para representar el conjunto que quitaste. Dibuja los trenes de cubos y coloréalos. Traza el signo y escribe los números para mostrar cómo se separa 7 en partes. **4.** Haz un modelo de un tren de siete cubos. Cinco cubos deben ser amarillos y los otros deben ser verdes. Separa el tren en partes para representar el conjunto que quitaste. Dibuja los trenes de cubos y coloréalos. Traza el signo y escribe los números para mostrar cómo se separa 7 en partes.

ACTIVIDAD PARA LA CASA • Muestre a su niño seis o siete objetos pequeños. Separe el conjunto de objetos en partes. Pida al niño que relate un problema que se corresponda con la resta.

Procesos matemáticos
Representar • Razonar • Comunicar

Resolución de problemas En el mundo

5

Escribe

7 ___ ___ ___

Tarea diaria de evaluación

6

○ 4 – 3 ○ 7 – 3

INSTRUCCIONES **5.** Juli tiene siete gomas de borrar. Una goma de borrar es azul. Las otras son rosadas. ¿Cuántas gomas de borrar son rosadas? Dibuja las gomas. Traza el signo y escribe los números. **6.** Elige la respuesta correcta. ¿Cuál de estas restas muestra el tren de cubos?

Tarea y práctica

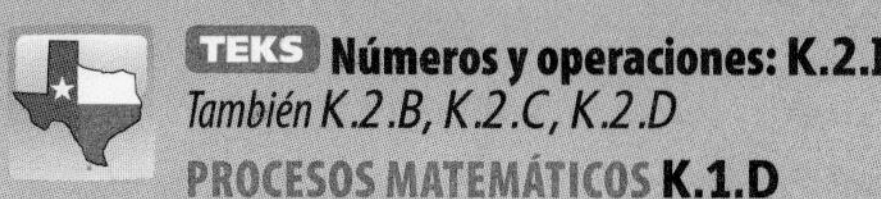

Nombre ____________________

10.5 Descomponer 6 y 7

MANOS A LA OBRA

6 — ____ ____

7 — ____ ____

INSTRUCCIONES **I.** Mira el tren de seis cubos. Tres cubos son anaranjados. Los otros son verdes. Haz un dibujo de las partes del tren para representar el conjunto que quitaste. Colorea los trenes de cubos. Traza el signo y escribe los números para mostrar cómo se separa 6 en partes. **2.** Mira el tren de siete cubos. Dos cubos son azules. Los otros son amarillos. Haz un dibujo de las partes del tren para representar el conjunto que quitaste. Colorea los trenes de cubos. Traza el signo y escribe los números para mostrar cómo se separa 7 en partes.

Repaso de la lección

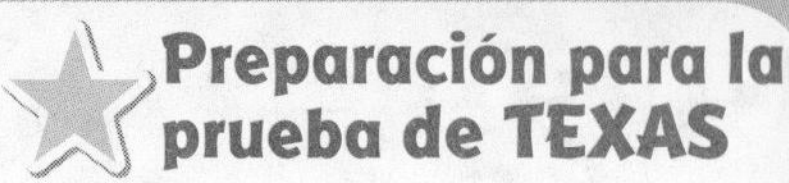

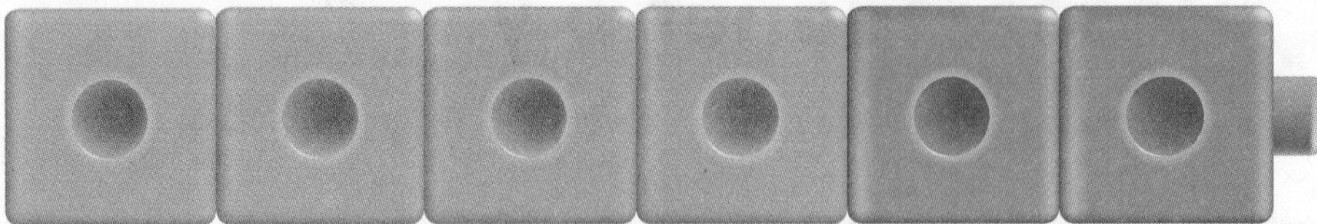

○ 4 – 2 ○ 6 – 4

○ 7 – 2 ○ 5 – 2

INSTRUCCIONES **3 y 4.** Elige la respuesta correcta. ¿Cuál de estas restas muestra el tren de cubos?

Nombre ______________________________

10.6 Descomponer 8 y 9

MANOS A LA OBRA

TEKS **Números y operaciones: K.2.I**
También K.2.B, K.2.C, K.2.D
PROCESOS MATEMÁTICOS
K.1.C, K.1.E

Pregunta esencial ¿Cuáles son diferentes maneras de quitar de 8 y de 9?

Explora

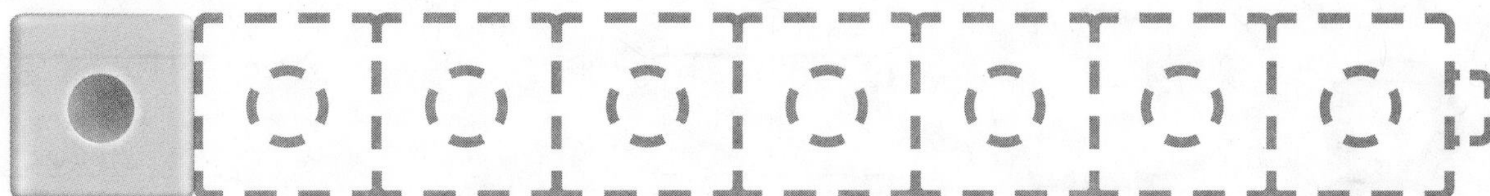

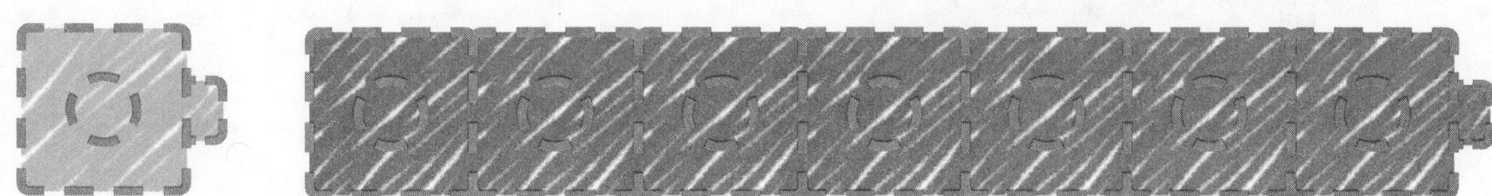

8 — ______ ______

INSTRUCCIONES Haz un modelo de un tren de ocho cubos. Un cubo debe ser amarillo y los otros deben ser rojos. Separa el tren en partes para representar el conjunto que quitaste. Dibuja los trenes de cubos y coloréalos. Traza el signo y escribe los números para mostrar cómo se separa 8 en partes.

Comparte y muestra

1 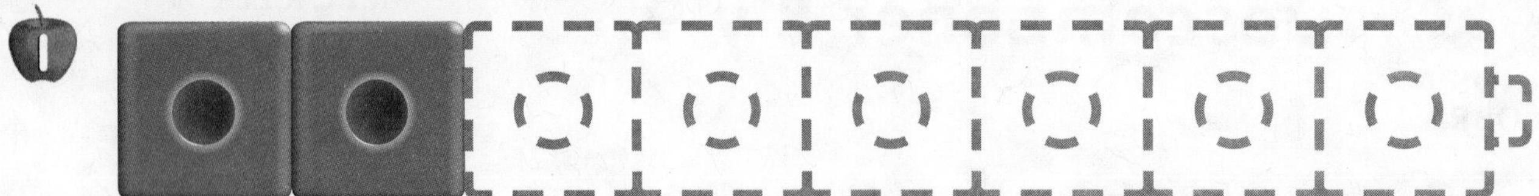

8 –

2 

8 –

INSTRUCCIONES **1.** Haz un modelo de un tren de ocho cubos. Dos cubos deben ser azules y los otros deben ser verdes. Separa el tren en partes para representar el conjunto que quitaste. Dibuja los trenes de cubos y coloréalos. Traza el signo y escribe los números para mostrar cómo se separa 8 en partes. **2.** Haz un modelo de un tren de ocho cubos. Tres cubos deben ser anaranjados y los otros deben ser azules. Separa el tren en partes para representar el conjunto que quitaste. Dibuja los trenes de cubos y coloréalos. Traza el signo y escribe los números para mostrar cómo se separa 8 en partes.

Nombre ______________________________

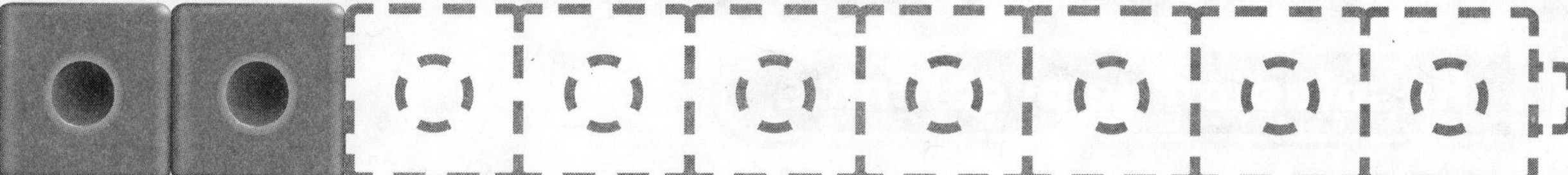

9 ---

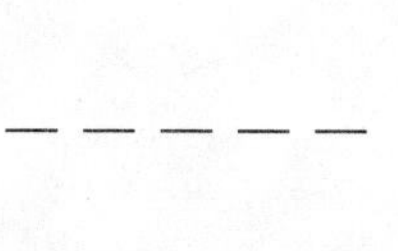

9 ---

INSTRUCCIONES **3.** Haz un modelo de un tren de nueve cubos. Dos cubos deben ser rojos y los otros deben ser azules. Separa el tren en partes para representar el conjunto que quitaste. Dibuja los trenes de cubos y coloréalos. Traza el signo y escribe los números para mostrar cómo se separa 9 en partes. **4.** Haz un modelo de un tren de nueve cubos. Cuatro cubos deben ser anaranjados y los otros deben ser verdes. Separa el tren en partes para representar el conjunto que quitaste. Dibuja los trenes de cubos y coloréalos. Traza el signo y escribe los números para mostrar cómo se separa 9 en partes.

ACTIVIDAD PARA LA CASA • Busque 8 ó 9 objetos pequeños. Colóquelos en fila y pida a su niño que los separe en dos conjuntos. Pídale que le diga cuántos objetos hay en cada conjunto.

Procesos matemáticos

Representar • Razonar • Comunicar

Resolución de problemas

5

Escribe

9 – ___ ___

___ ___

Tarea diaria de evaluación

6

○ 9 – 6 ○ 6 – 3

INSTRUCCIONES **5.** Michelle tiene 9 cubos. 8 cubos son rojos. Los otros son azules. ¿Cuántos cubos son azules? Dibuja los cubos. Traza el signo y escribe los números. **6.** Elige la respuesta correcta. ¿Cuál de estas restas muestra el tren de cubos?

Tarea y práctica

TEKS Números y operaciones: K.2.I
También K.2.B, K.2.C, K.2.D
PROCESOS MATEMÁTICOS K.1.C

Nombre ____________________

10.6 Descomponer 8 y 9

MANOS A LA OBRA

1

8 — ____ ____

2

9 — ____ ____

INSTRUCCIONES 1. Mira el tren de ocho cubos. Cuatro cubos son azules y los otros son rojos. Haz un dibujo de las partes del tren para representar el conjunto que quitaste. Colorea los trenes. Traza el signo y escribe los números para mostrar cómo se separa 8 en partes. 2. Mira el tren de nueve cubos. Seis cubos son anaranjados y los otros son verdes. Haz un dibujo de las partes del tren para representar el conjunto que quitaste. Colorea los trenes. Traza el signo y escribe los números para mostrar cómo se separa 9 en partes.

Repaso de la lección

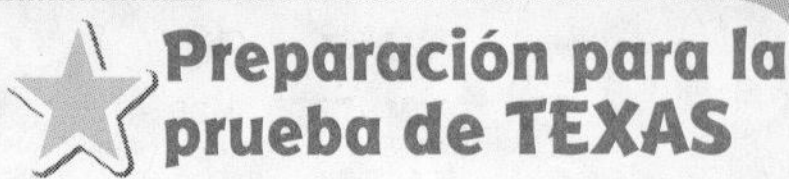

○ 5 – 3 ○ 8 – 3

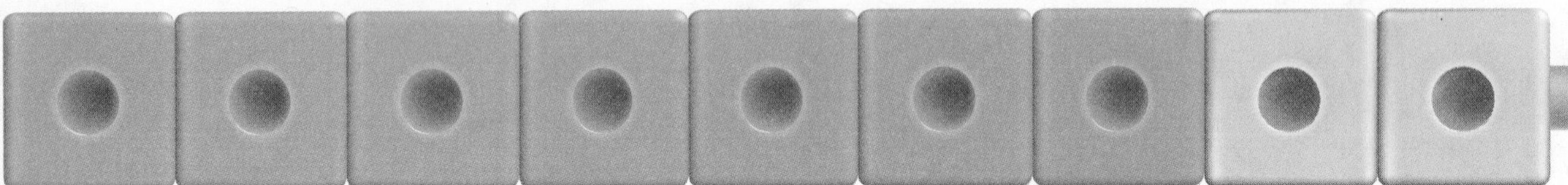

○ 9 – 7 ○ 7 – 2

INSTRUCCIONES 3 y 4. Elige la respuesta correcta. ¿Cuál de estas restas muestra el tren de cubos?

Nombre ______________________________

TEKS Números y operaciones: K.2.I
También K.2.B, K.2.C, K.2.D
PROCESOS MATEMÁTICOS
K.1.D, K.1.E

10.7 Descomponer 10

MANOS A LA OBRA

Pregunta esencial ¿Cuáles son diferentes maneras de quitar de 10?

Explora

10 − ____ = ____

INSTRUCCIONES Haz un modelo de un tren de diez cubos. Un cubo debe ser azul y los otros deben ser rojos. Separa el tren en partes para representar el conjunto que quitaste. Dibuja los trenes de cubos y coloréalos. Traza el signo y escribe los números para mostrar cómo se separa 10 en partes.

Comparte y muestra

1

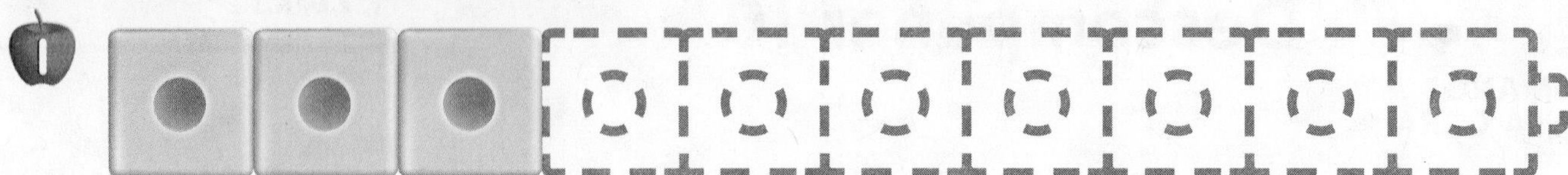

10 —

2

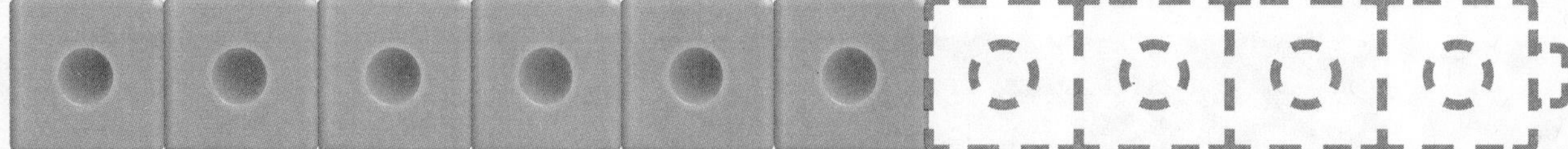

10 —

INSTRUCCIONES **1.** Haz un modelo de un tren de diez cubos. Tres cubos deben ser amarillos y los otros deben ser verdes. Separa el tren en partes para representar el conjunto que quitaste. Dibuja los trenes de cubos y coloréalos. Traza el signo y escribe los números para mostrar cómo se separa 10 en partes. **2.** Haz un modelo de un tren de diez cubos. Seis cubos deben ser anaranjados y los otros deben ser azules. Separa el tren en partes para representar el conjunto que quitaste. Dibuja los trenes de cubos y coloréalos. Traza el signo y escribe los números para mostrar cómo se separa 10 en partes.

Nombre ______________________________

10 — ____ ____

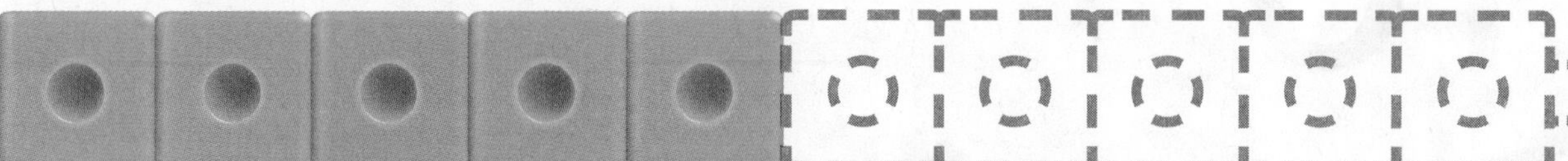

10 — ____ ____

INSTRUCCIONES 3. Haz un modelo de un tren de diez cubos. Dos cubos deben ser rojos y los otros deben ser azules. Separa el tren en partes para representar el conjunto que quitaste. Dibuja los trenes de cubos y coloréalos. Traza el signo y escribe los números para mostrar cómo se separa 10 en partes. **4.** Haz un modelo de un tren de diez cubos. Cinco cubos deben ser anaranjados y los otros deben ser verdes. Separa el tren en partes para representar el conjunto que quitaste. Dibuja los trenes de cubos y coloréalos. Traza el signo y escribe los números para mostrar cómo se separa 10 en partes.

ACTIVIDAD PARA LA CASA • Pida a su niño que muestre un conjunto de 10 objetos del mismo tipo que se diferencien de alguna manera, como clips pequeños y clips grandes. Luego, pídale que escriba los números que muestran cuántos objetos de cada tipo hay en el conjunto.

Procesos matemáticos

Representar • Razonar • Comunicar

Resolución de problemas

5

Escribe

10 — ___ ___

Tarea diaria de evaluación

6

○ 5 – 5 ○ 10 – 5

INSTRUCCIONES **5.** Sydney tiene 10 fichas cuadradas. 8 fichas son rojas. Las otras son amarillas. ¿Cuántas fichas cuadradas son amarillas? Dibuja las fichas cuadradas. Escribe los números y traza el signo. **6.** Elige la respuesta correcta. ¿Cuál de estas restas muestra el tren de cubos?

TEKS Números y operaciones: K.2.I
También K.2.B, K.2.C, K.2.D
PROCESOS MATEMÁTICOS K.1.D

Nombre ______________________

10.7 Descomponer 10

MANOS A LA OBRA

1

10 — ___ ___

2

10 — ___ ___

INSTRUCCIONES 1. Mira el tren de diez cubos. Ocho cubos son anaranjados y los otros son amarillos. Haz un dibujo de las partes del tren para representar el conjunto que quitaste. Colorea los trenes. Traza el signo y escribe los números para mostrar cómo se separa 10 en partes. 2. Mira el tren de diez cubos. Siete cubos son azules y los otros son rojos. Haz un dibujo de las partes del tren para representar el conjunto que quitaste. Traza el signo y escribe los números para mostrar cómo se separa 10 en partes.

Repaso de la lección

Preparación para la prueba de TEXAS

○ 10 − 4 ○ 6 − 4

○ 9 − 1 ○ 10 − 9

INSTRUCCIONES 3 y 4. Elige la respuesta correcta. ¿Cuál de estas restas muestra el tren de cubos?

Nombre ____________________________________

10.8 RESOLUCIÓN DE PROBLEMAS • Componer y descomponer los números hasta el 10

Pregunta esencial ¿De qué manera puedes usar una ilustración para resolver problemas?

Soluciona el problema

______ ______ 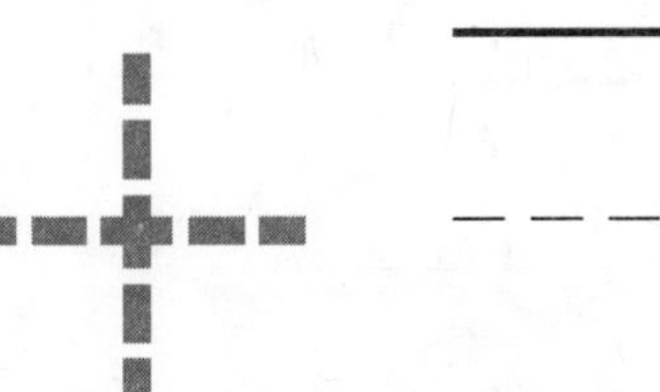 ______

INSTRUCCIONES Hay algunas cajas de jugo para la merienda. Dos cajas son de jugo de naranja. Seis cajas son de jugo de uva. ¿Cuántas cajas de jugo hay en total? Mira la ilustración para resolver el problema. Escribe los números y traza el signo.

Haz otro problema

INSTRUCCIONES **1.** Mónica tenía algunas zanahorias. Comió 4 zanahorias por la mañana. Comió 5 zanahorias en el almuerzo. ¿Cuántas zanahorias comió Mónica? Mira la ilustración para resolver el problema. Escribe los números y traza el signo. **2.** Algunos niños trajeron manzanas para comer por la mañana. Siete manzanas son rojas. Tres manzanas son verdes. ¿Cuántas manzanas hay? Mira la ilustración para resolver el problema. Escribe los números y traza el signo.

Nombre ___________________________

Comparte y muestra

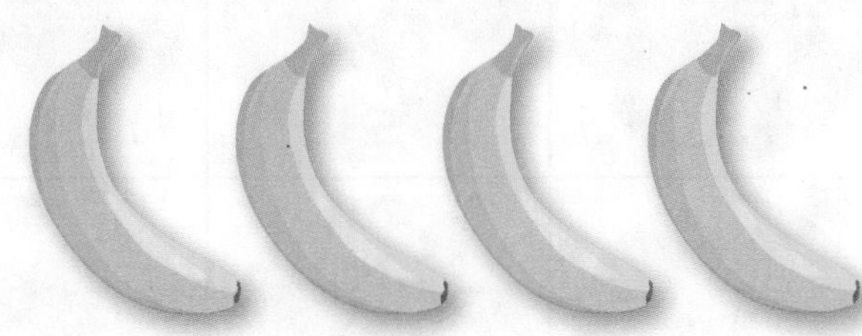

INSTRUCCIONES **3.** Había seis plátanos sobre la mesa de los bocadillos. Dos plátanos eran verdes. ¿Cuántos plátanos eran amarillos? Mira la ilustración para resolver el problema. Escribe los números y traza el signo. **4.** Había siete panecillos sobre la mesa de los bocadillos. Un panecillo era de arándano y los otros eran de cereza. ¿Cuántos panecillos eran de cereza? Mira la ilustración para resolver el problema. Escribe los números y traza el signo.

ACTIVIDAD PARA LA CASA • Pida a su niño que dibuje un conjunto de diez globos o menos. Pídale que encierre en un círculo algunos globos y los tache con una X para mostrar que se han reventado. Luego, pida al niño que relate un problema que se corresponda con el dibujo.

Tarea diaria de evaluación

5

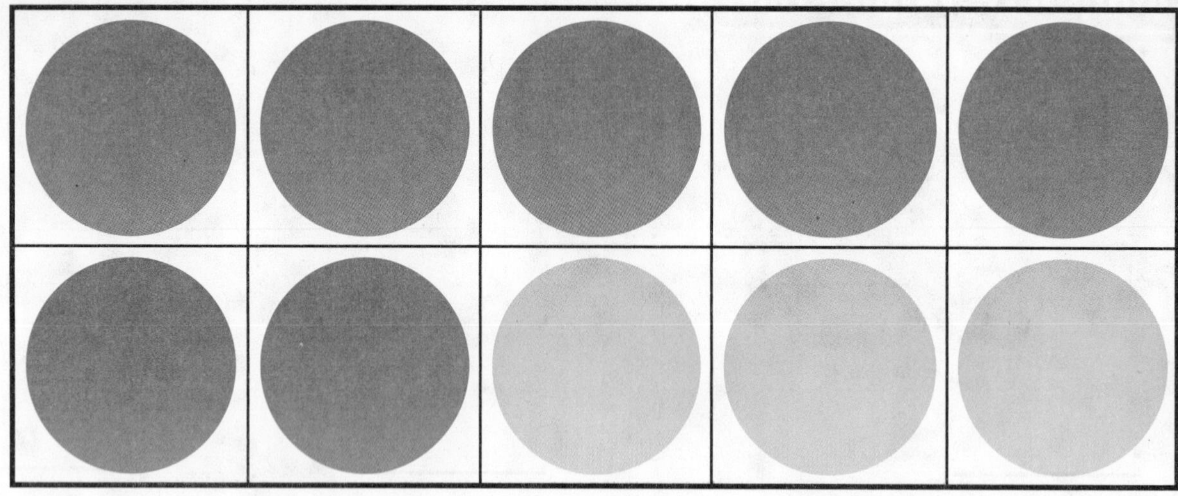

○ 7 ○ 10

6

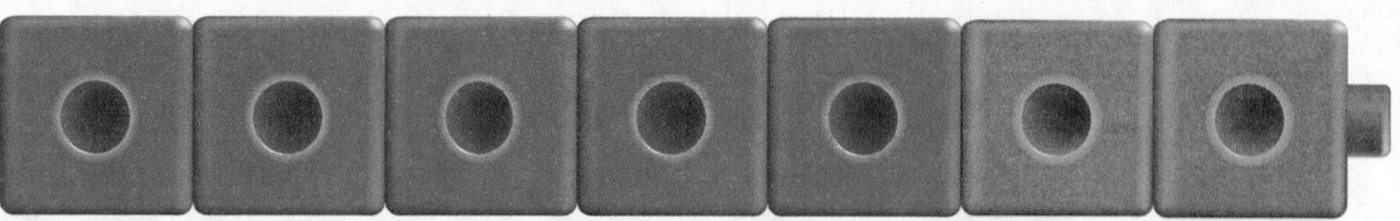

○ 5 – 2 ○ 7 – 5

7

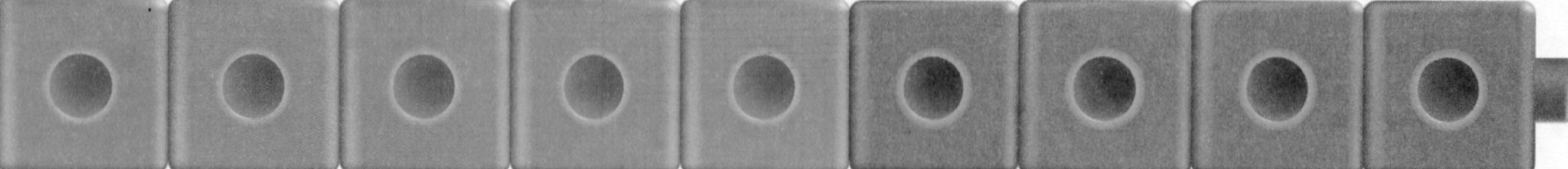

○ 4 + 4 ○ 5 + 4

INSTRUCCIONES **5.** Hay 10 fichas. ¿Cuántas fichas quedarán si quitas 3?
6 y 7. ¿Cuál de estas restas muestra el modelo?

Nombre ______________________

10.8 RESOLUCIÓN DE PROBLEMAS • Componer y descomponer los números hasta el 10

1

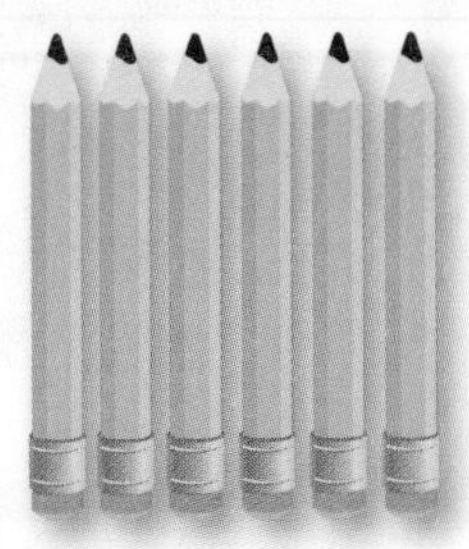

______ ______ + ______

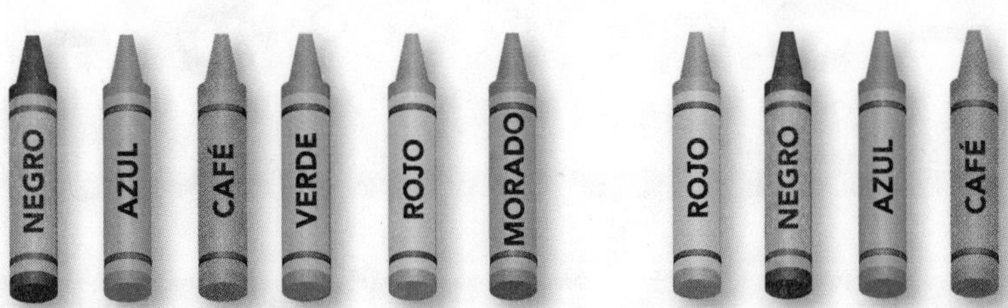

______ − ______ ______

INSTRUCCIONES **1.** Carolyn tenía algunos lápices. Le regaló 3 lápices a su hermano. Le regaló 6 lápices a su hermana. ¿Cuántos lápices tenía Carolyn? Mira la ilustración para resolver el problema. Escribe los números y traza el signo. **2.** Había 10 crayones en el salón de clases. En la clase de arte se usaron seis crayones. ¿Cuántos crayones quedaron? Mira la ilustración para resolver el problema. Escribe los números y traza el signo.

Repaso de la lección

Preparación para la prueba de TEXAS

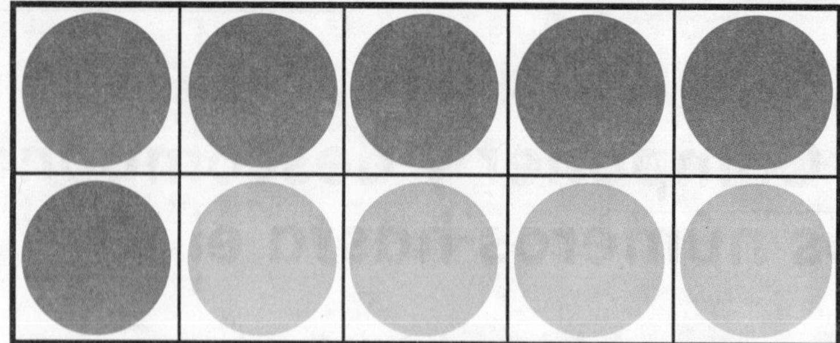

○ 5 ○ 6

○ 9 – 5 ○ 5 – 4

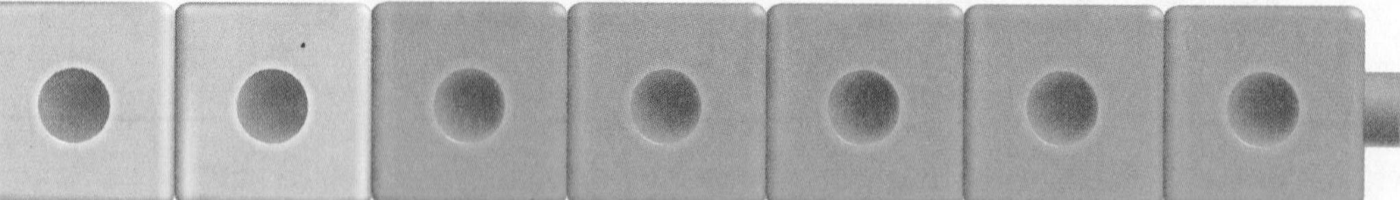

○ 2 + 5 ○ 2 + 6

INSTRUCCIONES Elige la respuesta correcta.
3. Hay 10 fichas. ¿Cuántas fichas quedarán si quitas 4?
4 y 5. ¿Cuál de estas restas muestra el modelo?

Nombre ______________________

Evaluación del Módulo 10

Conceptos y destrezas

8

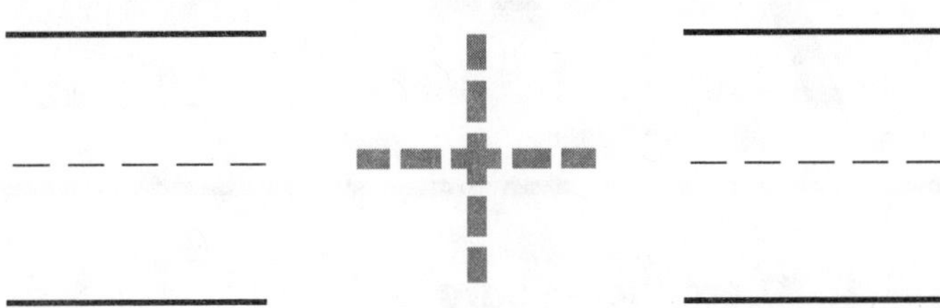

10

INSTRUCCIONES **1.** Cuenta las fichas del cuadro de diez. Escribe el par de números que forman 8. **2.** Mira la ilustración. Escribe el par de números que forman 10. TEKS K.2.I

3

7 —

4

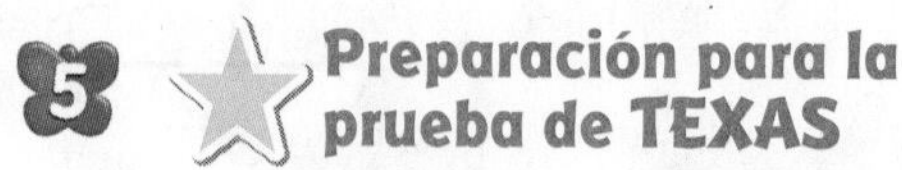

9 —

5 Preparación para la prueba de TEXAS

—

INSTRUCCIONES 3 y 4. Haz un modelo de los trenes con cubos rojos y azules. Separa los trenes en partes para representar el conjunto que quitaste. Dibuja los trenes de cubos y coloréalos. Traza el signo y escribe los números. **5.** Kylee tiene algunas camionetas de juguete. Cuatro camionetas son amarillas. ¿Cuántas camionetas son rojas? Escribe los números y traza el signo. TEKS K.2.I

Nombre ___________________________

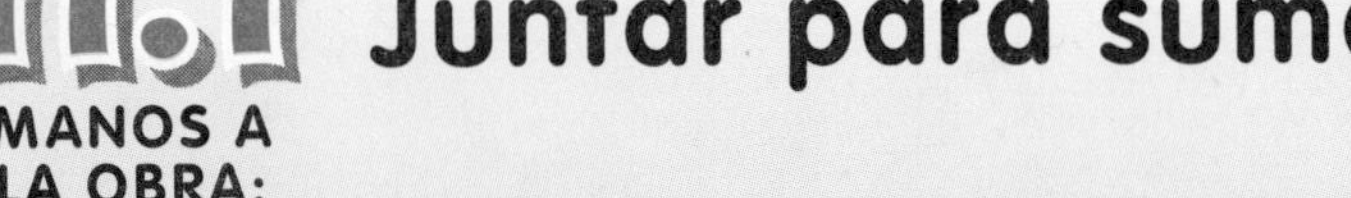

11.1 Juntar para sumar

MANOS A LA OBRA: ÁLGEBRA

Pregunta esencial ¿De qué manera puedes mostrar cómo juntas, o unes, para sumar?

Explora En el mundo

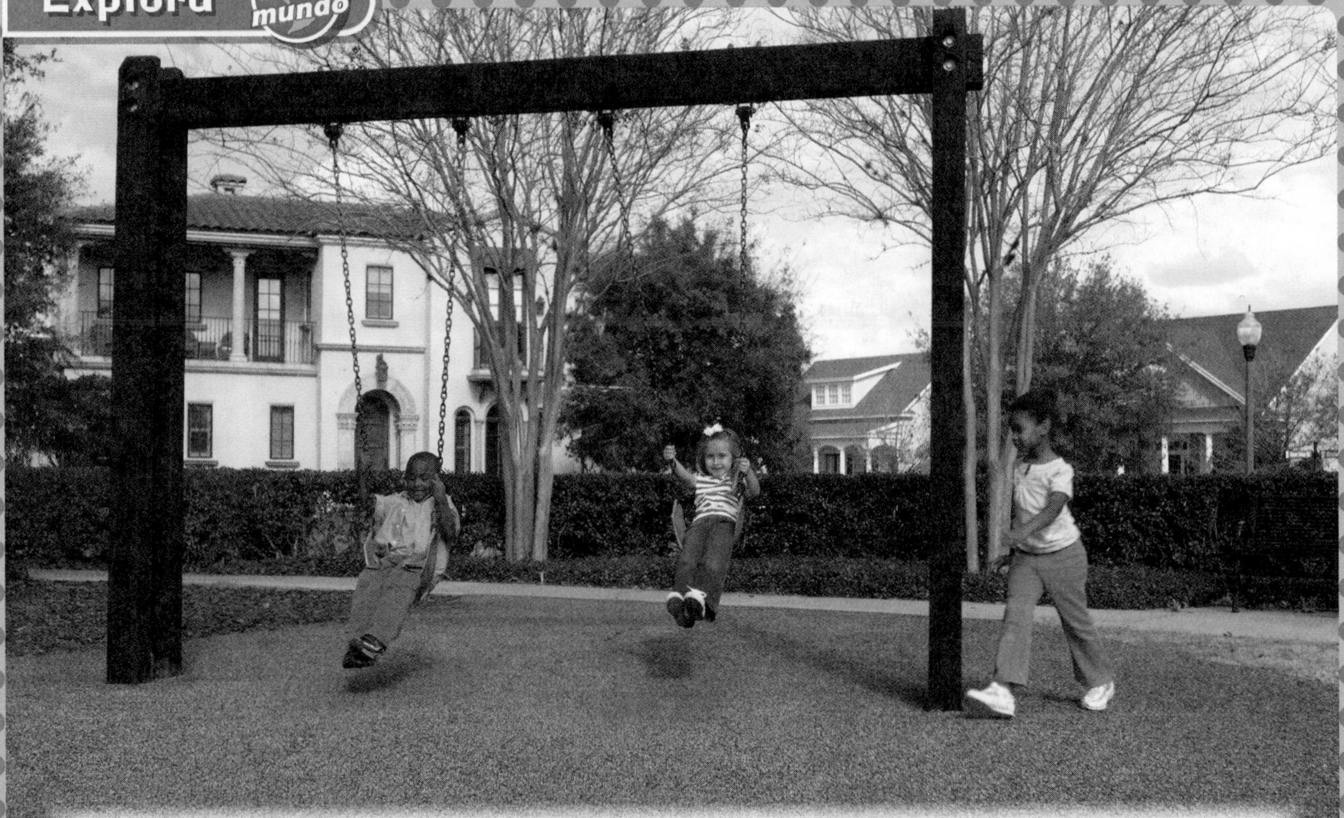

2 + 1 = ___

INSTRUCCIONES Escucha el problema de suma. Usa fichas. Traza el número que muestra cuántos niños había en los columpios. Traza el signo de la *suma*. Traza el número que muestra cuántos niños se sumaron al grupo. Traza el símbolo de *igualdad*. Escribe el número que muestra cuántos niños hay ahora.

Comparte y muestra

INSTRUCCIONES 1. Escucha el problema de suma. Usa fichas. Escribe el número que muestra cuántos niños estaban sentados almorzando. Traza el signo de la *suma* y escribe el número que muestra cuántos niños se sumaron al grupo. Traza el símbolo de *igualdad* y escribe el número que muestra cuántos niños están almorzando ahora.

Nombre ______________________________

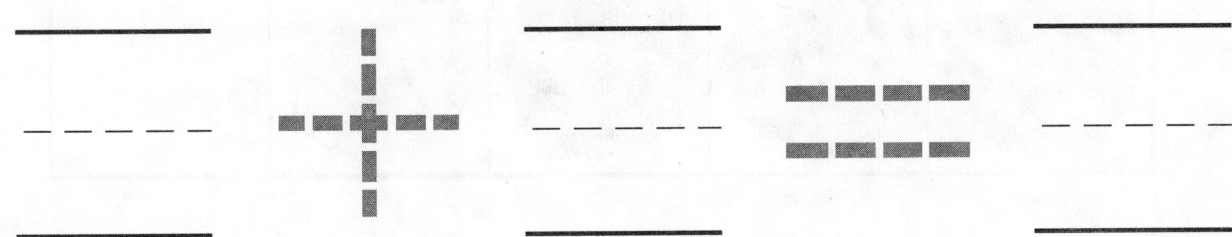

INSTRUCCIONES **2.** Escucha el problema de suma. Usa fichas. Escribe el número que muestra cuántos niños estaban jugando con la pelota. Traza el signo de la *suma* y escribe el número que muestra cuántos niños se sumaron al grupo. Traza el símbolo de *igualdad* y escribe el número que muestra cuántos niños hay ahora.

ACTIVIDAD PARA LA CASA • Muestre a su niño un conjunto de cuatro objetos. Pídale que añada un objeto al conjunto y que diga cuántos hay ahora.

Procesos matemáticos

Representar • Razonar • Comunicar

Resolución de problemas En el mundo

Escribe

3

_____ + _____ = _____

Tarea diaria de evaluación

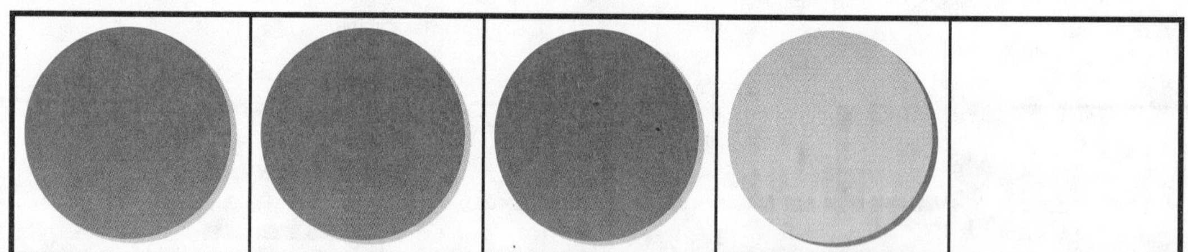

○ 3 + 1 = 4 ○ 2 + 3 = 5

INSTRUCCIONES **3.** Había dos ovejas en un corral. Luego, dos ovejas se sumaron. ¿Cuántas ovejas hay ahora? Dibuja las ovejas. Escribe los números y traza los signos para completar la oración numérica. **4.** Elige la respuesta correcta. ¿Cuál de estas oraciones numéricas se corresponde con el modelo?

TEKS Números y operaciones: K.3.A
También K.3.B
PROCESOS MATEMÁTICOS K.1.E

Nombre ______________________

11.1 Juntar para sumar

1

____ + ____ = ____

INSTRUCCIONES 1. Dos niños estaban jugando con arena. Dos niños más se acercaron a jugar. Escribe el número que muestra cuántos niños estaban jugando. Escribe el número que muestra cuántos niños se sumaron al grupo. Escribe el número que muestra cuántos niños hay ahora.

Repaso de la lección

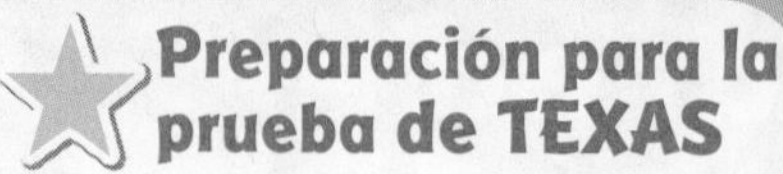

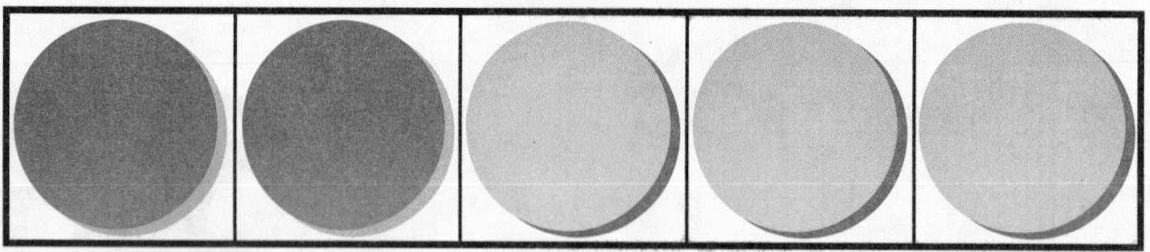

○ $2 + 2 = 4$ ○ $2 + 3 = 5$

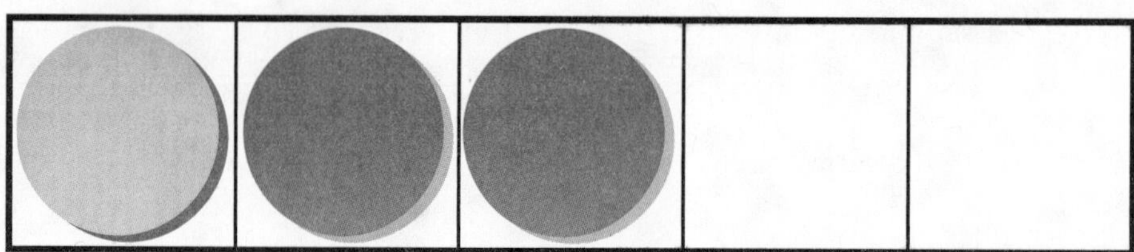

○ $1 + 2 = 3$ ○ $1 + 1 = 2$

INSTRUCCIONES Elige la respuesta correcta. **2 y 3.** ¿Qué oración numérica se corresponde con el modelo?

Nombre ______________________________

TEKS Números y operaciones: K.3.B, K.3.C

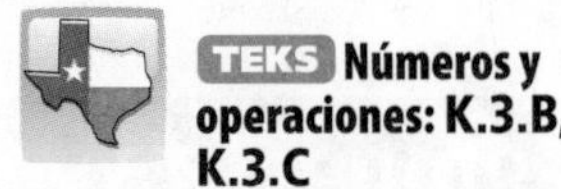

PROCESOS MATEMÁTICOS K.1.E

11.2 Más sumas

ÁLGEBRA

Pregunta esencial ¿De qué manera puedes resolver los problemas de suma y completar la oración de suma?

Explora En el mundo

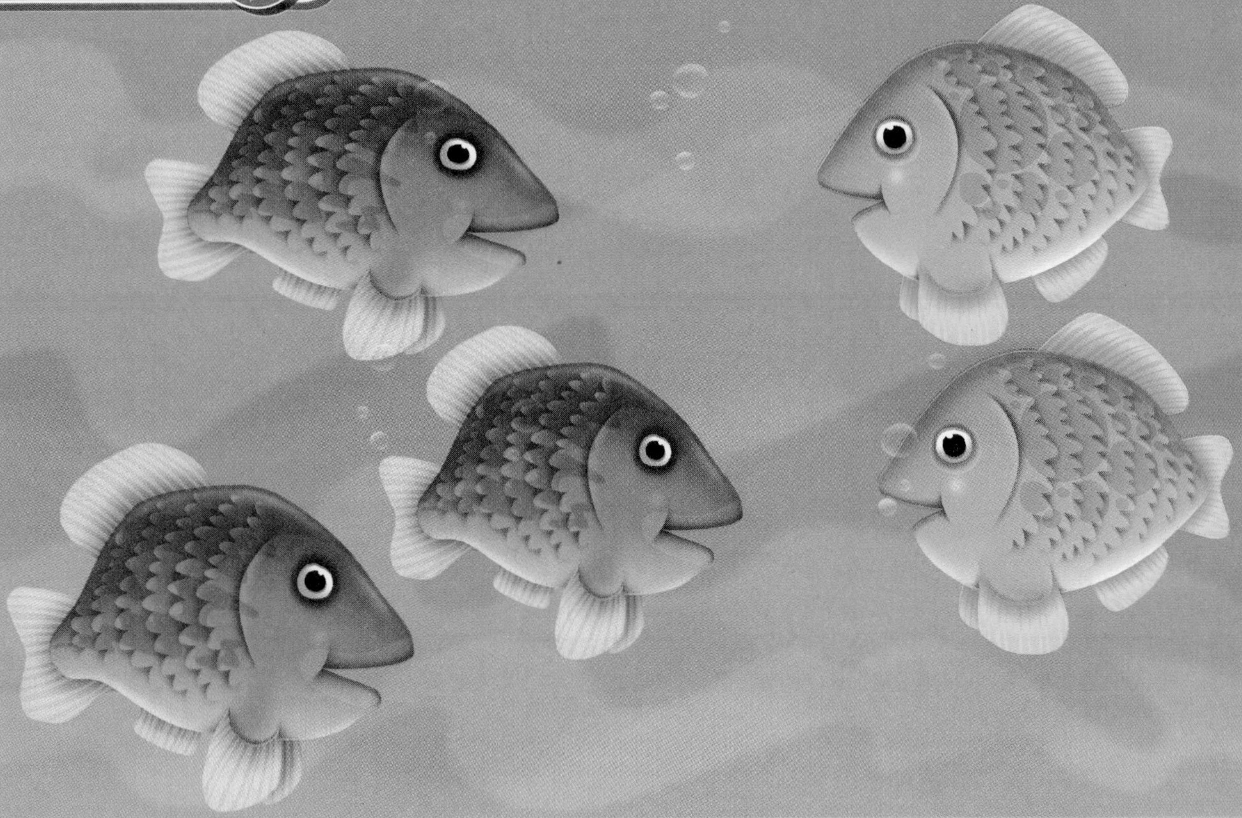

3 + 2 = ____

INSTRUCCIONES Escucha el problema de suma. Encierra en un círculo el conjunto que había al comienzo. ¿Cuántos se sumaron al conjunto? ¿Cuántos hay ahora? Traza y escribe la oración de suma.

Comparte y muestra

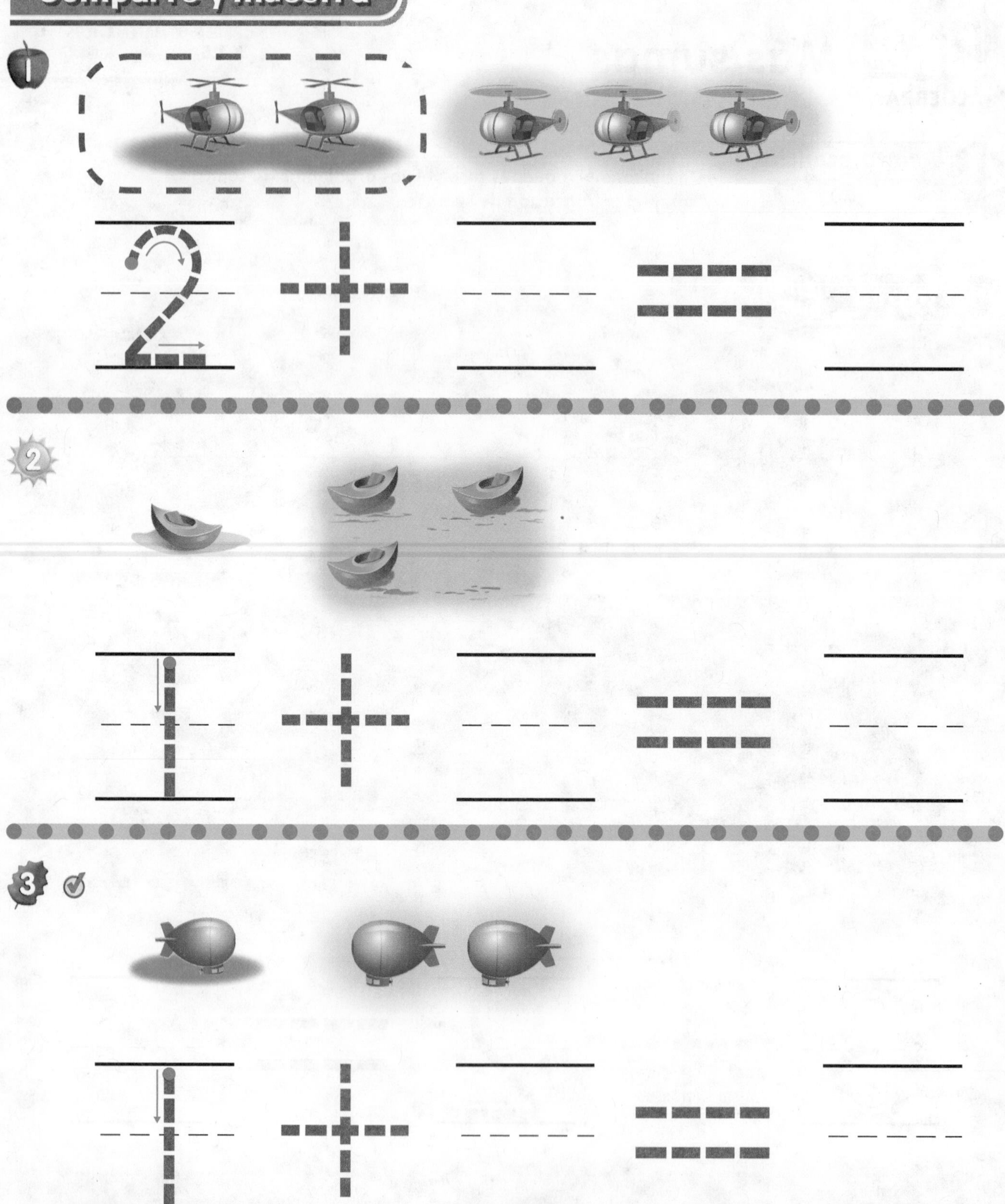

INSTRUCCIONES **1 a 3.** Escucha el problema de suma. Encierra en un círculo el conjunto que había al comienzo. ¿Cuántos se sumaron al conjunto? ¿Cuántos hay ahora? Escribe y traza los números y los signos para completar la oración de suma.

Nombre ______________________________

4

1 + ___ = ___

5

3 + ___ = ___

6

2 + ___ = ___

INSTRUCCIONES **4 a 6.** Relata un problema de suma para los conjuntos. Encierra en un círculo el conjunto que había al comienzo. ¿Cuántos se sumaron al conjunto? ¿Cuántos hay ahora? Escribe y traza los números y los signos para completar la oración de suma.

ACTIVIDAD PARA LA CASA • Pida a su niño que levante tres dedos. Pídale que levante más dedos para que haya cinco en total. Luego, pida al niño que diga cuántos dedos más levantó.

Procesos matemáticos

Representar • Razonar • Comunicar

Resolución de problemas En el mundo

7

Escribe

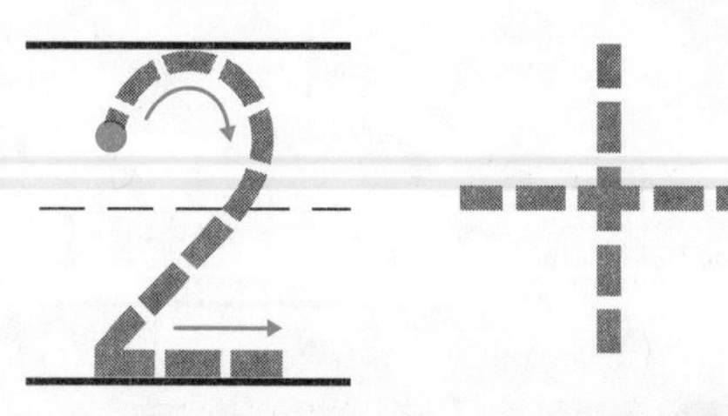

2 + ___ = ___

Tarea diaria de evaluación

8

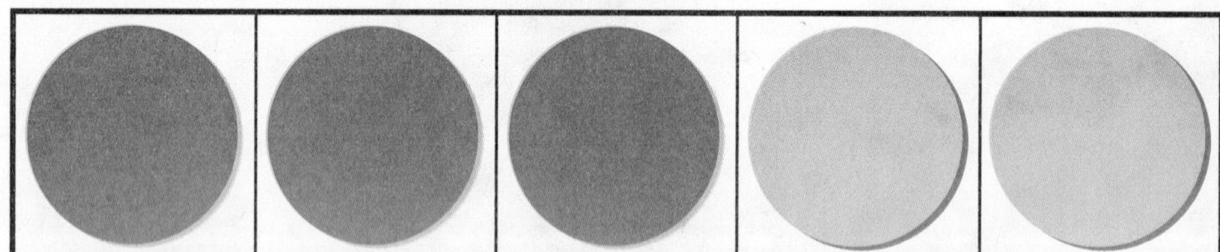

2 + 2 = 4 ○

3 + 2 = 5 ○

INSTRUCCIONES **7.** Bill pescó dos peces. Jake pescó dos peces más. ¿Cuántos peces pescaron en total? Dibuja los peces. Traza y escribe los números para completar la oración de suma. **8.** Elige la respuesta correcta. ¿Qué oración de suma muestra el modelo?

Tarea y práctica

Nombre ______________________________

11.2 Más sumas

ÁLGEBRA

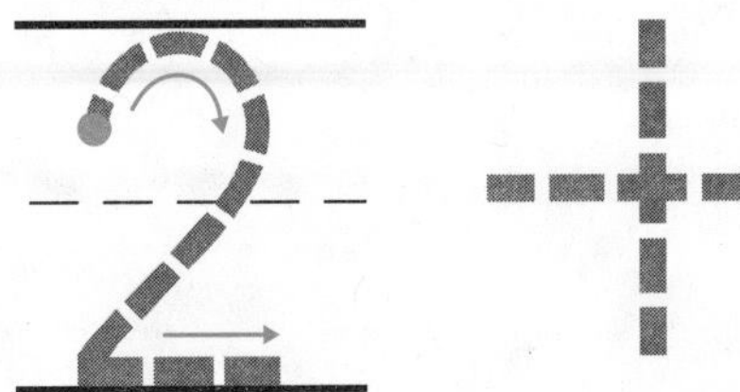

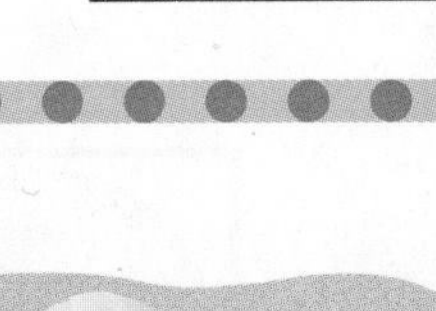

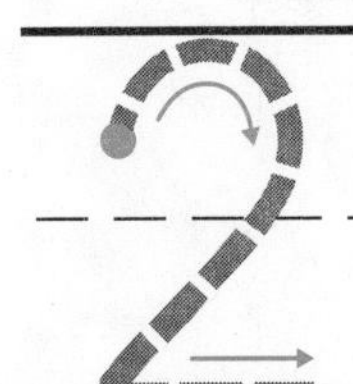

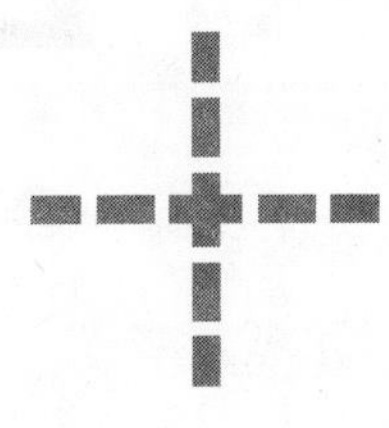

INSTRUCCIONES Escucha el problema de suma. Encierra en un círculo el conjunto que había al comienzo. Traza y escribe los números y los signos para completar la oración de suma. **1.** Dos gatitos estaban jugando. Llegaron dos gatitos más. ¿Cuántos gatitos hay ahora? **2.** Dos pollitos estaban comiendo. Llegó un pollito más. ¿Cuántos pollitos hay ahora?

Repaso de la lección

Preparación para la prueba de TEXAS

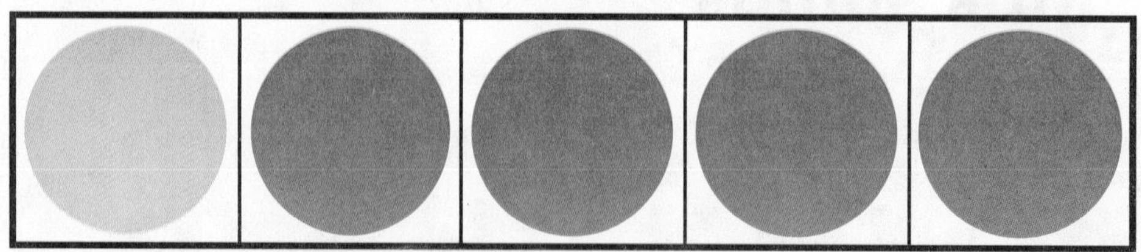

1 + 4 = 5 ○

4 + 2 = 6 ○

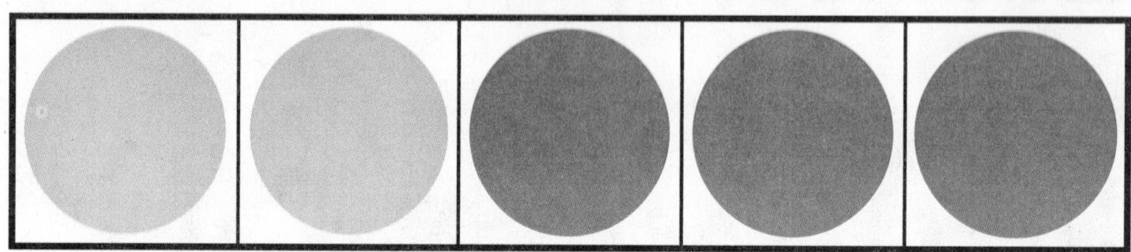

2 + 3 = 5 ○

2 + 2 = 4 ○

INSTRUCCIONES Elige la respuesta correcta. **3 y 4.** ¿Qué oración numérica muestra el modelo?

Nombre ____________________

PROCESOS MATEMÁTICOS
K.1.E, K.1.G

11.3 Sumas de hasta 5

ÁLGEBRA

Pregunta esencial ¿De qué manera puedes representar y escribir las oraciones de suma de hasta 5?

Explora

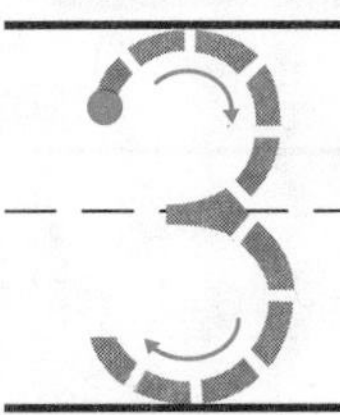

INSTRUCCIONES Representa la oración de suma con fichas. Hay tres aves en una rama. Un ave está volando. ¿Cuántas aves hay en total? Traza y escribe los números y los signos para mostrar cuántas aves hay en total.

Comparte y muestra

______ + ______ = ______

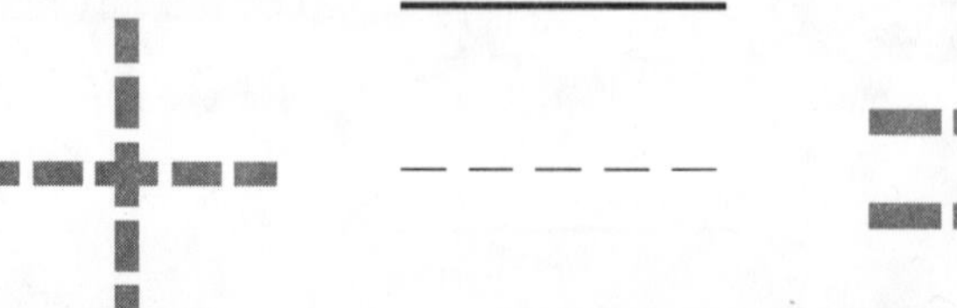

______ + ______ = ______

INSTRUCCIONES **1.** Dos patos estaban nadando en una laguna. Se les unieron dos patos más. ¿Cuál es el número total de patos? Escribe la oración numérica. **2.** Hay dos caballos dentro del corral. Hay un caballo fuera del corral. ¿Cuántos caballos hay? Escribe la oración numérica.

Nombre ______________________________

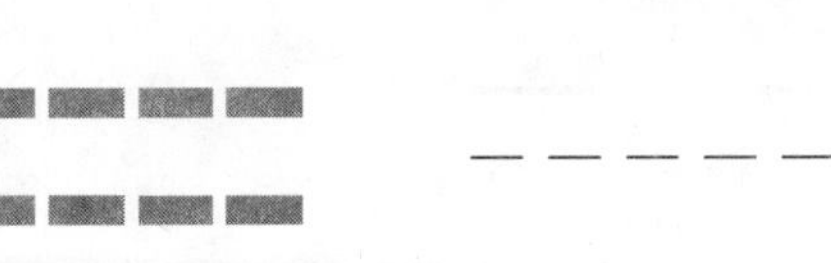

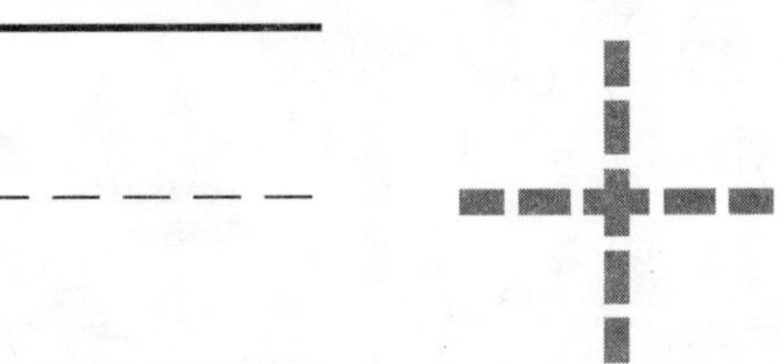

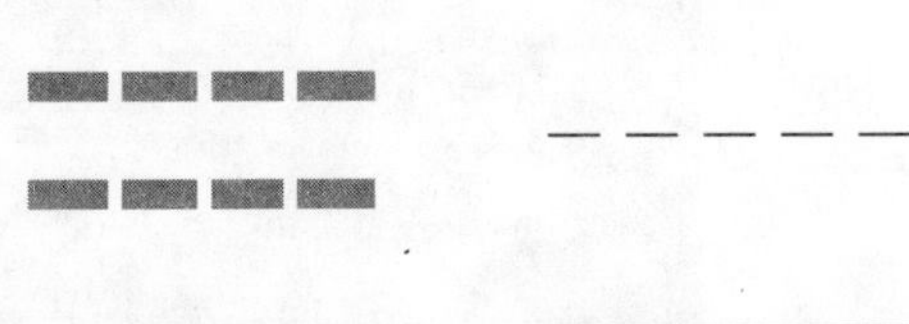

INSTRUCCIONES **3.** Había cuatro peces en el agua. Se les unió un pez más. ¿Cuántos peces hay ahora? Escribe la oración numérica. **4.** Hay un cerdo en la pocilga. Hay dos cerdos más fuera de la pocilga. ¿Cuántos cerdos hay? Escribe la oración numérica.

ACTIVIDAD PARA LA CASA • Muestre a su niño un conjunto de 1 a 5 objetos, como lápices o marcadores. Pídale que añada un objeto más al conjunto y que cuente para decir cuántos hay en total.

Resolución de problemas

5

____ + ____ = ____

Tarea diaria de evaluación

○ $1 + 2 = 3$

○ $1 + 1 = 2$

INSTRUCCIONES **5.** Ani juntó tres rocas. Jenna juntó dos rocas. ¿Cuántas rocas juntaron en total? Dibuja las rocas. Escribe los números para completar la oración de suma. **6.** Elige la respuesta correcta. ¿Cuál de estas oraciones numéricas muestra lo que sucede en la ilustración?

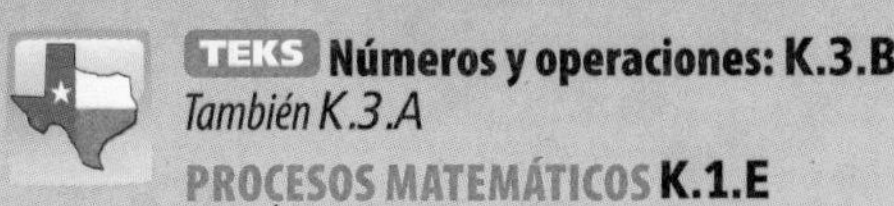

Nombre ____________________

11.3 Sumas de hasta 5

ÁLGEBRA

1

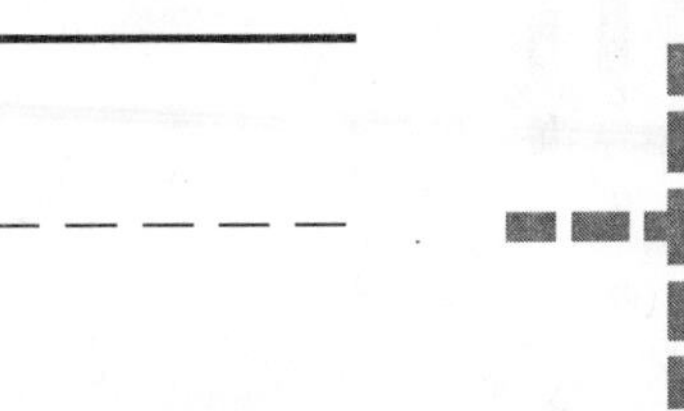

2

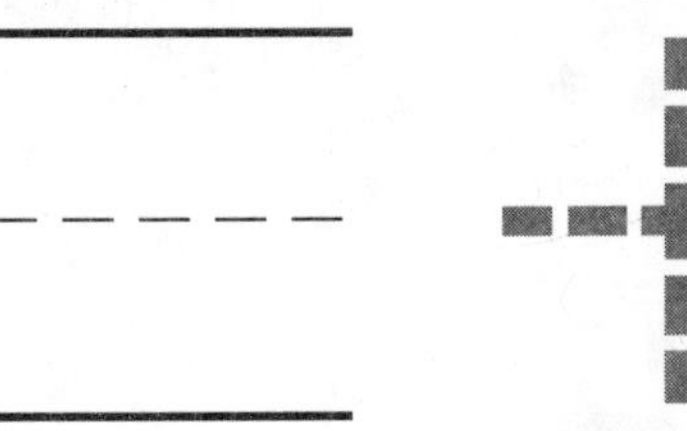

INSTRUCCIONES **1.** Había tres ranas sobre un tronco. Luego, se les unió una rana más. ¿Cuál es el número total de ranas? Escribe la oración numérica. **2.** Había una oveja comiendo hierba. Luego, se le unieron cuatro ovejas más. ¿Cuál es el número total de ovejas? Escribe la oración numérica.

Repaso de la lección

Preparación para la prueba de TEXAS

○ 2 + 3 = 5

○ 2 + 2 = 4

○ 1 + 4 = 5

○ 3 + 1 = 4

INSTRUCCIONES Elige la respuesta correcta.
3 y 4. ¿Cuál de estas oraciones numéricas muestra lo que sucede en la ilustración?

Nombre ____________________________________

TEKS Números y operaciones: K.3.C
También K.3.B
PROCESOS MATEMÁTICOS
K.1.A, K.1.B

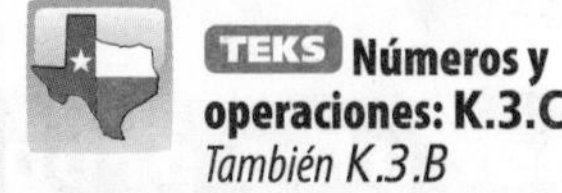

11.4 RESOLUCIÓN DE PROBLEMAS • Problemas de suma

MANOS A LA OBRA

Pregunta esencial

¿De qué manera puedes usar la estrategia de *hacer una dramatización* para resolver problemas?

Soluciona el problema

En el mundo

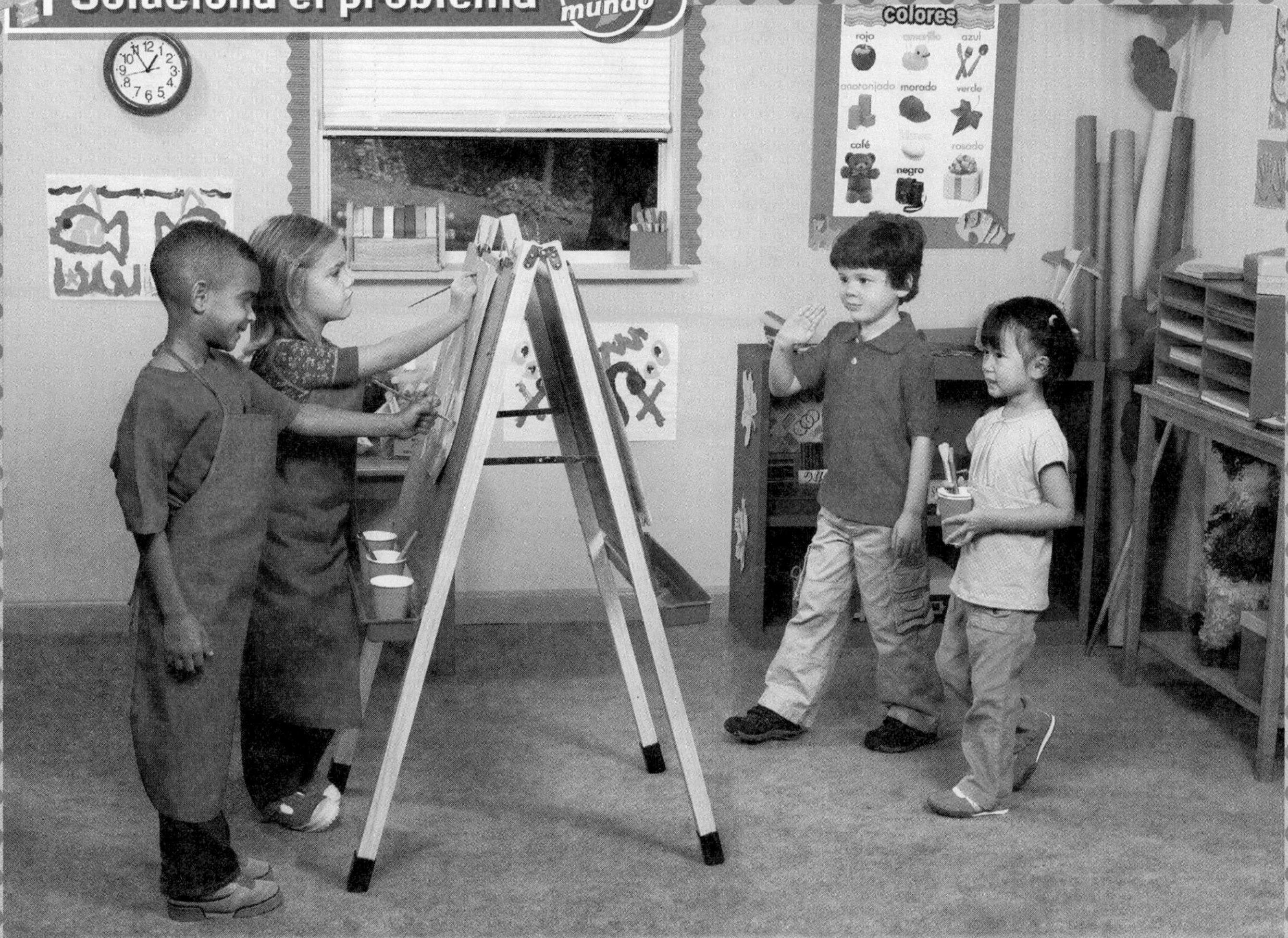
colores
rojo
amarillo
azul
anaranjado
morado
verde
café
rosado
negro

_____ + _____ = _____

INSTRUCCIONES Escucha el problema de suma y haz una dramatización con fichas. Escribe la oración de suma. Di a un amigo cuántos niños hay en total.

Haz otro problema

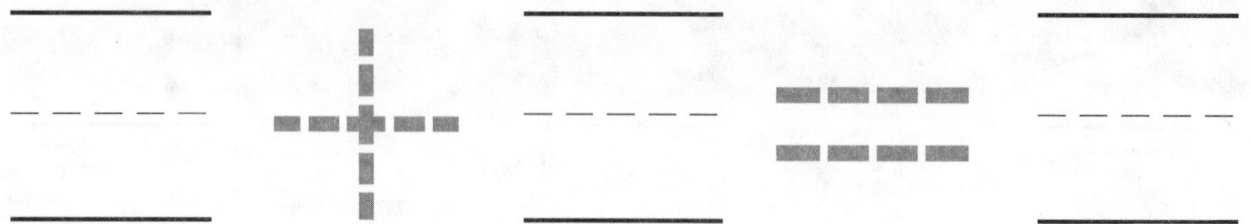

INSTRUCCIONES 1. Escucha el problema de suma y haz una dramatización con fichas. Escribe la oración de suma.

Nombre ______________________________

Comparte y muestra

INSTRUCCIONES 2. Escucha el problema de suma y haz una dramatización con fichas. Escribe los números y traza los signos para completar la oración de suma.

ACTIVIDAD PARA LA CASA • Relate a su niño un problema corto en el que tres objetos se añadan a un conjunto de dos objetos. Pídale que haga una dramatización del problema con juguetes.

Tarea diaria de evaluación

○ 2

○ 1

○ 4

○ 3

○ $2 + 1 = 3$ ○ $2 + 2 = 4$

INSTRUCCIONES Elige la respuesta correcta. **3.** Un pez está nadando. Hay otro pez nadando detrás. Haz una dramatización de 1 + 1. ¿Cuántos peces hay? **4.** Había tres aves en una rama. Se les unió otra ave. Haz una dramatización de 3 + 1. ¿Cuántas aves hay? **5.** Había dos mariposas sobre una flor. Llegaron dos mariposas más. Haz una dramatización del problema. ¿Qué muestra la ilustración?

Nombre ______________________

11.4 RESOLUCIÓN DE PROBLEMAS • Problemas de suma

1

____ + ____ = ____

INSTRUCCIONES 1. Un pez estaba nadando. Luego, se le unieron dos peces más. Haz un dibujo para mostrar el problema de suma. Escribe los números y traza los signos para completar la oración de suma.

Repaso de la lección

Preparación para la prueba de TEXAS

○ 2

○ 3

○ 5

○ 4

○ $3 + 1 = 4$ ○ $2 + 3 = 5$

INSTRUCCIONES Elige la respuesta correcta. **2.** Dos cachorros estaban comiendo. Luego, se les unió un cachorro más. ¿Cuántos cachorros hay ahora? **3.** Había tres mariquitas sobre una hoja. Luego, se les unieron dos mariquitas más. ¿Cuántas mariquitas hay ahora? **4.** Había tres patos en una laguna. Llegó un pato más. ¿Qué muestra la ilustración?

Nombre ______________________

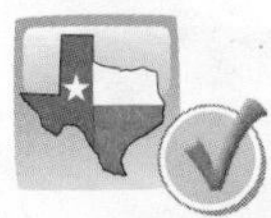

Evaluación del Módulo II

Conceptos y destrezas

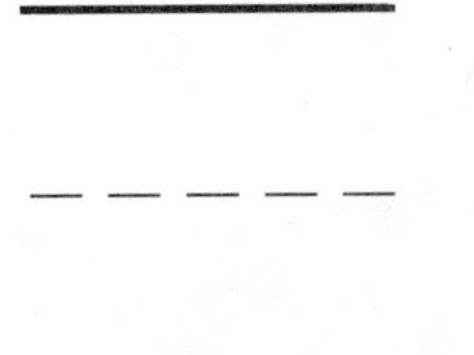

3

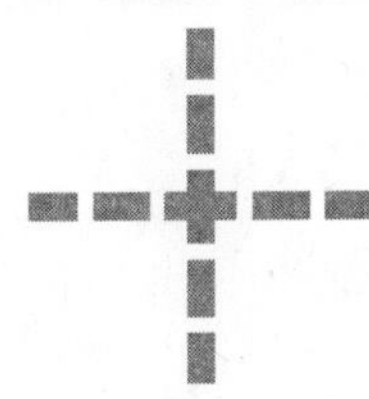

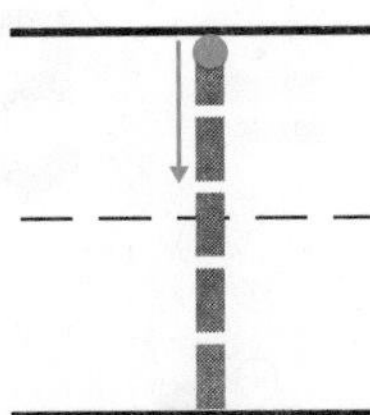

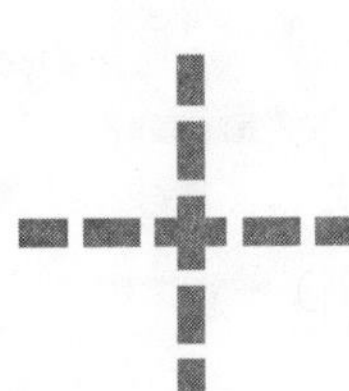

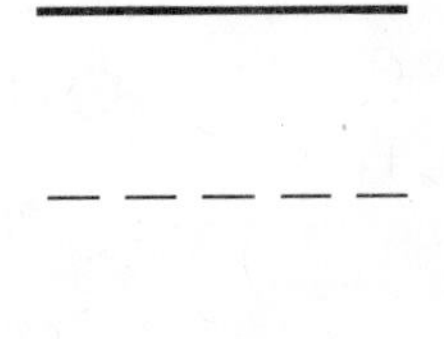

INSTRUCCIONES **I.** Había dos vacas en un prado. Llegó una vaca más. Escribe los números para mostrar las vacas que se sumaron. TEKS K.3.A **2 y 3.** Escucha el problema de suma. Encierra en un círculo el conjunto que había al comienzo. ¿Cuántos se sumaron al conjunto? ¿Cuántos hay ahora? Traza y escribe los números y los signos para completar la oración de suma. TEKS K.3.B

5

  **Preparación para la prueba de TEXAS**

○ 1 + 2 = 3

○ 2 + 3 = 5

INSTRUCCIONES **4.** Cuatro patos estaban nadando en una laguna. Llegó un pato más. ¿Cuántos patos hay? Escribe la oración numérica. TEKS K.3.B
5. Había dos ardillas cerca de un árbol. Ahora hay dos ardillas más. ¿Cuántas ardillas hay en total? Escribe la oración numérica. **6.** Elige la respuesta correcta. Había una abeja sobre una flor. Llegaron dos abejas más. Haz una dramatización del problema. ¿Qué muestra la ilustración? TEKS K.3.C

Nombre ______________________________

TEKS Números y operaciones: K.3.A
También K.3.B, K.3.C
PROCESOS MATEMÁTICOS
K.1.A, K.1.E

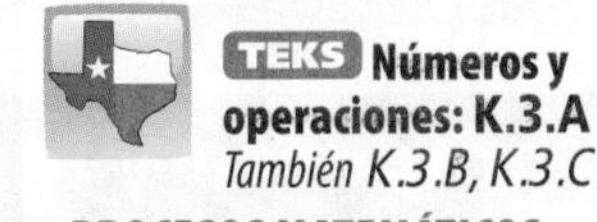

12.1 Separar para restar

MANOS A LA OBRA

Pregunta esencial ¿De qué manera puedes mostrar cómo separas para restar?

Explora En el mundo

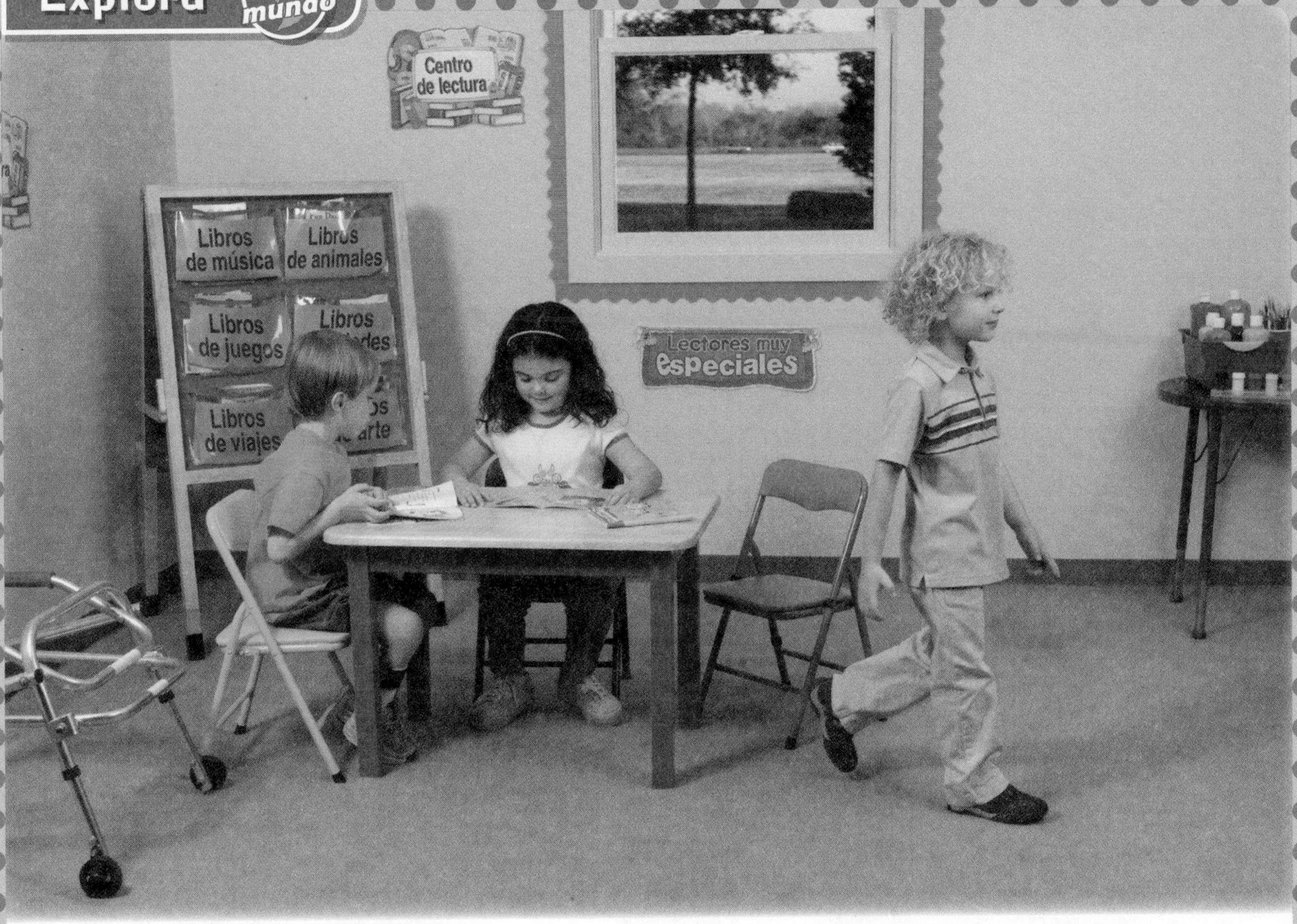

3 − 1 = ____

INSTRUCCIONES Escucha el problema de resta. Usa cubos. Traza el número que muestra cuántos niños había en total. Traza el signo de la *resta* y el número que muestra cuántos niños se fueron. Escribe el símbolo de *igualdad* y el número que muestra cuántos niños quedaron.

Comparte y muestra

INSTRUCCIONES I. Escucha el problema de resta. Usa cubos. Escribe el número que muestra cuántos niños había en total. Traza el signo de la *resta* y escribe el número que muestra cuántos niños se fueron. Traza el símbolo de *igualdad* y escribe el número que muestra cuántos niños están todavía sentados a la mesa.

Nombre ______________________________

______ ______ ______ ______ ______

INSTRUCCIONES **2.** Escucha el problema de resta. Usa cubos. Escribe el número que muestra cuántos niños había en total. Traza el signo de la *resta* y escribe el número que muestra cuántos niños se fueron. Traza el símbolo de *igualdad* y escribe el número que muestra cuántos niños están todavía en el centro de bloques.

ACTIVIDAD PARA LA CASA • Muestre a su niño un conjunto de cuatro objetos pequeños. Pídale que diga cuántos objetos hay. Quite uno de los objetos del conjunto. Pida al niño que diga cuántos objetos hay ahora.

Procesos matemáticos
Representar • Razonar • Comunicar

Resolución de problemas En el mundo

3

Escribe

Tarea diaria de evaluación

○ 2

○ 3

INSTRUCCIONES **3.** Blair tenía dos canicas. Le regaló una canica a un amigo. ¿Cuántas canicas tiene Blair ahora? Haz un dibujo para mostrar la resta. Escribe los números y traza los signos para completar la resta. Habla con un amigo sobre la estrategia que usaste para resolver el problema. **4.** Elige la respuesta correcta. Usa cubos. Cinco niños se juntaron en el parque. Luego, dos niños se fueron. ¿Cuántos niños están todavía en el parque?

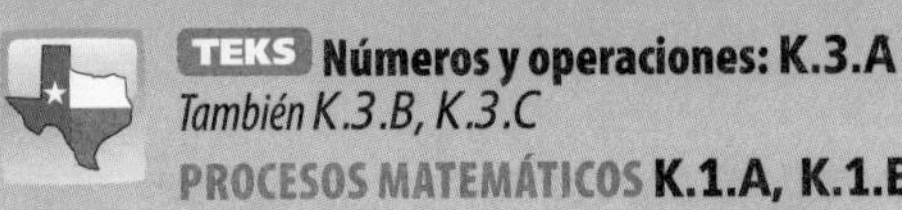

TEKS Números y operaciones: K.3.A
También K.3.B, K.3.C
PROCESOS MATEMÁTICOS K.1.A, K.1.E

Nombre ______________________

12.1 Separar para restar

MANOS A LA OBRA

INSTRUCCIONES I. Cuatro niños estaban haciendo una fila. Luego, una niña se fue. Escribe el número que muestra cuántos niños había en total. Escribe el número que muestra cuántos niños se fueron. Escribe el número que muestra cuántos niños están todavía en la fila.

Repaso de la lección

○ 3　　○ 1

○ 2　　○ 3

INSTRUCCIONES Elige la respuesta correcta. **2.** Había tres aves posadas. Luego, dos se fueron volando. ¿Cuántas aves quedaron? **3.** Cinco caballos estaban comiendo. Luego, tres se fueron. ¿Cuántos caballos quedaron?

Nombre ___

PROCESOS MATEMÁTICOS
K.1.D, K.1.E

12.2 Escribir la resta

ÁLGEBRA

Pregunta esencial ¿De qué manera puedes resolver los problemas de resta y completar la oración de resta?

Explora En el mundo

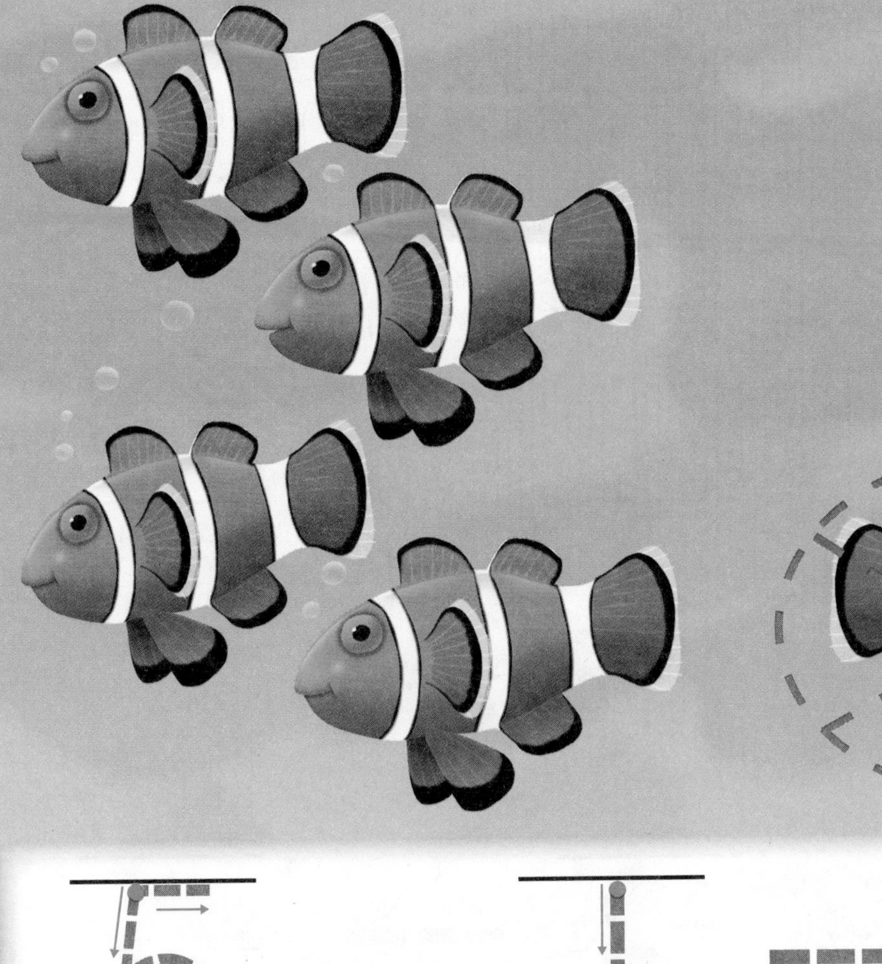

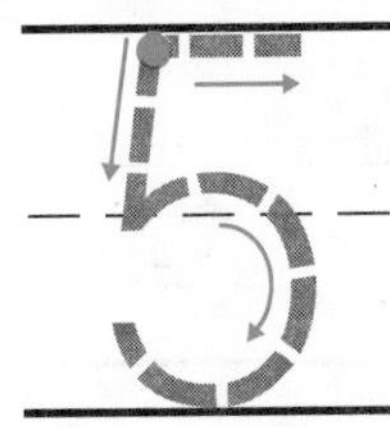

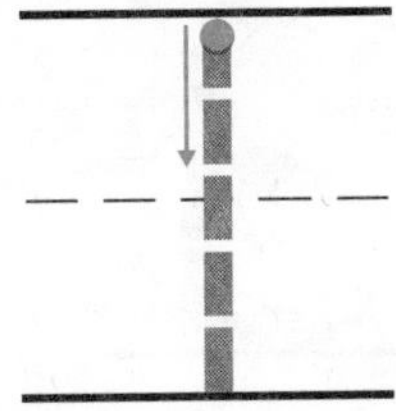

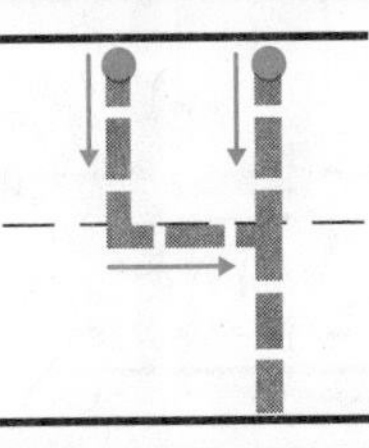

INSTRUCCIONES Había cinco peces. Un pez se fue nadando. ¿Cuántos peces quedaron? Traza el círculo y la X para mostrar el pez que se fue. Traza la oración de resta.

Comparte y muestra

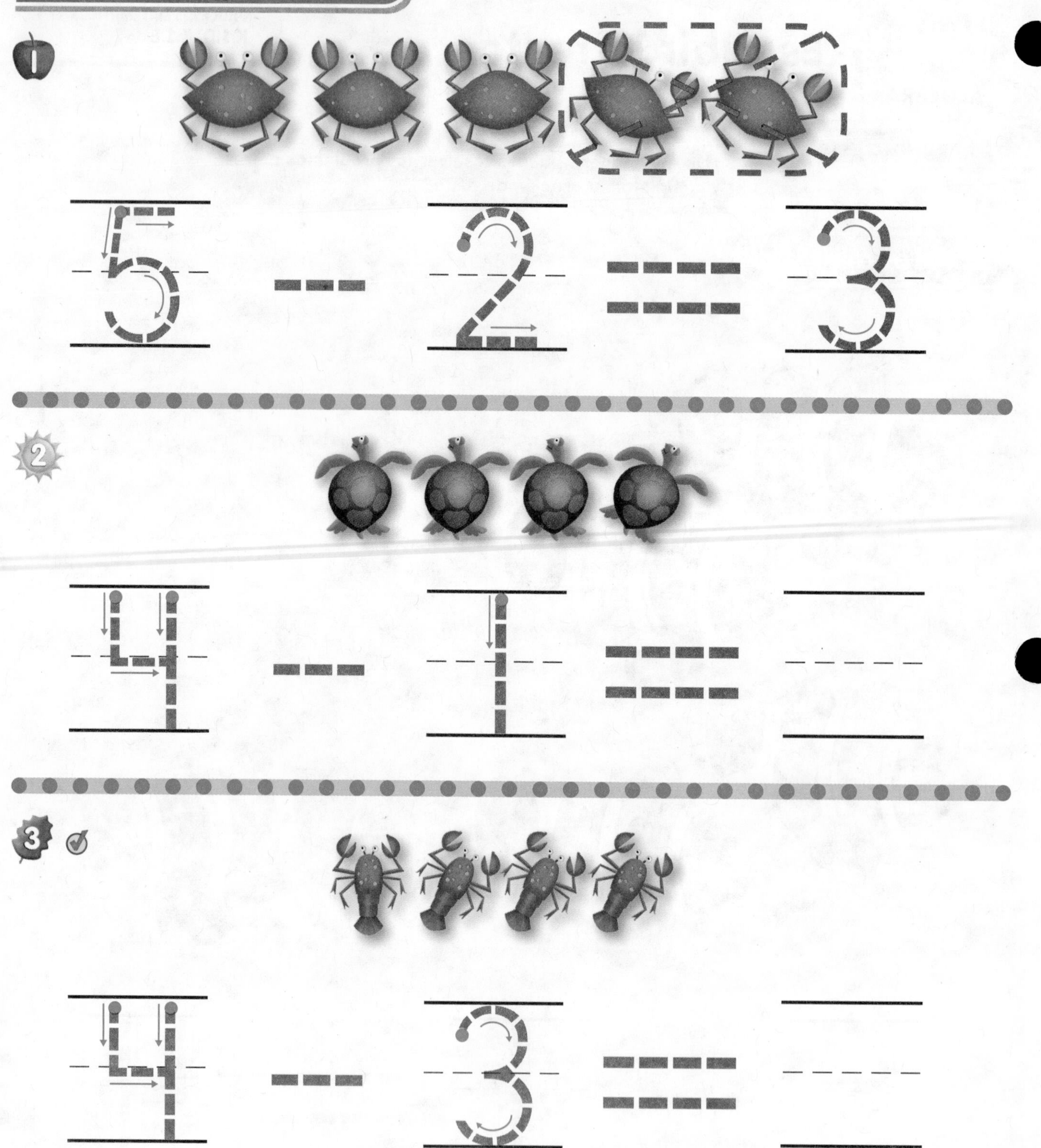

INSTRUCCIONES 1. Escucha el problema de resta. Traza el círculo y la X para mostrar cuántos se fueron. Traza la oración de resta para completarla. **2 y 3.** Escucha el problema de resta. Encierra en un círculo los animales que se fueron y luego táchalos con una X. Traza y escribe los números para completar la oración de resta.

Nombre ______________________________

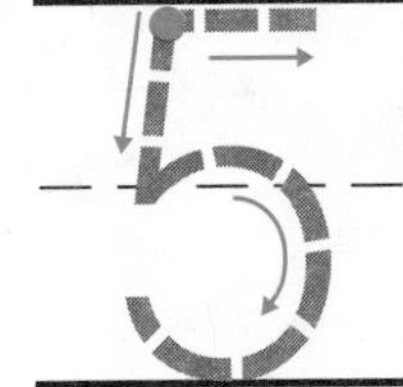

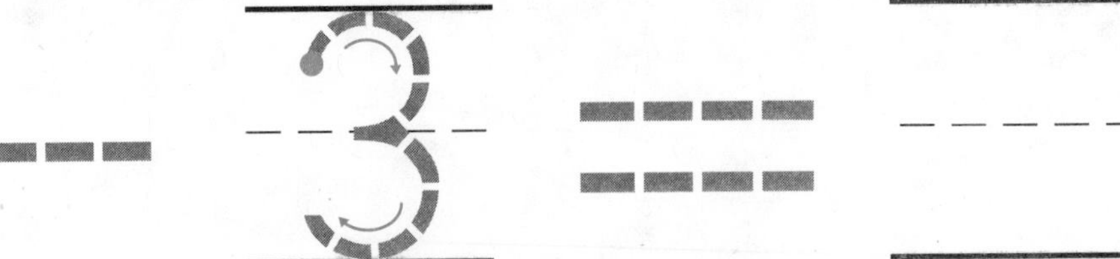

5 — 3 = ___

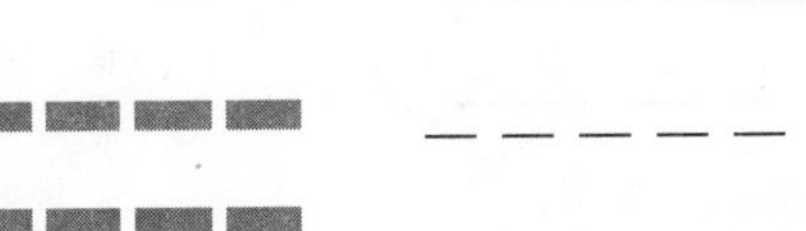

3 — 2 = ___

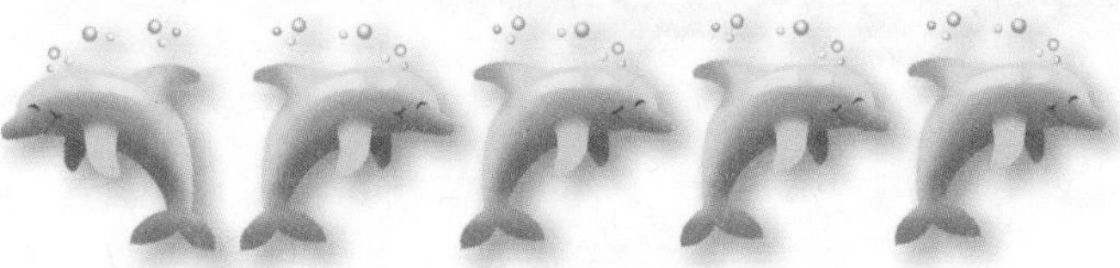

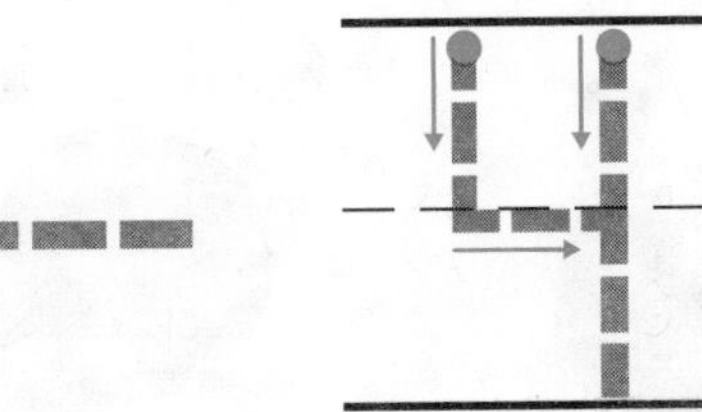

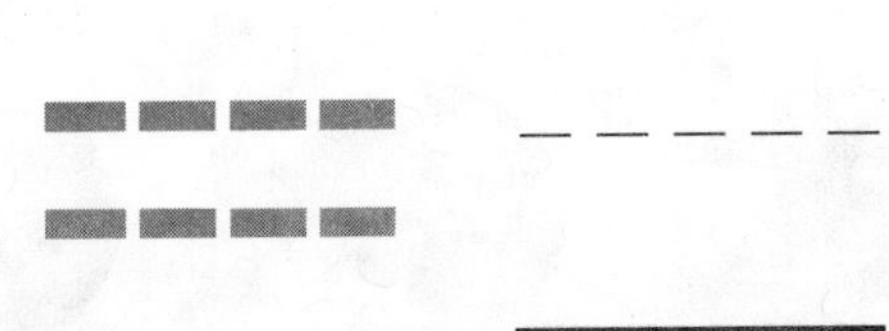

5 — 4 = ___

INSTRUCCIONES 4 a 6. Escucha el problema de resta. Encierra en un círculo los animales que se fueron y luego táchalos con una X. Traza y escribe los números para completar la oración de resta.

ACTIVIDAD PARA LA CASA • Pida a su niño que dibuje un conjunto de cinco globos. Pídale que encierre en un círculo algunos globos y que luego los tache con una X para mostrar que se reventaron. Luego, pida al niño que escriba una oración numérica para mostrar la resta.

Procesos matemáticos
Representar • Razonar • Comunicar

Resolución de problemas En el mundo

7

4 – 2 = ____

Tarea diaria de evaluación

○ 3
○ 4

INSTRUCCIONES **7.** Kristen tenía cuatro flores. Le regaló dos flores a una amiga. ¿Cuántas flores tiene Kristen ahora? Dibuja para resolver el problema. Traza y escribe los números y los signos para completar la oración de resta. Habla con un amigo sobre la estrategia que usaste para resolver el problema. **8.** Elige la respuesta correcta. Había cuatro caracoles. Un caracol se fue. ¿Cuánto es 4 – 1?

Tarea y práctica

TEKS Números y operaciones: K.3.B
También K.3.C
PROCESOS MATEMÁTICOS K.1.D, K.1.E

Nombre ____________________

12.2 Escribir la resta

ÁLGEBRA

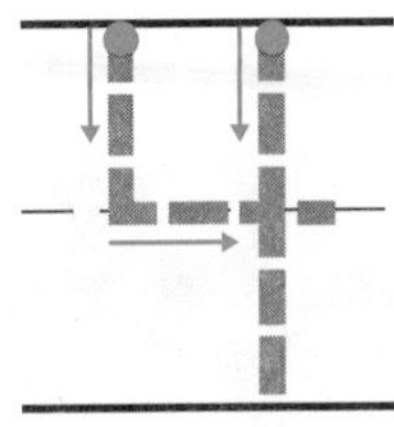 —   ____

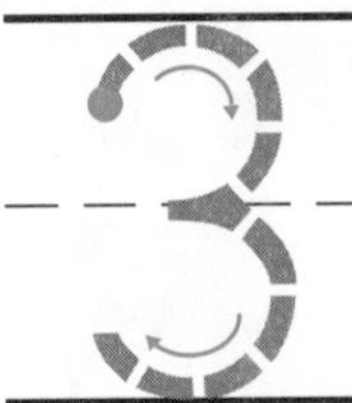 — 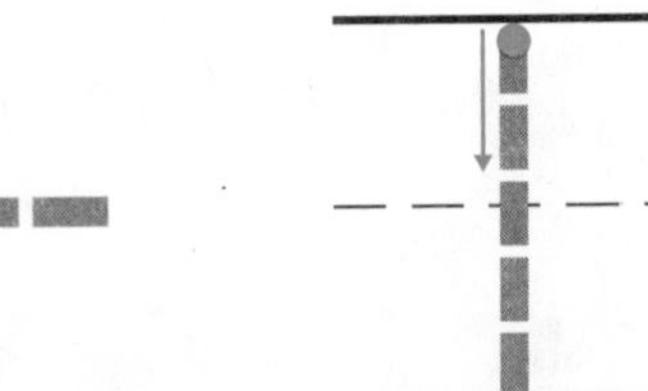  ____

INSTRUCCIONES Escucha el problema de resta. Encierra en un círculo los animales que se fueron y luego táchalos con una X. Traza y escribe los números para completar la oración de resta. **1.** Había cuatro mariposas. Dos se fueron volando. ¿Cuántas quedaron? **2.** Había tres gatitos. Uno se fue. ¿Cuántos quedaron?

Preparación para la prueba de TEXAS

○ 5

○ 4

○ 2

○ 3

INSTRUCCIONES Elige la respuesta correcta.
3. Había cinco osos. Un oso se fue. ¿Cuánto es 5 – 1?
4. Había 4 gatitos. Dos gatitos se fueron. ¿Cuánto es 4 – 2?

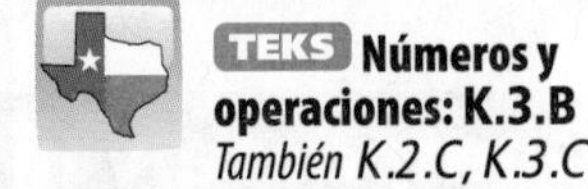

Nombre ______________________________

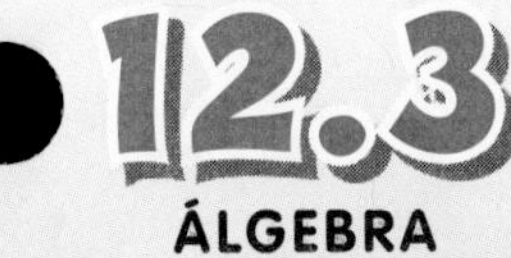

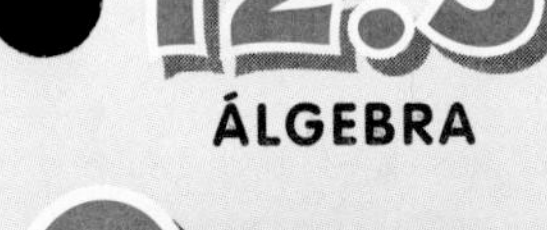

TEKS Números y operaciones: K.3.B
También K.2.C, K.3.C
PROCESOS MATEMÁTICOS
K.1.D, K.1.E

12.3 Diferencias con los números hasta el 5

ÁLGEBRA

Pregunta esencial ¿De qué manera puedes mostrar diferencias con números hasta el 5?

Explora En el mundo

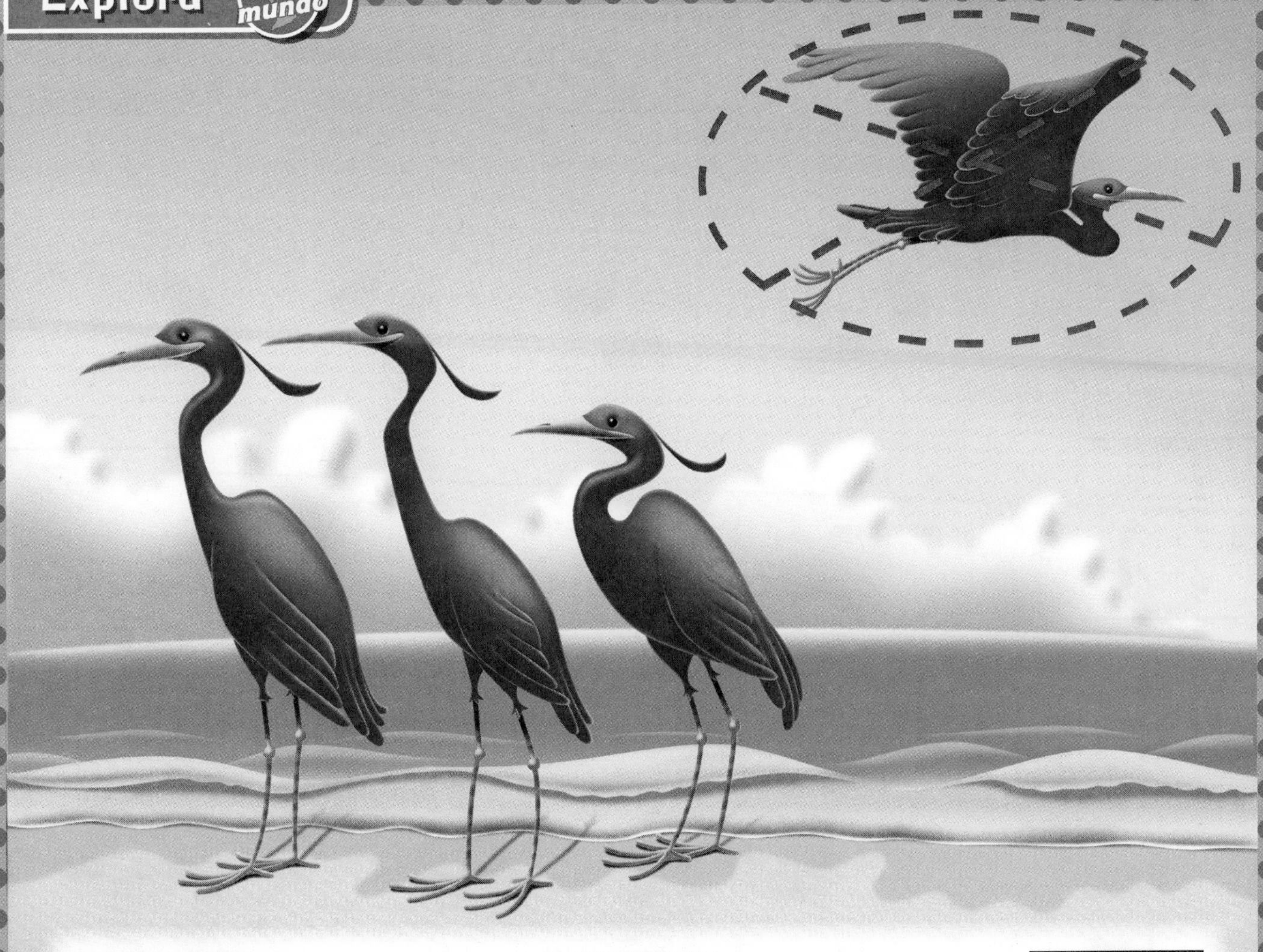

4 − 1 = 3

INSTRUCCIONES Había cuatro aves. Un ave se fue volando. ¿Cuántas aves quedaron? Traza el círculo y la X para mostrar el ave que se fue del conjunto. Traza la oración de resta.

Comparte y muestra

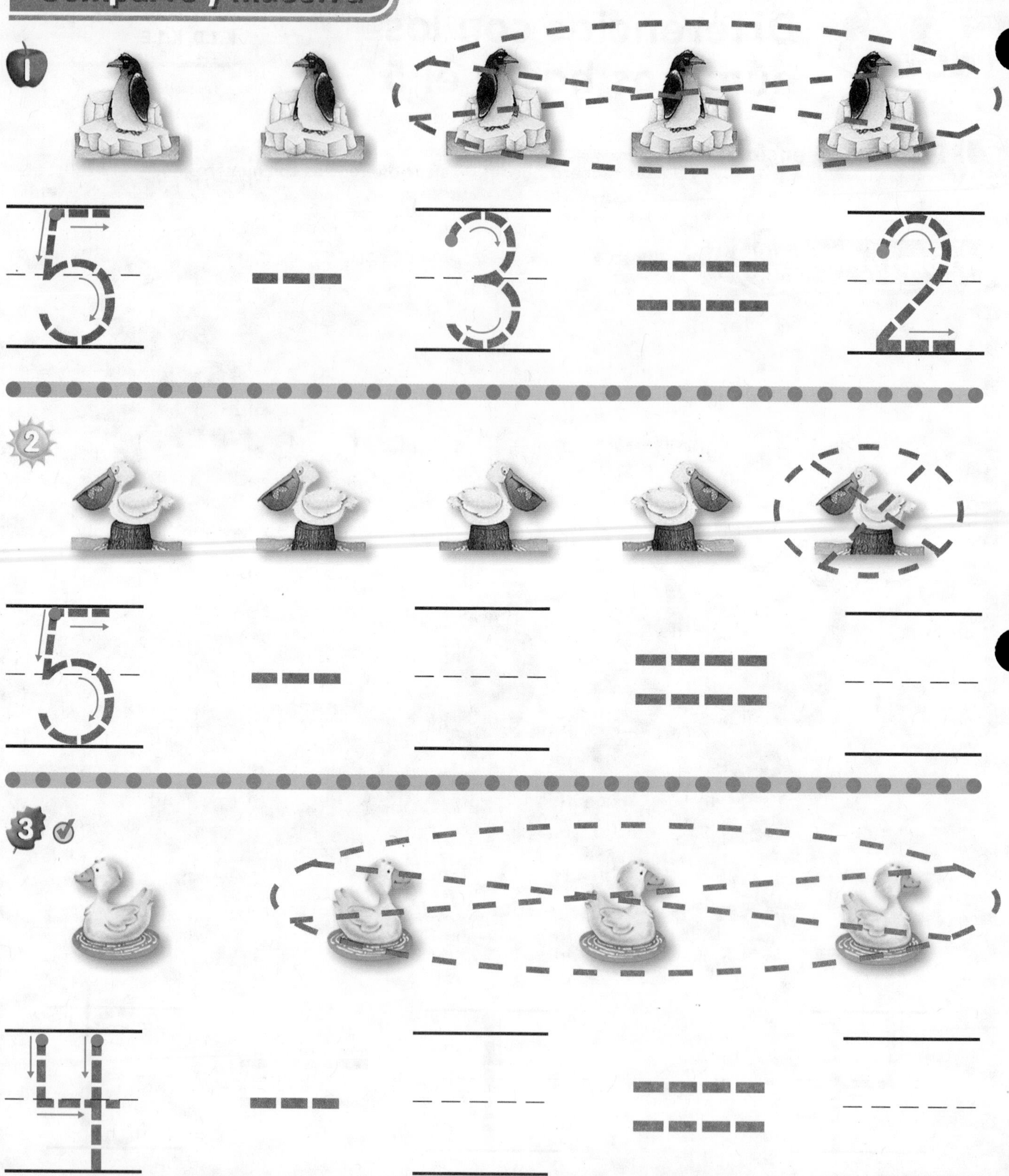

INSTRUCCIONES **1.** Escucha el problema de resta. ¿Cuántos pingüinos se fueron? Traza el círculo y la X. ¿Cuántos pingüinos hay ahora? Traza la oración de resta. **2 y 3.** Escucha el problema de resta. Traza el círculo y la X. Traza y escribe los números para completar la oración de resta.

Nombre ___________________________

4

5 — ___ = ___

5

2 — ___ = ___

6

4 — ___ = ___

INSTRUCCIONES **4 a 6.** Escucha el problema de resta. Encierra en un círculo las aves que se fueron y luego táchalas con una X. Traza y escribe los números para completar la oración de resta.

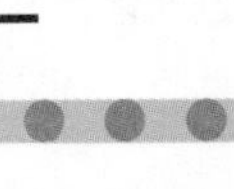

ACTIVIDAD PARA LA CASA • Pida a su niño que relate un problema para una de las oraciones de resta de esta página.

Procesos matemáticos
Representar • Razonar • Comunicar

Resolución de problemas

7

Tarea diaria de evaluación

8

○ 3

○ 1

INSTRUCCIONES **7.** Haz un dibujo para mostrar lo que sabes acerca de la oración de resta. Completa la oración de resta. Describe a un amigo la estrategia que usaste para resolver el problema. **8.** Elige la respuesta correcta. Había cinco aves. Luego, dos aves se fueron caminando. ¿Cuánto es 5 – 2?

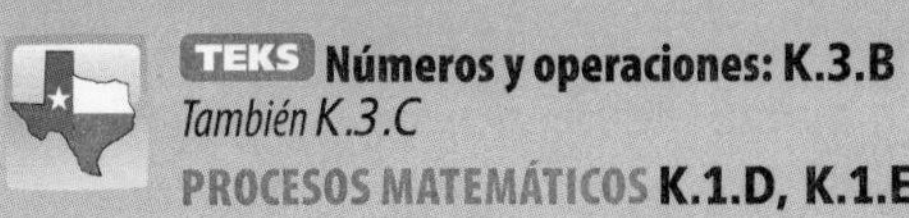

Nombre ____________________

12.3 Diferencias con los números hasta el 5

ÁLGEBRA

1

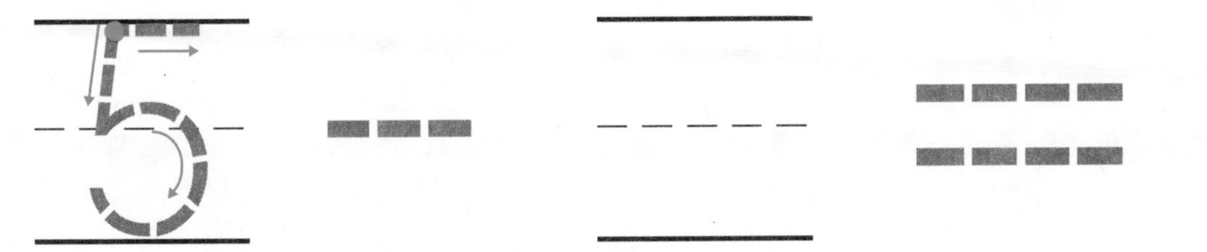

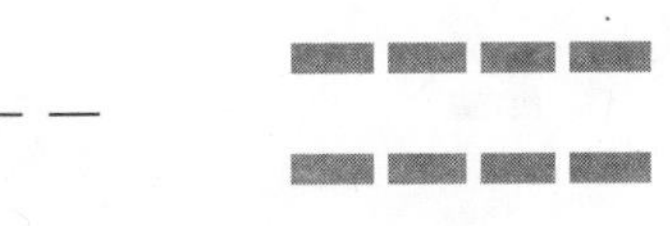

INSTRUCCIONES Escucha el problema de resta. Traza el círculo y la X. Traza y escribe los números para completar la oración de resta. **1.** Había cinco corderos. Dos se fueron. **2.** Había tres ardillas. Una ardilla se fue.

Repaso de la lección

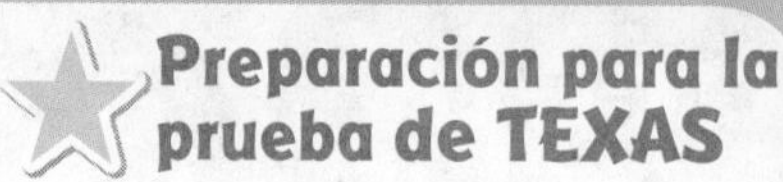

○ 3 ○ 1

○ 2 ○ 3

INSTRUCCIONES Elige la respuesta correcta. **3.** Había cuatro camionetas. Luego, alguien se llevó tres camionetas. ¿Cuánto es 4 – 3? **4.** Había 5 barcos. Luego, tres barcos se alejaron. ¿Cuánto es 5 – 3?

Nombre ______________________________

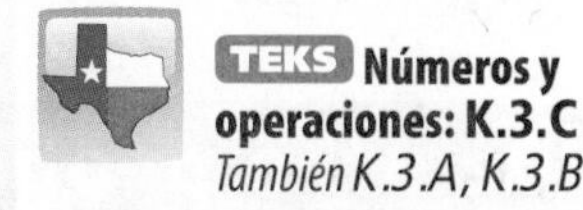

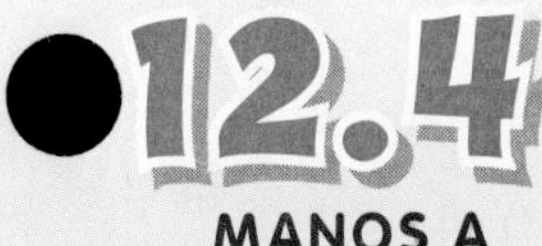

TEKS **Números y operaciones: K.3.C**
También K.3.A, K.3.B
PROCESOS MATEMÁTICOS
K.1.A, K.1.B

12.4 RESOLUCIÓN DE PROBLEMAS • Problemas de resta

MANOS A LA OBRA

Pregunta esencial ¿De qué manera puedes usar la estrategia de *hacer una dramatización* para resolver problemas?

Soluciona el problema *En el mundo*

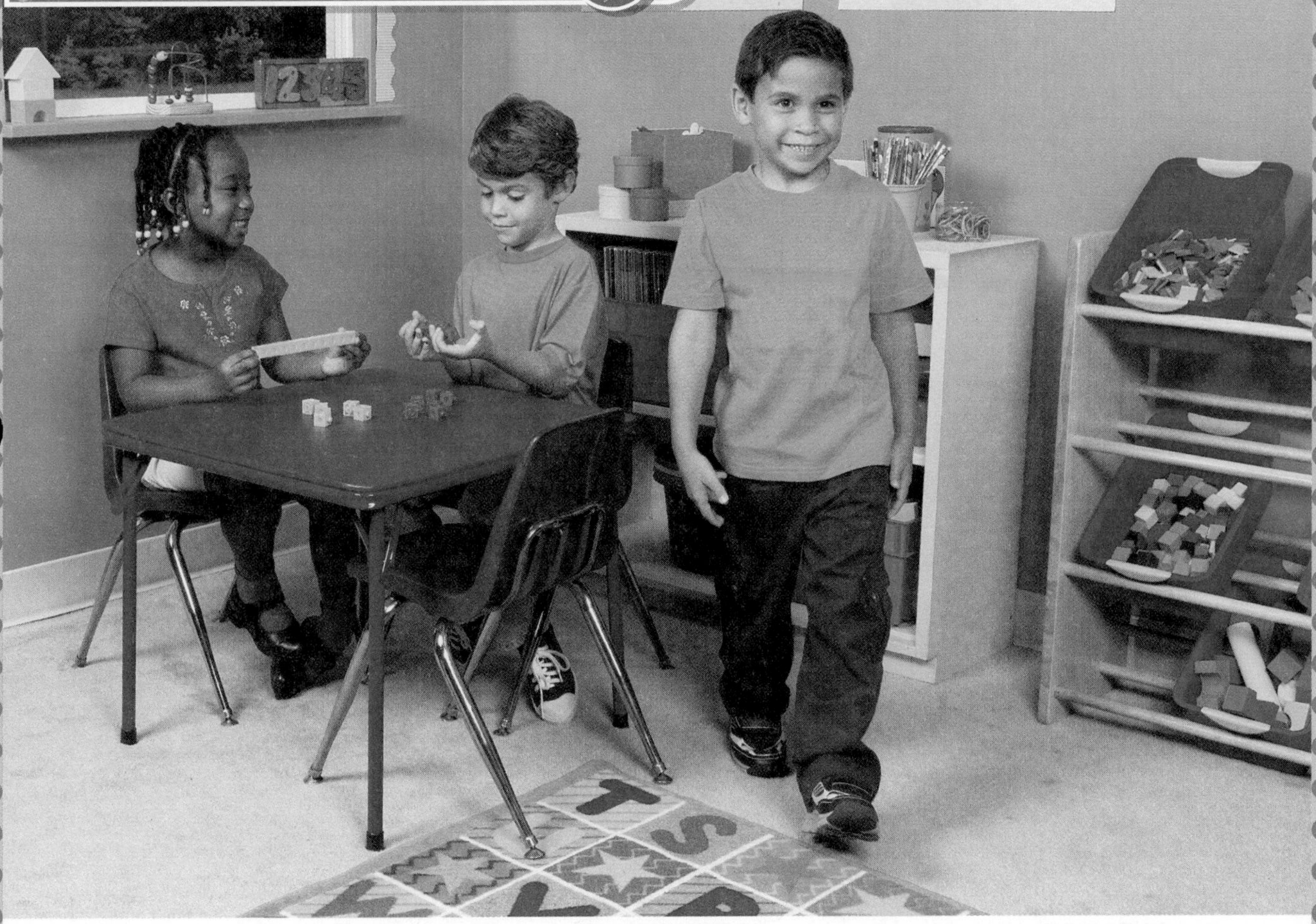

INSTRUCCIONES Escucha el problema de resta y haz una dramatización. Escribe los números y traza los signos para completar la oración de resta. Habla con un amigo sobre cómo usar la estrategia de hacer una dramatización para resolver el problema.

Haz otro problema

INSTRUCCIONES **1.** Escucha el problema de resta y haz una dramatización con cubos. Escribe los números y traza los signos para completar la oración de resta. Habla con un amigo sobre cómo usar la estrategia de hacer una dramatización para resolver el problema.

Nombre ______________________

Comparte y muestra

INSTRUCCIONES **2.** Escucha el problema de resta y haz una dramatización con cubos. Escribe y traza los números y los signos para completar la oración de resta. Habla con un amigo sobre cómo usar la estrategia de hacer una dramatización para resolver el problema.

ACTIVIDAD PARA LA CASA • Relate a su niño un problema de resta corto. Pídale que use algunos objetos para hacer una dramatización del problema.

3

○ 2

○ 1

4

○ 3

○ 5

5

4 – 1 = 3 ○

5 – 2 = 3 ○

INSTRUCCIONES Elige la respuesta correcta. **3.** Había tres niños en un grupo. Una niña se fue caminando. Haz una dramatización de 3 – 1 con cubos. ¿Cuántos niños quedaron? **4.** Había cinco niños. Luego, dos niños se fueron. Haz una dramatización de 5 – 2. ¿Cuántos niños quedaron? **5.** Había cuatro niños. Un niño se fue patinando. Haz una dramatización. ¿Qué muestra la ilustración?

Tarea y práctica

Nombre ____________________

12.4 RESOLUCIÓN DE PROBLEMAS • Problemas de resta

____ ▬ ____ ＝ ____

INSTRUCCIONES **1.** Había 3 cachorros en la canasta. Juan tomó un cachorro. ¿Cuántos cachorros quedaron en la canasta? Escribe los números y traza los signos para completar la oración de resta.

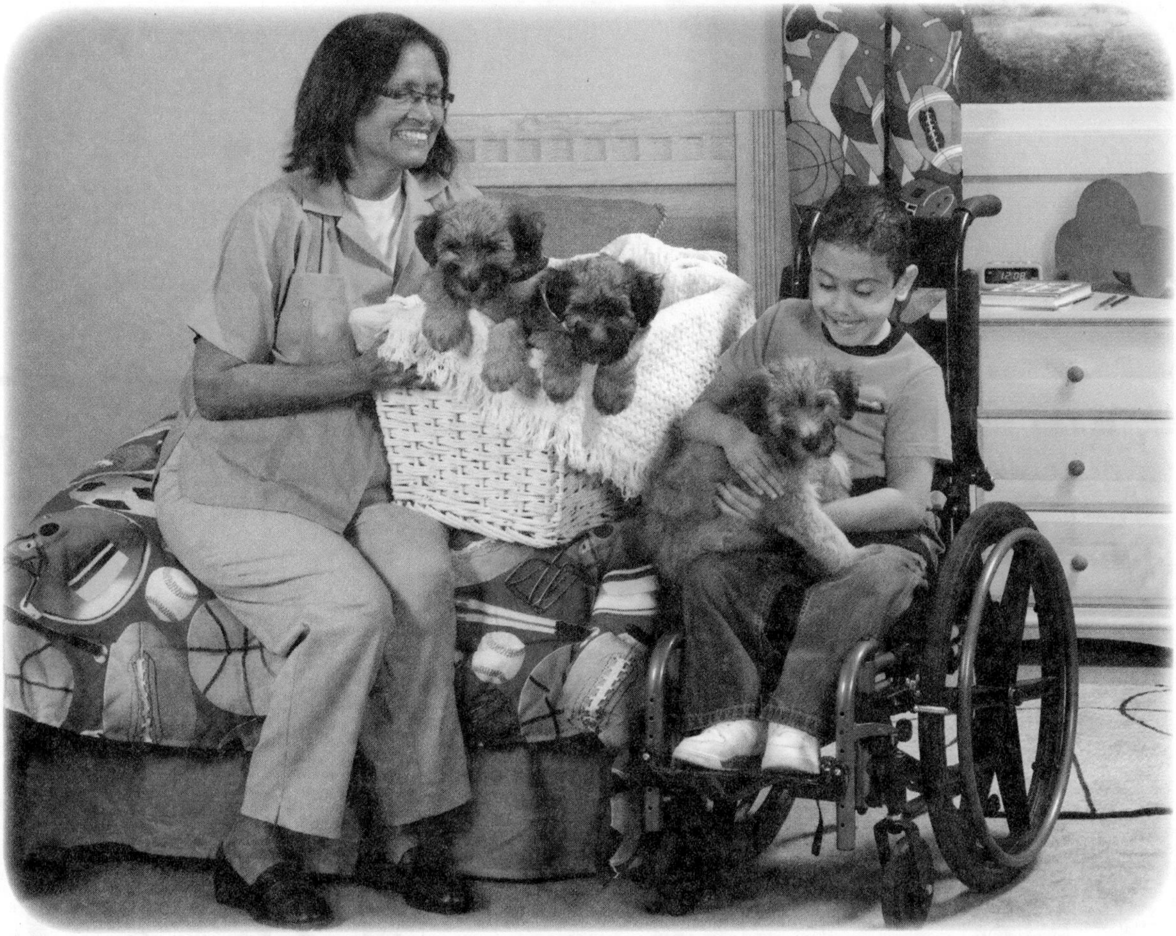

Repaso de la lección

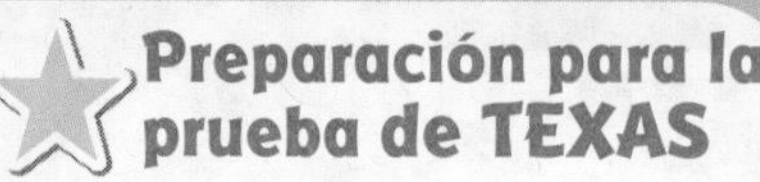

○ 1

○ 4

○ 2

○ 3

○ 2

○ 1

INSTRUCCIONES Elige la respuesta correcta. **2.** Había cinco globos. Cuatro globos se volaron. ¿Cuántos globos quedaron? **3.** Había cuatro pelotas de fútbol. Una pelota se fue rodando. ¿Cuántas pelotas quedaron? **4.** Había dos ranas. Una rana se fue saltando. ¿Cuántas ranas quedaron?

Nombre ______________________________

Evaluación del Módulo 12

Conceptos y destrezas

____ − ____ = ____

____ − ____ = ____

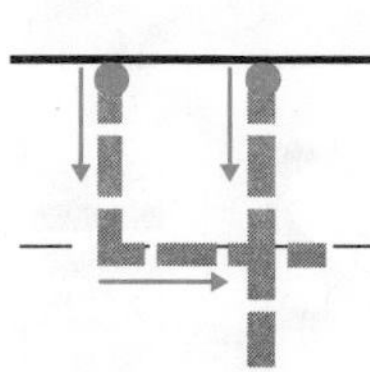

4 − 3 = ____

INSTRUCCIONES **1.** Cuatro niños estaban sentados juntos. Luego, uno de los niños se fue. Completa la oración de resta. TEKS K.3.A **2.** Había 5 niños en un patio de recreo. Tres niños se fueron. ¿Cuántos niños hay ahora? Escribe la oración de resta. TEKS K.3.A **3.** Había 4 caballitos de mar. Tres se fueron nadando. ¿Cuántos caballitos de mar quedaron? Completa la oración de resta. TEKS K.3.B

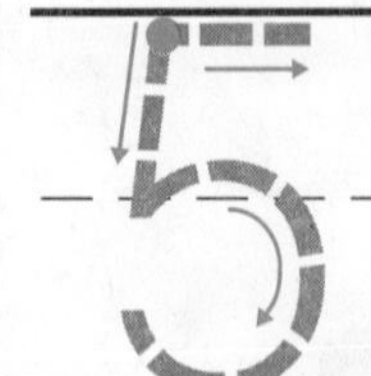

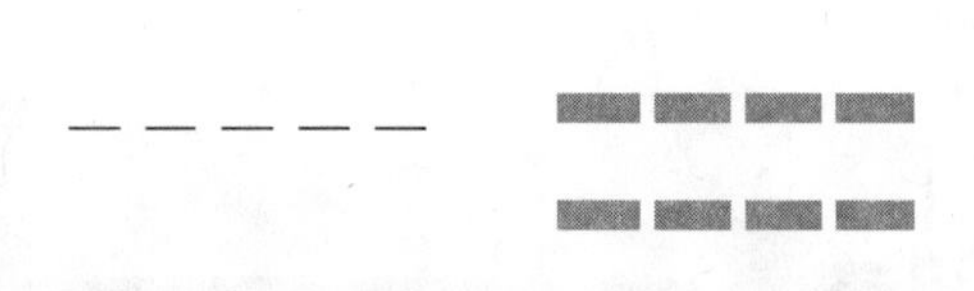

Preparación para la prueba de TEXAS

○ $5 - 3 = 2$ ○ $4 - 2 = 2$

INSTRUCCIONES 4. Había 5 peces. Dos peces se fueron nadando. ¿Cuántos peces quedaron? Encierra en un círculo los peces que se fueron y luego táchalos con una X. Completa la oración de resta. TEKS K.3.B **5.** Había 3 aves. Dos aves se fueron volando. ¿Cuántas aves quedaron? Encierra en un círculo las aves que se fueron y luego táchalas con una X. Completa la oración de resta. TEKS K.3.B **6.** Elige la respuesta correcta. Había 4 niños en los columpios. Luego, 2 niños se fueron. Haz una dramatización del problema. ¿Qué muestra el dibujo? TEKS K.3.C

Nombre ______________________

TEKS Números y operaciones: K.3.A, K.3.C *También K.2.F, K.3.B*
PROCESOS MATEMÁTICOS
K.1.D

13.1 Uno más y uno menos

MANOS A LA OBRA: ÁLGEBRA

Pregunta esencial ¿De qué manera muestras uno más y uno menos?

Explora

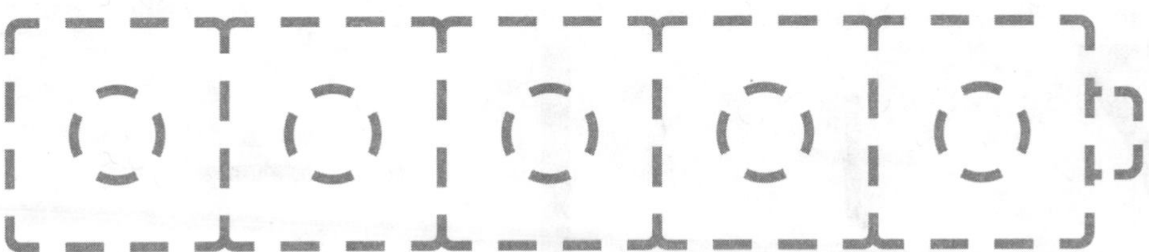

INSTRUCCIONES Coloca 5 cubos azules sobre el contorno que se muestra. Traza el número. Añade 1 cubo rojo. Escribe el número para mostrar la suma. Coloca 5 cubos azules sobre el contorno que se muestra. Escribe el número. Quita un cubo. Escribe el número para mostrar la diferencia.

Comparte y muestra

6 + 1 = ______

7 + 1 = ______

3

8 + 1 = ______

9 + 1 = ______

INSTRUCCIONES **1 a 4.** Muestra la suma con cubos de dos colores. Escribe el número.

Nombre ______________________

5

$10 - 1 =$ ____

6

$9 - 1 =$ ____

7

$8 - 1 =$ ____

8 ✓

$7 - 1 =$ ____

INSTRUCCIONES **5 a 8.** Muestra la diferencia con cubos de dos colores. Escribe el número.

ACTIVIDAD PARA LA CASA • Muestre a su niño un conjunto de 5 a 10 juguetes. Pídale que forme un conjunto de objetos que muestre uno más y otro que muestre uno menos.

Procesos matemáticos
Representar • Razonar • Comunicar

Resolución de problemas

______ + 1 = ______

Tarea diaria de evaluación

10

8 + 1 =

○ 7

○ 9

INSTRUCCIONES 9. Wesley tiene 5 canicas. Haz un dibujo para mostrar cuántas canicas tiene Wesley. Escribe el número. Annie tiene 1 canica más que Wesley. ¿Cuántas canicas tiene Annie? Escribe el número. Habla con un amigo sobre la estrategia que usaste para resolver el problema. 10. Elige la respuesta correcta. Lanie tiene 8 cubos. ¿Qué número es uno más?

Tarea y práctica

TEKS Números y operaciones: K.3.A, K.3.C
También K.2.F, K.3.A
PROCESOS MATEMÁTICOS K.1.D

Nombre ____________________

13.1 Uno más y uno menos

MANOS A LA OBRA: ÁLGEBRA

$4 + 1 =$ ____

$5 + 1 =$ ____

INSTRUCCIONES **1 y 2.** Dibuja un cubo más para mostrar la suma. Usa un color diferente. Escribe la suma.

Repaso de la lección

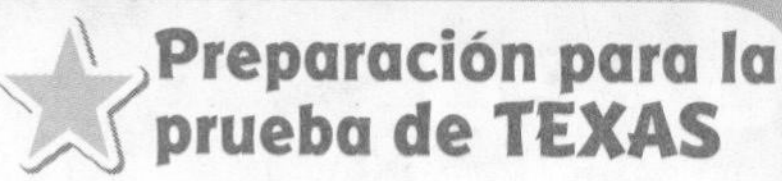

3

3 + 1 =

○ 4

○ 5

4

7 − 1 =

○ 8

○ 6

INSTRUCCIONES Elige la respuesta correcta. **3.** Selena tiene 3 osos de color café. ¿Qué número es uno más? **4.** Carlos tiene 7 crayones. ¿Qué número es uno menos?

Nombre ____________________

TEKS Números y operaciones: K.3.B
También K.3.C

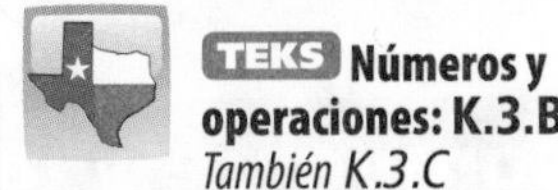

PROCESOS MATEMÁTICOS
K.1.A, K.1.D

13.2 Sumas de hasta 7

ÁLGEBRA

Pregunta esencial ¿De qué manera puedes mostrar y escribir las oraciones de suma de hasta 7?

Explora En el mundo

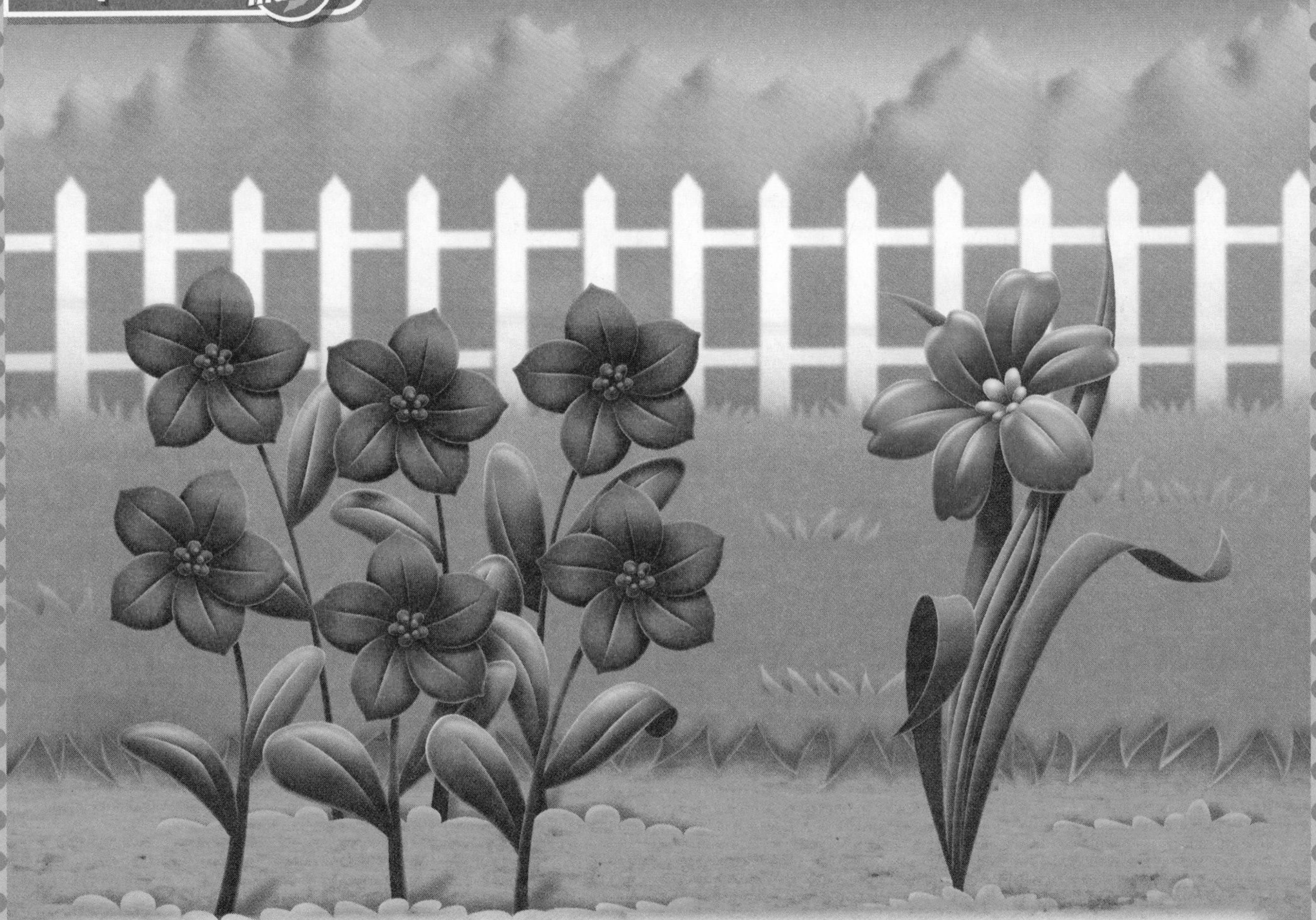

____ + ____ = ____

INSTRUCCIONES Escucha el problema de suma. Escribe los números para completar la oración de suma. Traza los signos. Los niños pueden usar cubos o fichas para representar los problemas.

Comparte y muestra

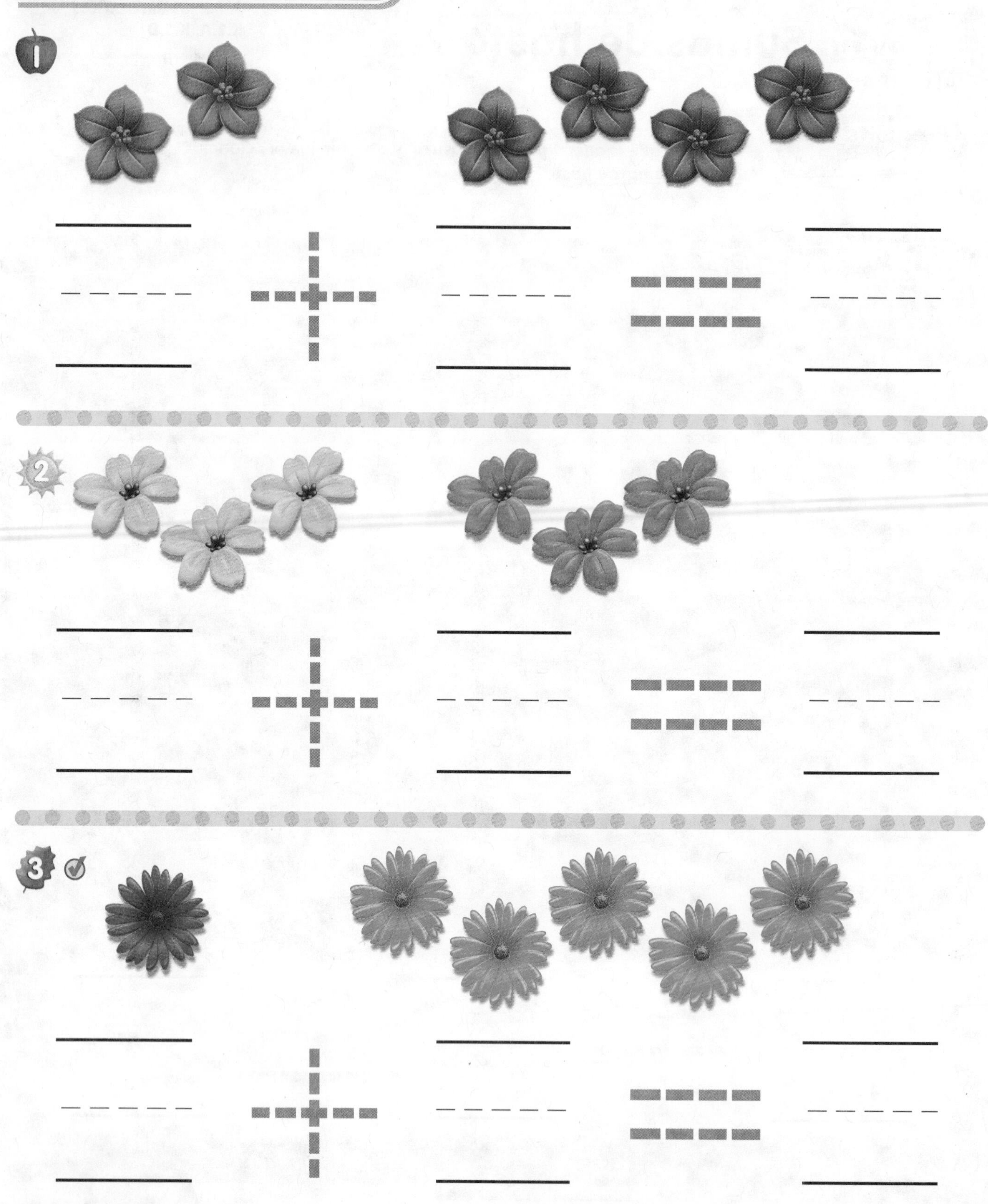

INSTRUCCIONES **I a 3.** Escucha el problema de suma. Completa la oración de suma.

Nombre ______________________________

4

_____ + _____ = _____

5

_____ + _____ = _____

6

_____ + _____ = _____

INSTRUCCIONES **4 a 6.** Escucha el problema de suma. Completa la oración de suma.

ACTIVIDAD PARA LA CASA • Pida a su niño que use los dedos de las dos manos para mostrar dos números y que diga cuántos dedos levantó en total.

Procesos matemáticos
Representar • Razonar • Comunicar

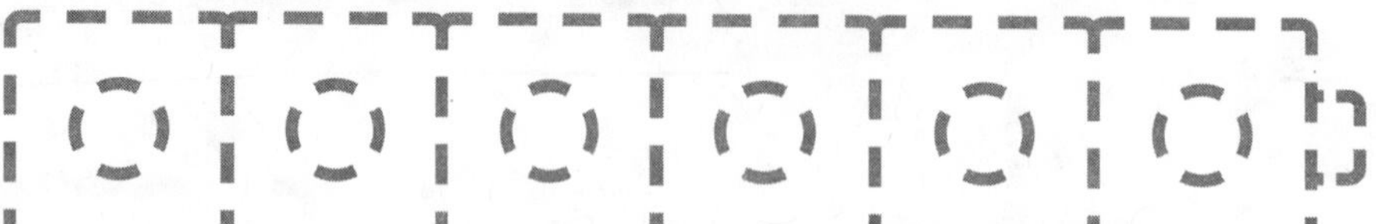

Escribe

____ + ____ = ____

Tarea diaria de evaluación

○ 5 + 1 = 6 ○ 5 + 2 = 7

INSTRUCCIONES **7.** En el jardín de Peter y Grant hay seis flores. Peter no tiene flores. ¿Cuántas flores tiene Grant? Colorea el tren de cubos para mostrar el par de números. Completa la oración de suma. **8.** Elige la respuesta correcta. Suzie tenía cinco flores rojas. Luego, le regalaron una flor morada. ¿Qué muestra la ilustración?

Nombre ______________________

13.2 Sumas de hasta 7

ÁLGEBRA

1

___ + ___ = ___

___ + ___ = ___

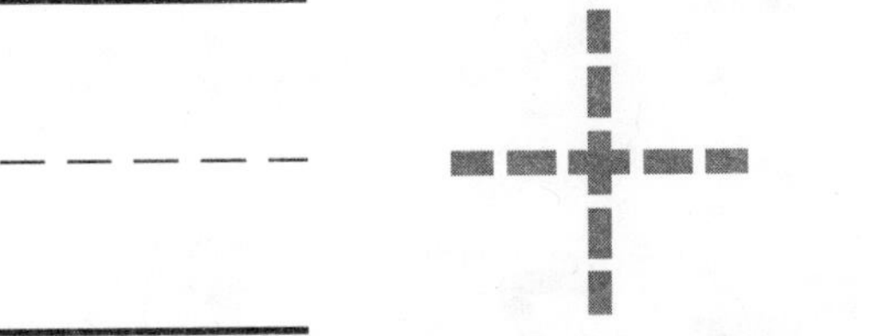

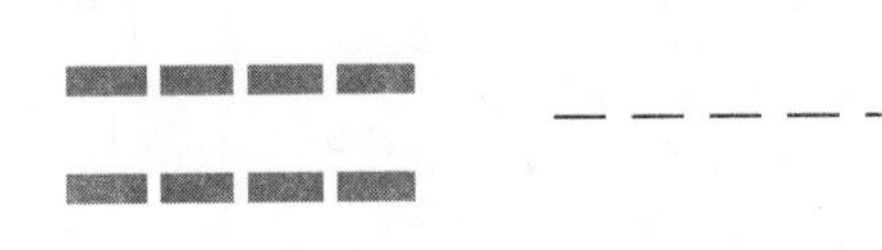

INSTRUCCIONES Escucha el problema de suma. Completa la oración de suma. **1.** Hay 4 hojas anaranjadas en una rama. Hay 2 hojas rojas en otra rama. ¿Cuántas hojas hay en total? **2.** En el vivero hay tres regaderas verdes. También hay cuatro regaderas amarillas. ¿Cuántas regaderas hay en total?

Preparación para la prueba de TEXAS

○ 4 + 2 = 6

○ 3 + 4 = 7

4

○ 2 + 4 = 6

○ 5 + 2 = 7

INSTRUCCIONES ¿Qué muestra la ilustración? Elige la respuesta correcta. **3.** Jackie tenía 4 conchas de mar rosadas. Le regalaron dos conchas de mar de color café. **4.** Hay 5 libros rojos sobre un estante. También hay dos libros azules sobre el estante.

Nombre ______________________

13.3 Sumas de hasta 9

ÁLGEBRA

Pregunta esencial ¿De qué manera puedes mostrar y escribir las oraciones de suma de hasta 9?

Explora

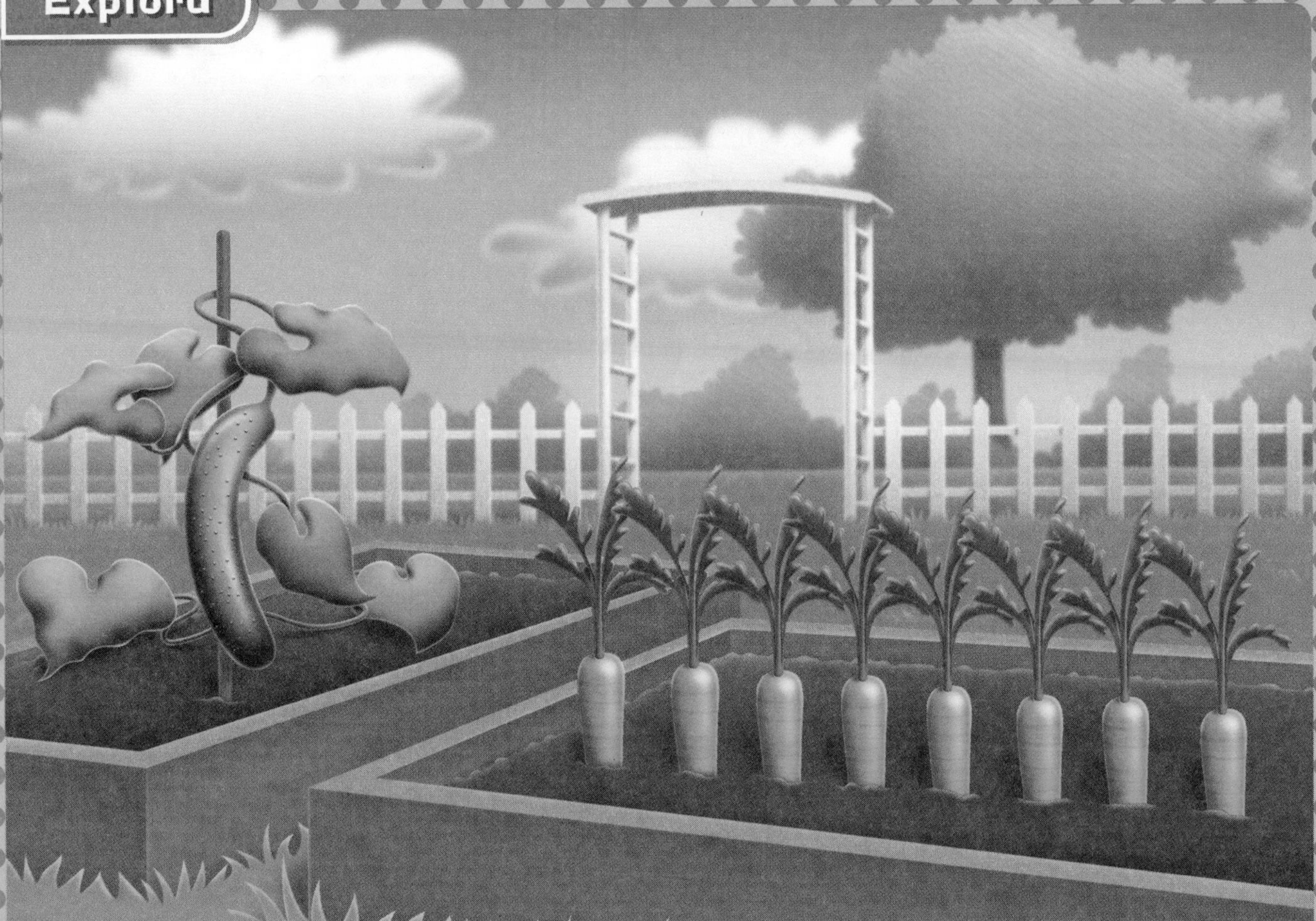

_____ + _____ = _____

INSTRUCCIONES Escucha el problema de suma. Escribe los números para completar la oración de suma. Traza los signos. Los niños pueden usar cubos o fichas para representar los problemas.

Comparte y muestra

1

\+ =

2

\+ =

3

\+ =

INSTRUCCIONES **1 a 3.** Escucha el problema de suma. Completa la oración de suma.

Nombre ______________________________

4

______ + ______ = ______

5

______ + ______ = ______

6

______ + ______ = ______

INSTRUCCIONES **4 a 6.** Escucha el problema de suma. Completa la oración de suma.

ACTIVIDAD PARA LA CASA • Pida a su niño que use los dedos de las dos manos para mostrar dos números y que diga cuántos dedos levantó en total.

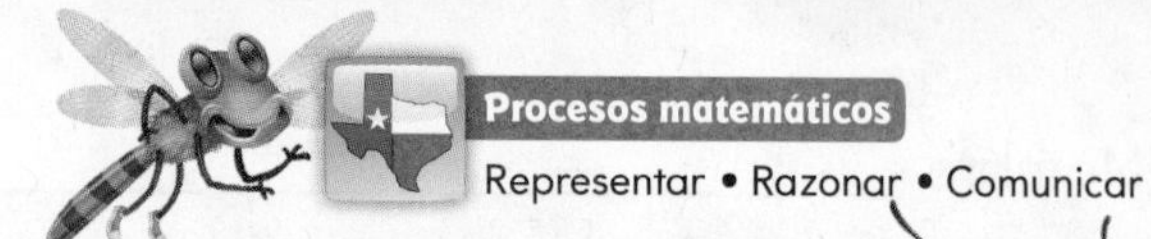

Resolución de problemas En el mundo

7

___ + ___ = ___

Tarea diaria de evaluación

8

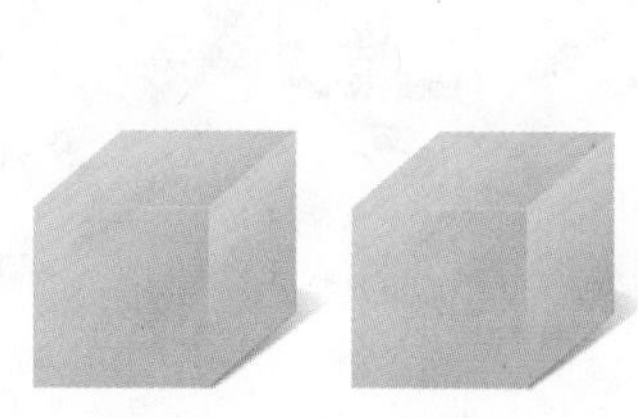

○ 7 = 2 + 5 ○ 9 = 2 + 7

INSTRUCCIONES **7.** Shelby tiene nueve fichas. Ninguna es azul. ¿Cuántas son rojas? Dibuja las fichas. Completa la oración de suma. **8.** Elige la respuesta correcta. ¿Qué muestra la ilustración?

TEKS Números y operaciones: K.3.B
También K.3.C
PROCESOS MATEMÁTICOS K.1.D

Nombre ____________________

13.3 Sumas de hasta 9

ÁLGEBRA

1
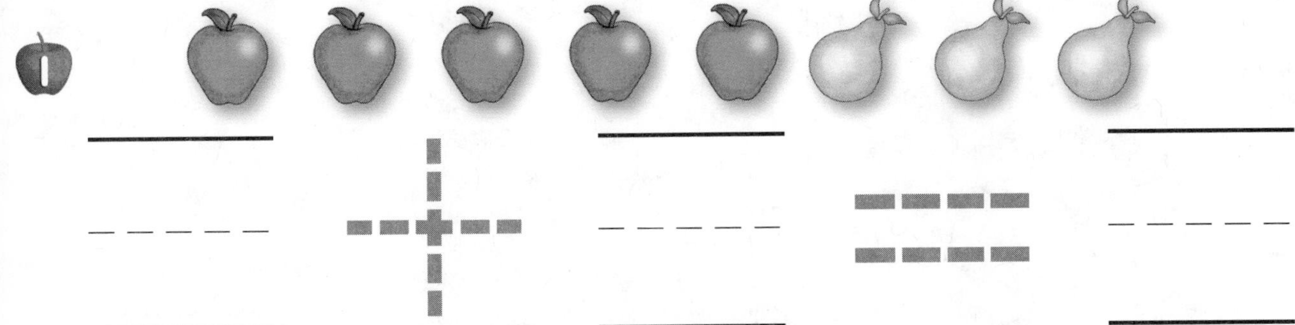

2
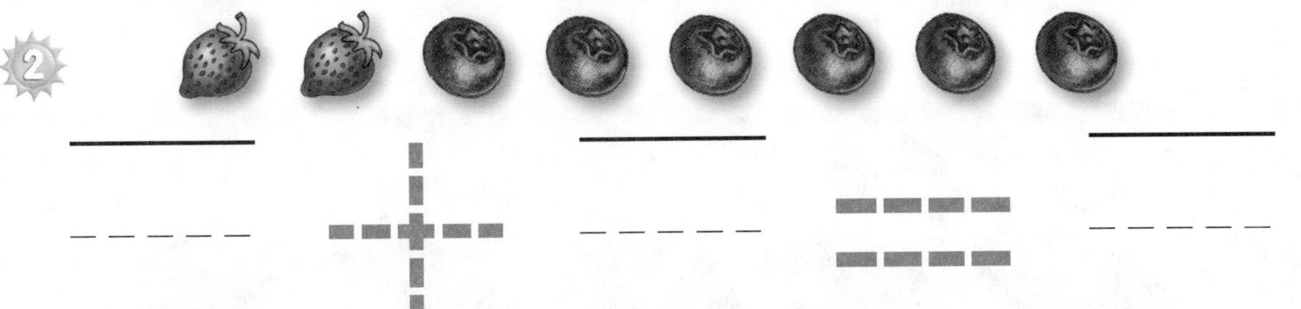

3
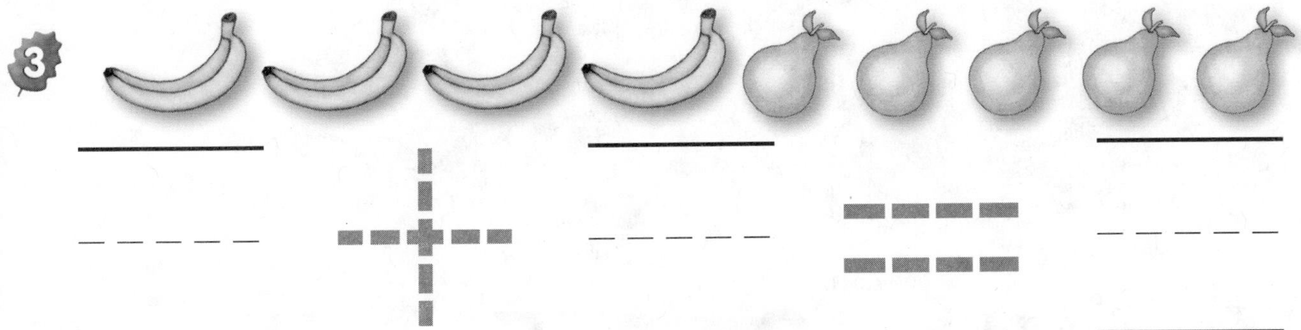

INSTRUCCIONES Completa la oración de suma. **1.** El señor Gates compró 5 manzanas y 3 peras. ¿Cuántas frutas compró? **2.** El señor Jones comió 2 fresas y 6 arándanos. ¿Cuántas frutas comió? **3.** Hay 4 plátanos y 5 peras en un tazón. ¿Cuántas frutas hay?

Repaso de la lección

○ $6 + 2 = 8$ ○ $7 + 2 = 9$

5

○ $6 + 2 = 8$ ○ $5 + 4 = 9$

INSTRUCCIONES Elige la respuesta correcta.
4 y 5. ¿Qué muestra la ilustración?

Nombre ______________________

PROCESOS MATEMÁTICOS
K.1.D

13.4 Sumas de hasta 10

ÁLGEBRA

Pregunta esencial ¿De qué manera puedes mostrar y escribir oraciones de suma de hasta 10?

Explora

_____ + _____ = _____

INSTRUCCIONES Escucha el problema de suma. Escribe los números para completar la oración de suma. Traza los signos.

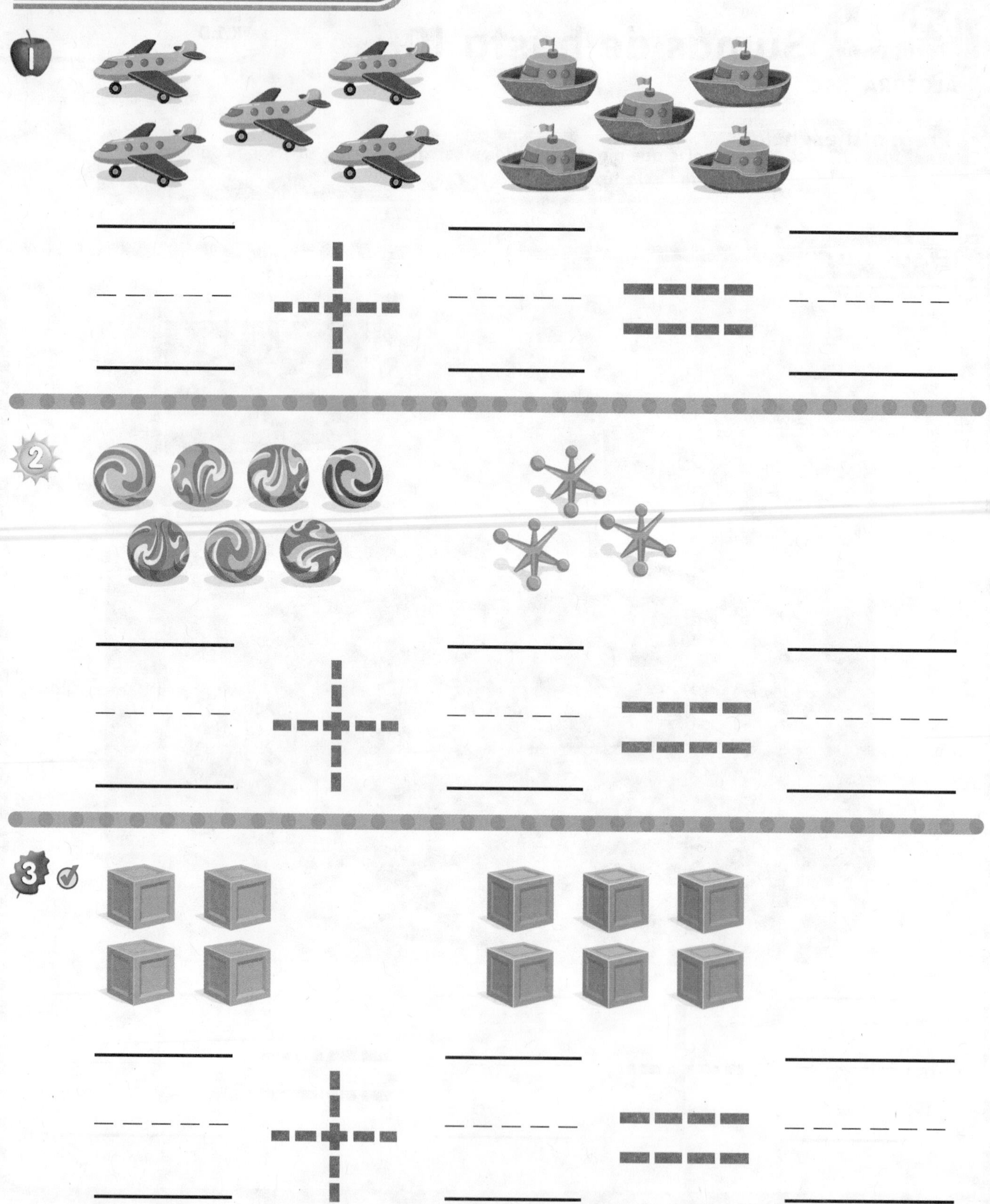

INSTRUCCIONES **1 a 3.** Escucha el problema de suma. Completa la oración de suma.

Nombre ______________________________

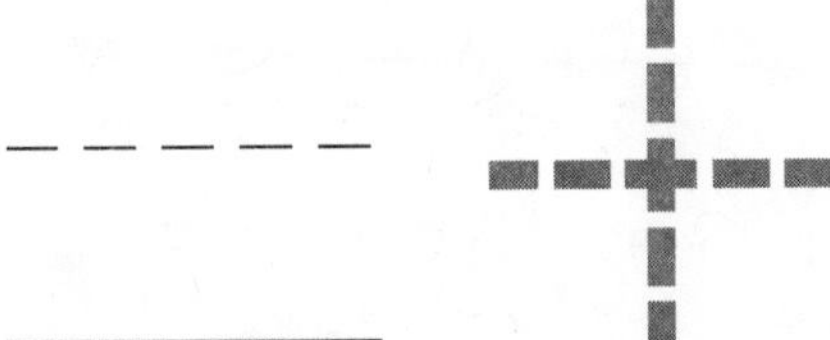

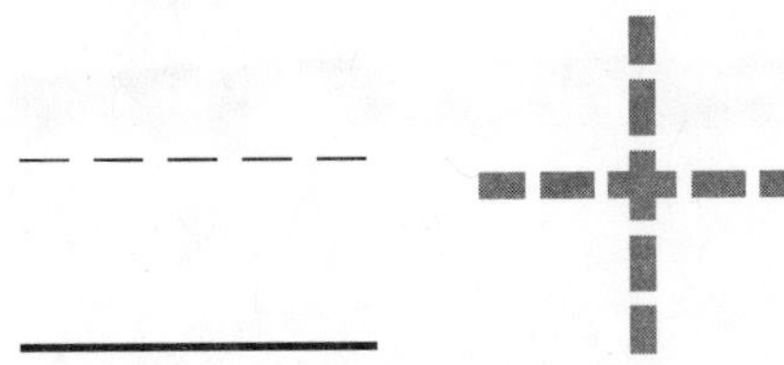

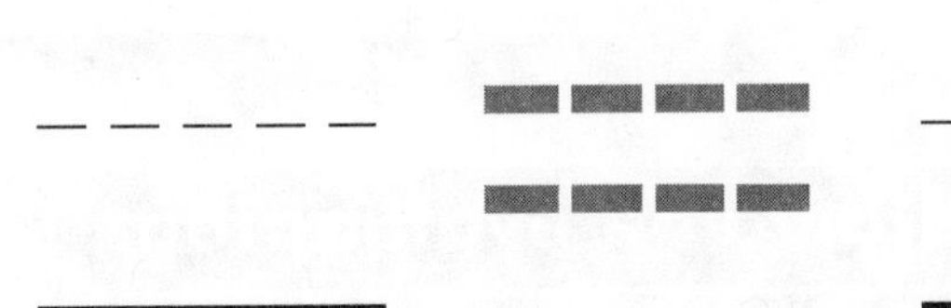

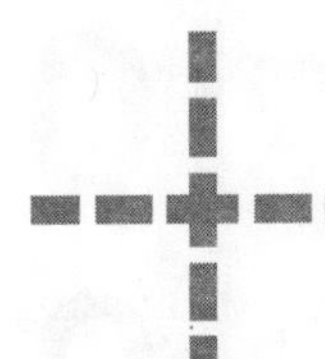

INSTRUCCIONES 4 a 6. Escucha el problema de suma. Completa la oración de suma.

ACTIVIDAD PARA LA CASA • Pida a su niño que le diga una oración de suma con un total de 10.

Resolución de problemas En el mundo

7

_____ + _____ = _____

Tarea diaria de evaluación

8

○ $4 + 6 = 10$

○ $5 + 5 = 10$

INSTRUCCIONES **7.** Hay diez niños en la cafetería. Diez de los niños están bebiendo agua. ¿Cuántos niños están bebiendo leche? Dibuja las fichas para mostrar a los niños que están bebiendo leche. Completa la oración de suma. **8.** Elige la respuesta correcta. Nate tiene 4 muñecos. Ollie tiene 6 muñecas. ¿Qué muestra la ilustración?

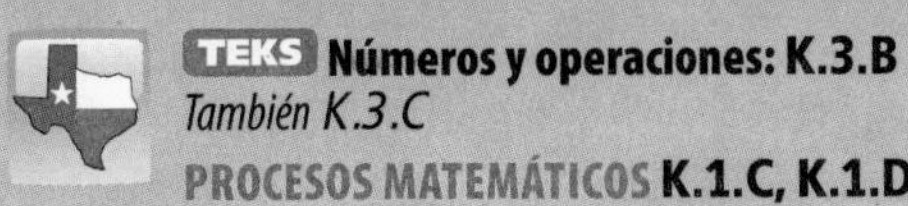

Nombre ______________________

13.4 Sumas de hasta 10

ÁLGEBRA

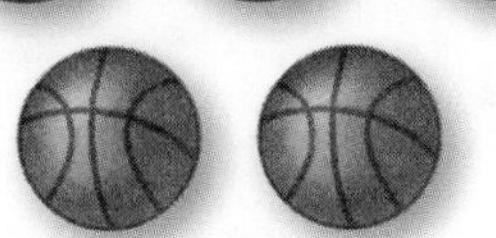

______ + ______ = ______

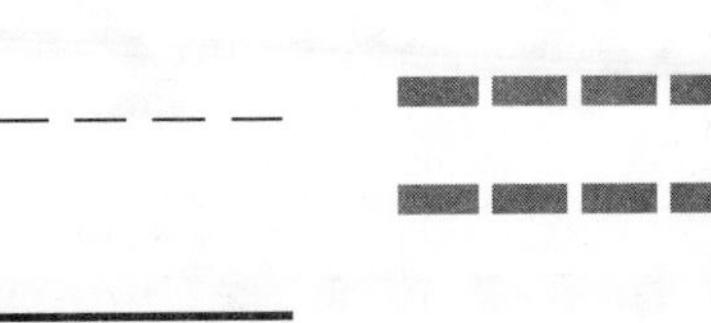

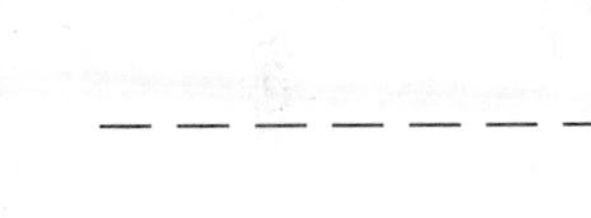

2

______ + ______ = ______

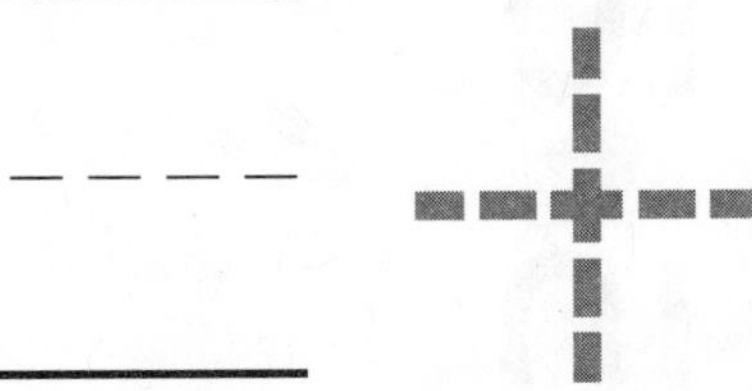

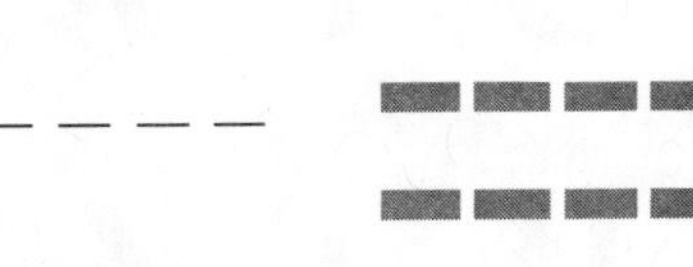

INSTRUCCIONES Escucha el problema de suma. Completa la oración de suma. **1.** Kim tiene cinco pelotas de básquetbol. También tiene 4 pelotas de fútbol. ¿Cuántas pelotas tiene en total? **2.** Los niños del equipo colgaron siete gorras en el perchero. También colgaron tres guantes en el perchero. ¿Cuántos guantes y gorras hay en el perchero?

Repaso de la lección

Preparación para la prueba de TEXAS

○ $6 + 4 = 10$

○ $8 + 2 = 10$

○ $3 + 7 = 10$

○ $4 + 6 = 10$

INSTRUCCIONES Elige la respuesta correcta. ¿Qué muestra la ilustración? **3.** Hay ocho aves azules sobre una cerca. Hay dos aves rojas sobre la cerca. **4.** Hay tres gatitos amarillos en la exhibición de gatos. Hay siete gatitos negros en la exhibición.

Nombre ______________________________

TEKS Números y operaciones: K.3.C
También K.3.A, K.3.B
PROCESOS MATEMÁTICOS
K.1.D, K.1.E

13.5 Dobles

ÁLGEBRA

Pregunta esencial ¿De qué manera escribes oraciones de suma de dobles?

Explora

Manos a la obra

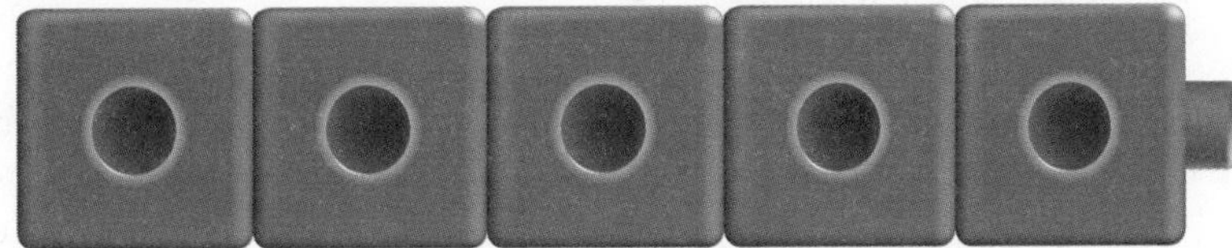

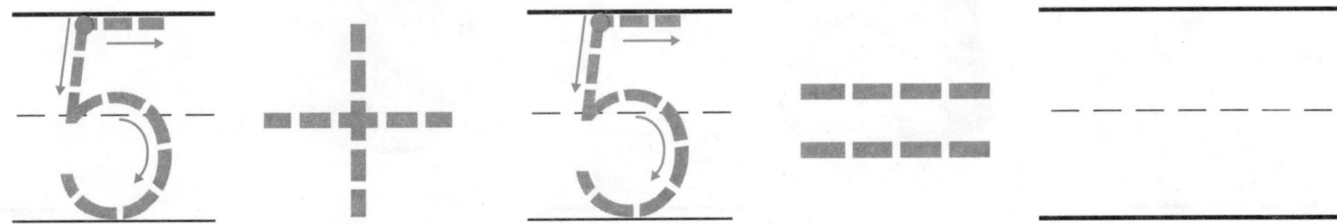

INSTRUCCIONES Coloca cubos verdes sobre los cubos que se muestran. Traza el número. Coloca cubos azules sobre los cubos que se muestran debajo. Traza el número. Suma los conjuntos. Escribe la suma.

Comparte y muestra

1

2

3

INSTRUCCIONES **1 a 3.** Escribe el número de objetos de cada grupo. Suma. Escribe la suma. Traza los signos.

Nombre ______________________________

4

_____ + _____ = _____

5

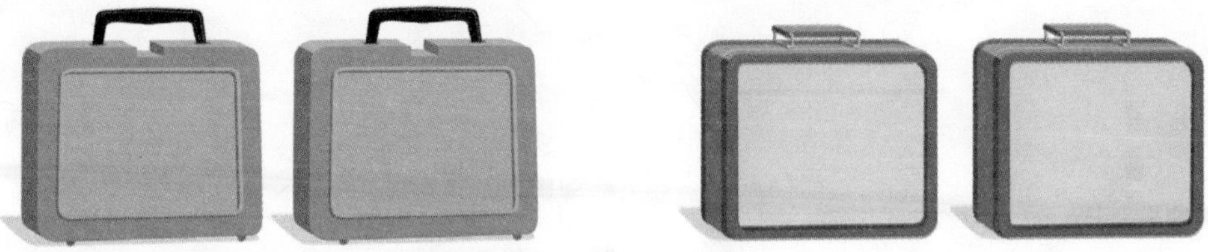

_____ + _____ = _____

6

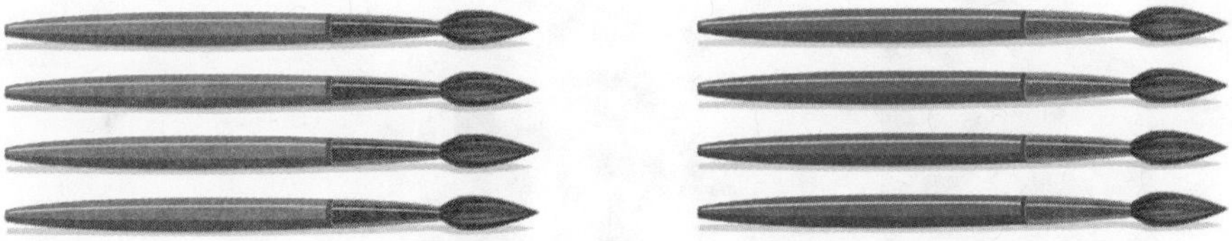

_____ + _____ = _____

INSTRUCCIONES 4 a 6. Escribe el número de objetos de cada grupo. Suma. Escribe la suma. Traza los signos.

ACTIVIDAD PARA LA CASA • Muestre a su niño un conjunto de 1 a 5 objetos, como crayones. Pídale que forme otro conjunto de objetos para mostrar el mismo número y que luego halle la suma.

Procesos matemáticos
Representar • Razonar • Comunicar

Resolución de problemas

7

Escribe

___ + ___ = ___

Tarea diaria de evaluación

○ 4 + 4 = 8   ○ 2 + 2 = 4

INSTRUCCIONES **7.** Simón llevó dos bocadillos a la escuela. Dibuja los bocadillos. Escribe el número. Clare llevó dos bocadillos a la escuela. Dibuja los bocadillos. Escribe el número. ¿Cuántos bocadillos tienen entre los dos? Escribe el número. Traza los signos. **8.** Elige la respuesta correcta. ¿Qué suma de dobles muestra la ilustración?

Tarea y práctica

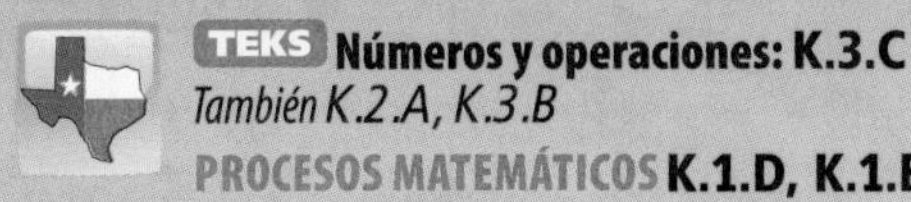

TEKS **Números y operaciones: K.3.C**
También K.2.A, K.3.B
PROCESOS MATEMÁTICOS **K.1.D, K.1.E**

Nombre ______________________

13.5 Dobles

ÁLGEBRA

______ + ______ = ______

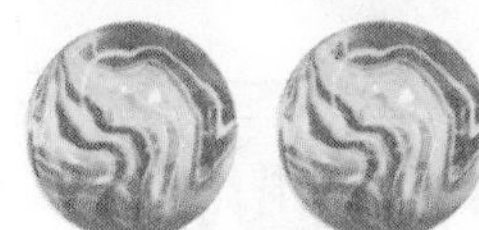

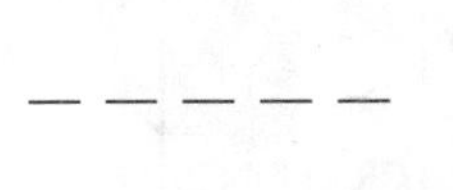

______ + ______ = ______

______ + ______ = ______

INSTRUCCIONES **1 a 3.** Escribe el número de cada grupo. Suma. Escribe la suma.

Repaso de la lección

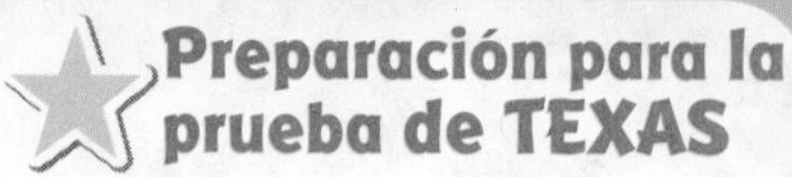

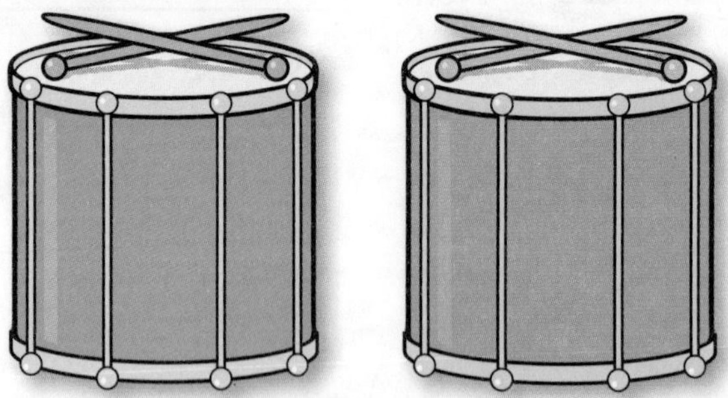

○ $1 + 1 = 2$

○ $2 + 2 = 4$

5

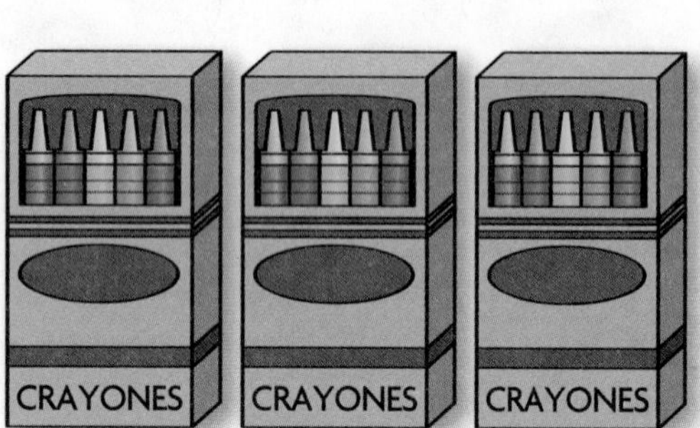

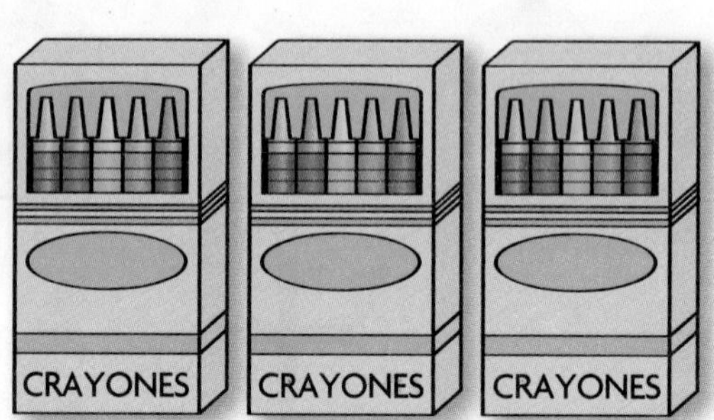

○ $4 + 4 = 8$

○ $3 + 3 = 6$

INSTRUCCIONES Elige la respuesta correcta.
4 y 5. ¿Qué suma de dobles muestra la ilustración?

Nombre ______________________

TEKS Números y operaciones: K.3.B, K.3.C
PROCESOS MATEMÁTICOS K.1.B, K.1.D

13.6 RESOLUCIÓN DE PROBLEMAS • Problemas de suma

Pregunta esencial ¿De qué manera puedes resolver los problemas de suma y completar la oración de suma?

Soluciona el problema *En el mundo*

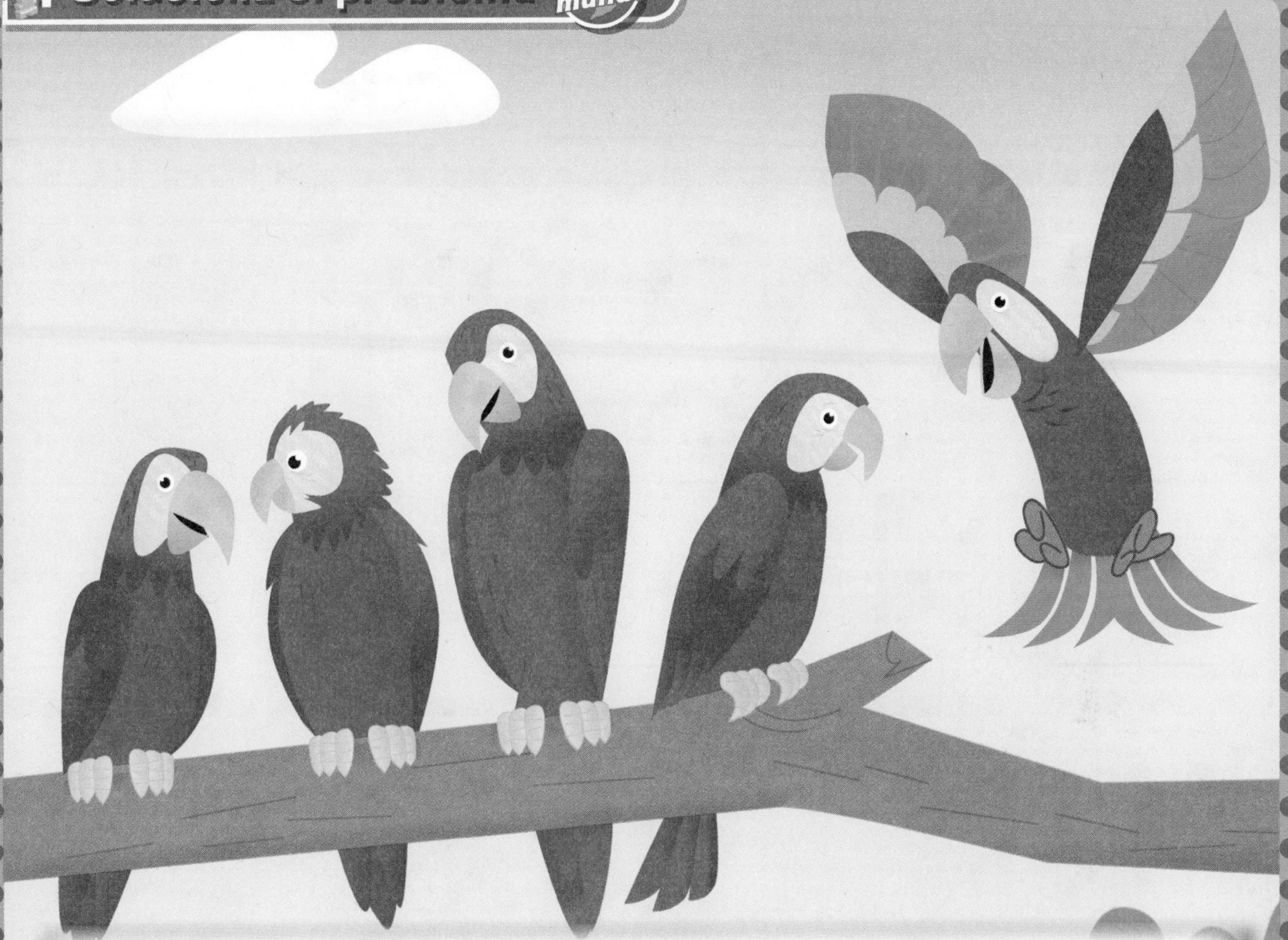

____ + ____ = ____

INSTRUCCIONES Escucha el problema de suma acerca de las aves. ¿Cuántas aves hay en el árbol? Escribe el número. ¿Cuántas aves se les unen? Escribe el número. Escribe el número de aves que hay en total. Habla con un amigo sobre la estrategia que usaste para resolver el problema.

Haz otro problema

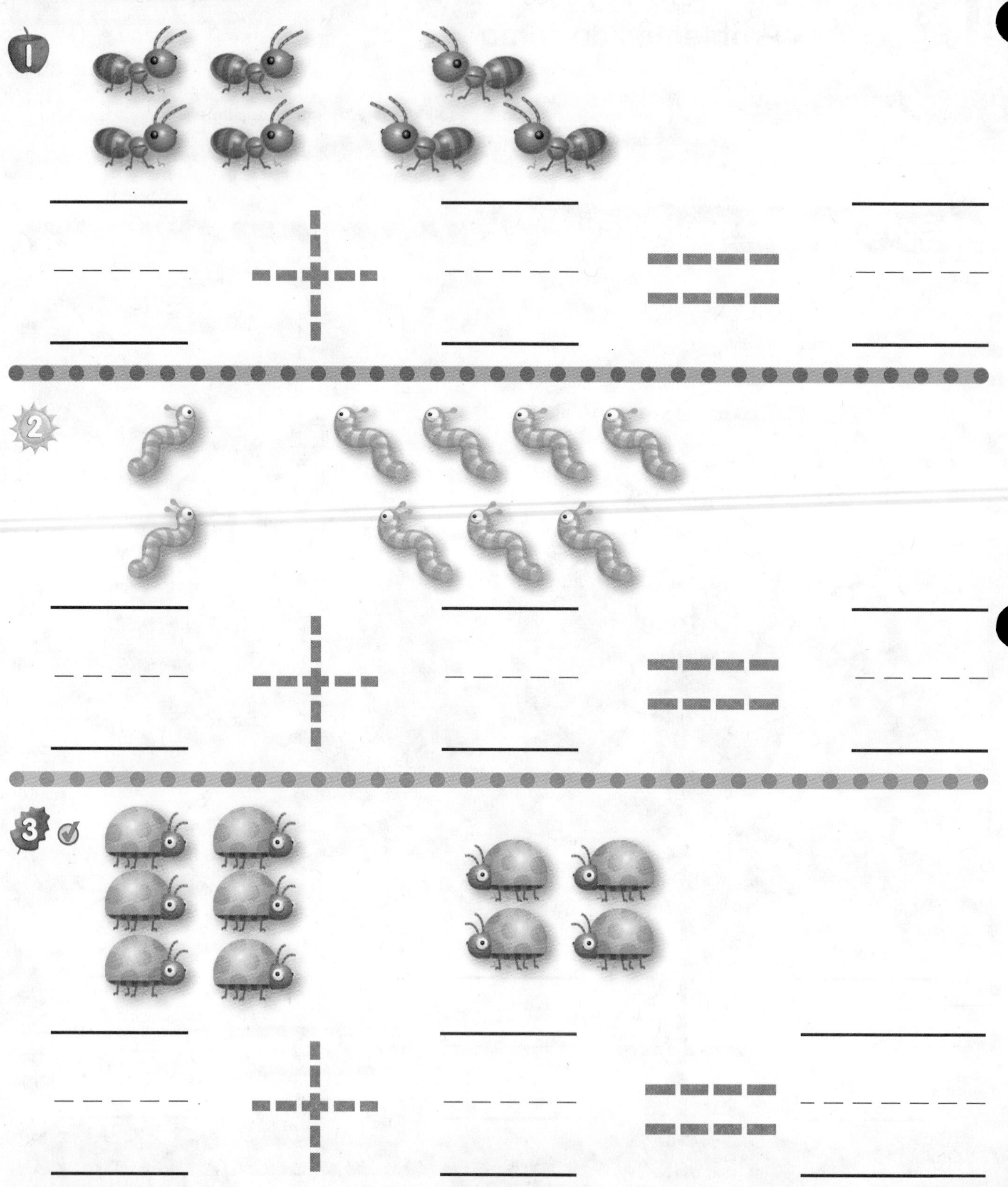

INSTRUCCIONES **1 a 3.** Escucha el problema de suma. ¿Cuántas había en el conjunto al comienzo? Escribe el número. Completa la oración de suma. Habla con un amigo sobre la estrategia que usaste para resolver el problema.

Nombre ________________

Comparte y muestra

4

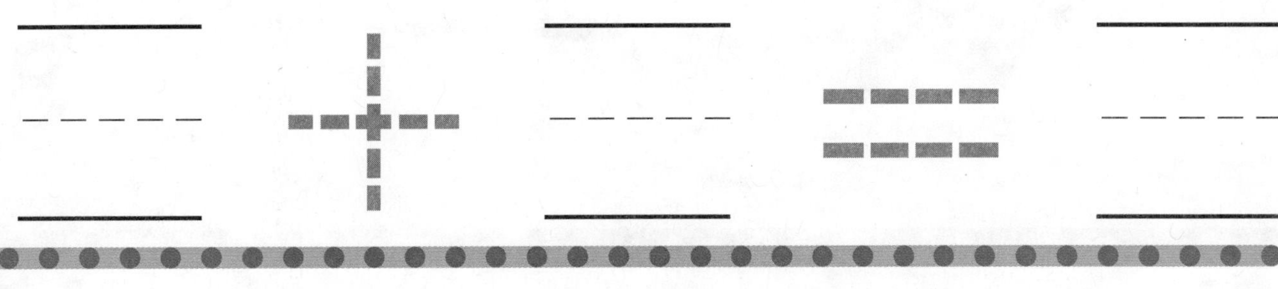

5

6

INSTRUCCIONES **4 a 6.** Escucha el problema de suma. Haz dibujos para mostrar cuántos había en el conjunto al comienzo. Escribe el número. Haz dibujos para mostrar cuántos se sumaron. Escribe el número. Escribe el número que hay en total. Habla con un amigo sobre la estrategia que usaste para resolver el problema.

Tarea diaria de evaluación

○ 7

○ 8

○ 9

○ 10

○ $7 + 2 = 9$

○ $7 + 3 = 10$

INSTRUCCIONES Elige la respuesta correcta. **7.** Había cinco orugas. Se les unieron dos orugas más. ¿Cuántas orugas hay ahora? **8.** Tom puso 5 insectos de juguete en la caja. Ya había 4 insectos en la caja. ¿Cuántos insectos hay ahora? **9.** Había un grupo de siete mariquitas. Se les unieron más mariquitas. ¿Qué oración numérica muestra la ilustración?

Tarea y práctica

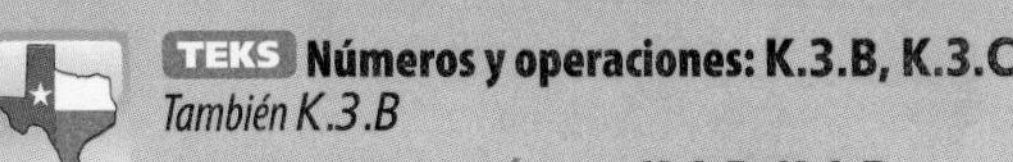

Nombre _______________

13.6 RESOLUCIÓN DE PROBLEMAS • Problemas de suma

1

______ + ______ = ______

2

______ + ______ = ______

INSTRUCCIONES Escucha el problema de suma. ¿Cuántas había en el conjunto al comienzo? Escribe los números para completar la oración de suma. **1.** Había seis cometas en el aire. Luego, aparecieron dos cometas más. **2.** Había siete mariposas. Luego, se les unieron tres mariposas más.

Repaso de la lección

Preparación para la prueba de TEXAS

○ 6

○ 8

○ 5

5

○ $5 + 2 = 7$

○ $3 + 4 = 7$

INSTRUCCIONES Elige la respuesta correcta. **3.** La mamá de Bill compró 4 manzanas rojas. Luego, compró 2 más. ¿Cuántas manzanas compró? **4.** Alan recogió 2 mazorcas. Luego, recogió 3 mazorcas más. ¿Cuántas mazorcas recogió Alan? **5.** Había algunas ranas sobre un tronco. Luego, se les unieron más ranas. ¿Qué oración numérica muestra la ilustración?

Nombre ___

Evaluación del Módulo 13

Conceptos y destrezas

5 + 3 = ___

6 + 1 = ___

3

___ + ___ = ___

INSTRUCCIONES **1 y 2.** Completa la oración de suma. TEKS K.1.E, K.3.B
3. Keisha tiene cinco carros de juguete y cinco aviones de juguete. ¿Cuántos juguetes tiene en total? TEKS K.1.A, K.3.B

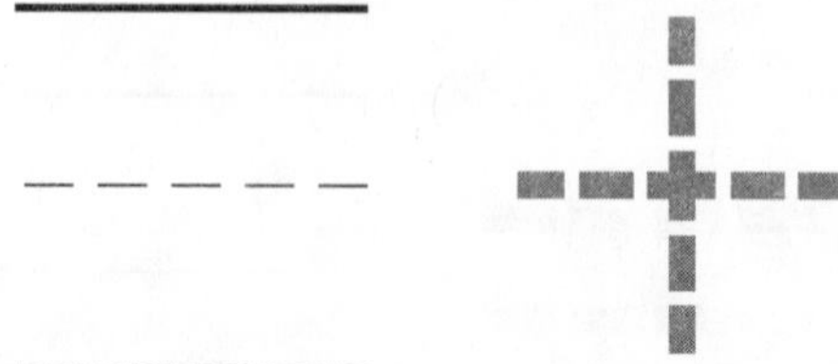

Preparación para la prueba de TEXAS

○ $4 + 5 = 9$

○ $5 + 5 = 10$

INSTRUCCIONES 4 y 5. Escribe el número de objetos de cada grupo. Suma. Escribe la suma. TEKS K.1.D, K.3.C **6.** Elige la respuesta correcta. Había cuatro mariquitas. Se les unieron cinco mariquitas más. ¿Cuántas mariquitas hay ahora? ¿Qué oración de suma muestra el problema? TEKS K.1.B, K.3.C

Nombre ______________________________

TEKS Números y operaciones: K.3.B
PROCESOS MATEMÁTICOS K.1.C, K.1.D

14.1 Diferencias con los números hasta el 7

Pregunta esencial ¿De qué manera puedes mostrar diferencias con los números hasta el 7?

Explora

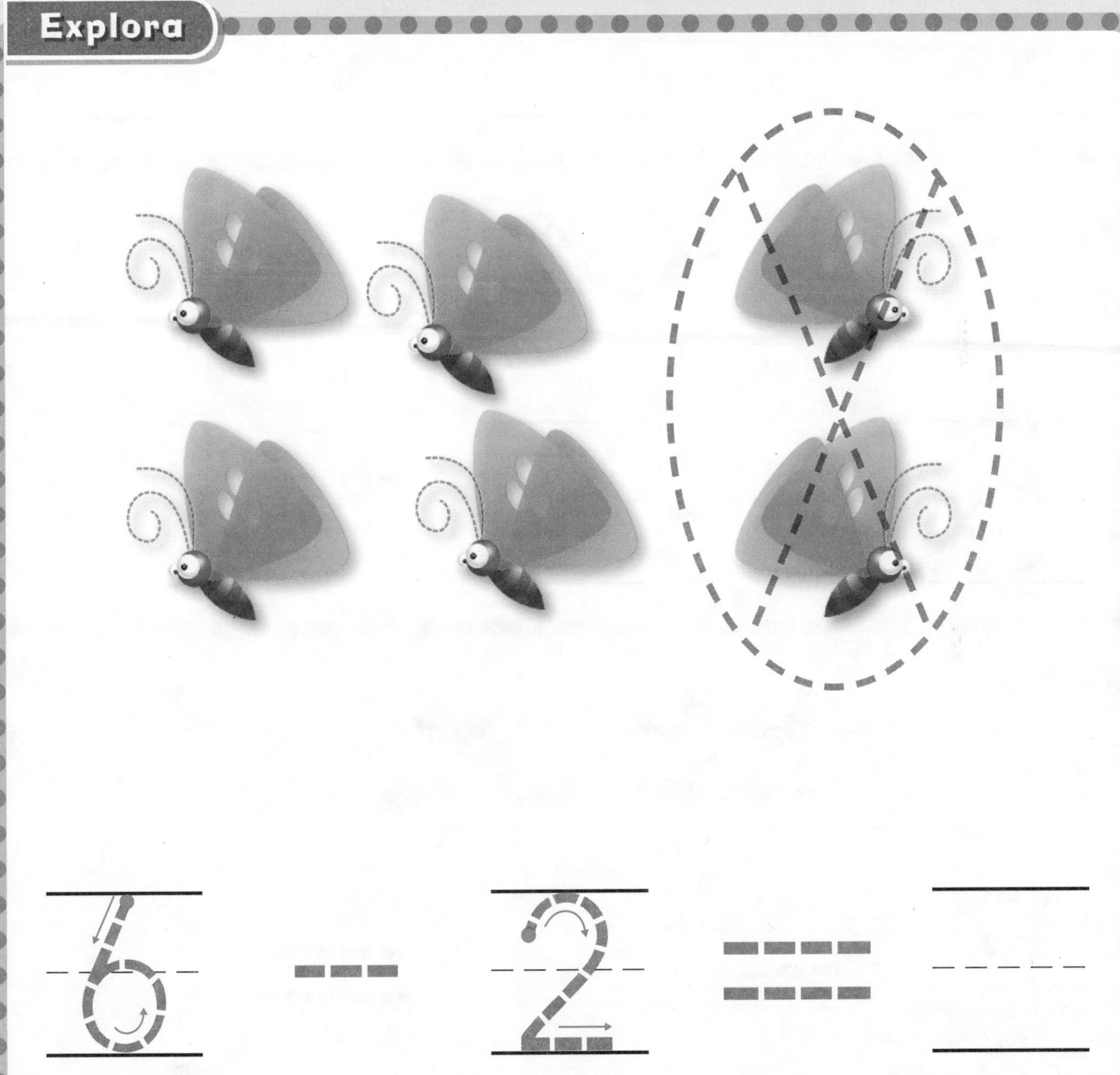

6 — 2 = ____

INSTRUCCIONES Había seis mariposas. Dos mariposas se fueron volando. Traza la X y el círculo que rodea esas mariposas. ¿Cuántas mariposas quedaron? Traza y escribe los números y los signos para completar la oración de resta.

Comparte y muestra

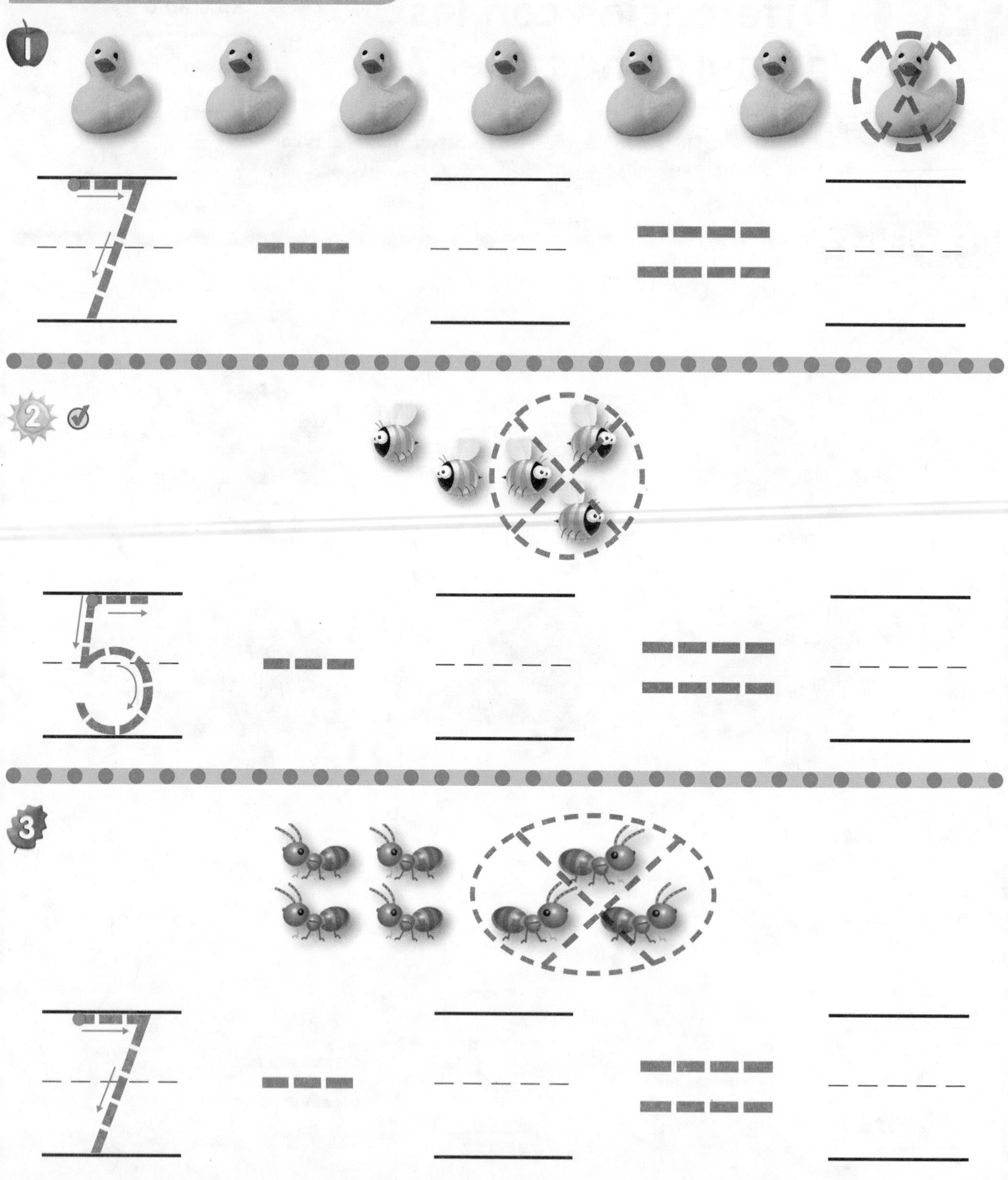

INSTRUCCIONES **1.** Escucha el problema de resta. ¿Cuántos patos se fueron nadando? Traza el círculo y la X. ¿Cuántos patos quedaron? Traza y escribe los números y los signos para completar la oración de resta. **2 y 3.** Escucha el problema de resta. Traza y escribe los números y los signos para completar la oración de resta.

Nombre ___

4

4 – ___ = ___

5

7 – ___ = ___

6

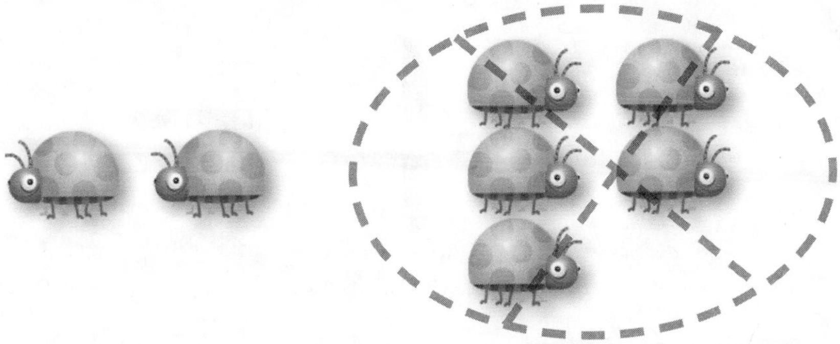

6 – ___ = ___

INSTRUCCIONES **4 a 6.** Escucha el problema de resta. Traza y escribe los números y los signos para completar la oración de resta.

Procesos matemáticos
Representar • Razonar • Comunicar

Resolución de problemas

7

Escribe

$7 - 4 =$ ____

Tarea diaria de evaluación

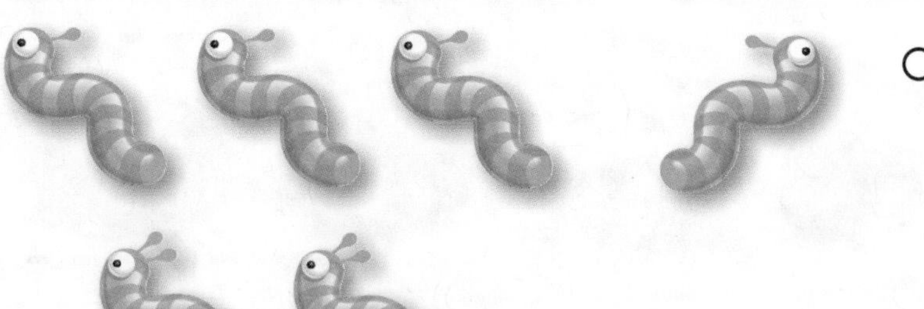

○ 5

○ 7

INSTRUCCIONES **7.** Completa la oración de resta. Haz un dibujo para mostrar lo que sabes acerca de esta oración de resta. Describe tu dibujo a un amigo. **8.** Elige la respuesta correcta. Había seis gusanos. Luego, un gusano se fue. ¿Cuánto es 6 − 1?

Tarea y práctica

TEKS Números y operaciones: K.3.B
PROCESOS MATEMÁTICOS K.1.C, K.1.D

Nombre ______________________

14.1 Diferencias con los números hasta el 7

1

2

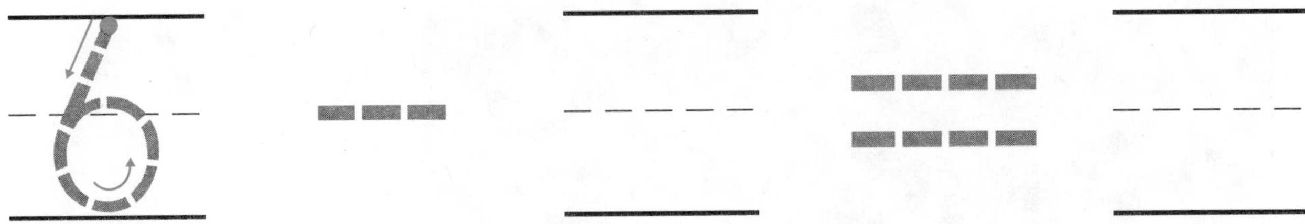

INSTRUCCIONES Traza y escribe los números y los signos para completar la oración de resta.
1. Había siete loros. Dos loros se fueron.
2. Había seis pollitos. Cuatro se fueron al corral.

Preparación para la prueba de TEXAS

3

○ 4

○ 3

4

○ 4

○ 5

5

○ 7

○ 5

INSTRUCCIONES Elige la respuesta correcta. **3.** Había siete conejos. Cuatro conejos se fueron saltando. ¿Cuánto es 7 – 4? **4.** Había cinco gatitos. Uno se fue. ¿Cuánto es 5 – 1? **5.** Había siete petirrojos. Dos se fueron volando. ¿Cuánto es 7 – 2?

Nombre ______________________

TEKS Números y operaciones: K.3.B
PROCESOS MATEMÁTICOS
K.1.D, K.1.E

14.2 Diferencias con los números hasta el 9

Pregunta esencial ¿De qué manera puedes mostrar diferencias con los números hasta el 9?

Explora *En el mundo*

9 – 2 = ___

INSTRUCCIONES Había nueve carros. Dos carros se fueron. Traza la X y el círculo que rodea esos carros. ¿Cuántos carros quedaron? Traza y escribe los números y los signos para completar la oración de resta.

Comparte y muestra

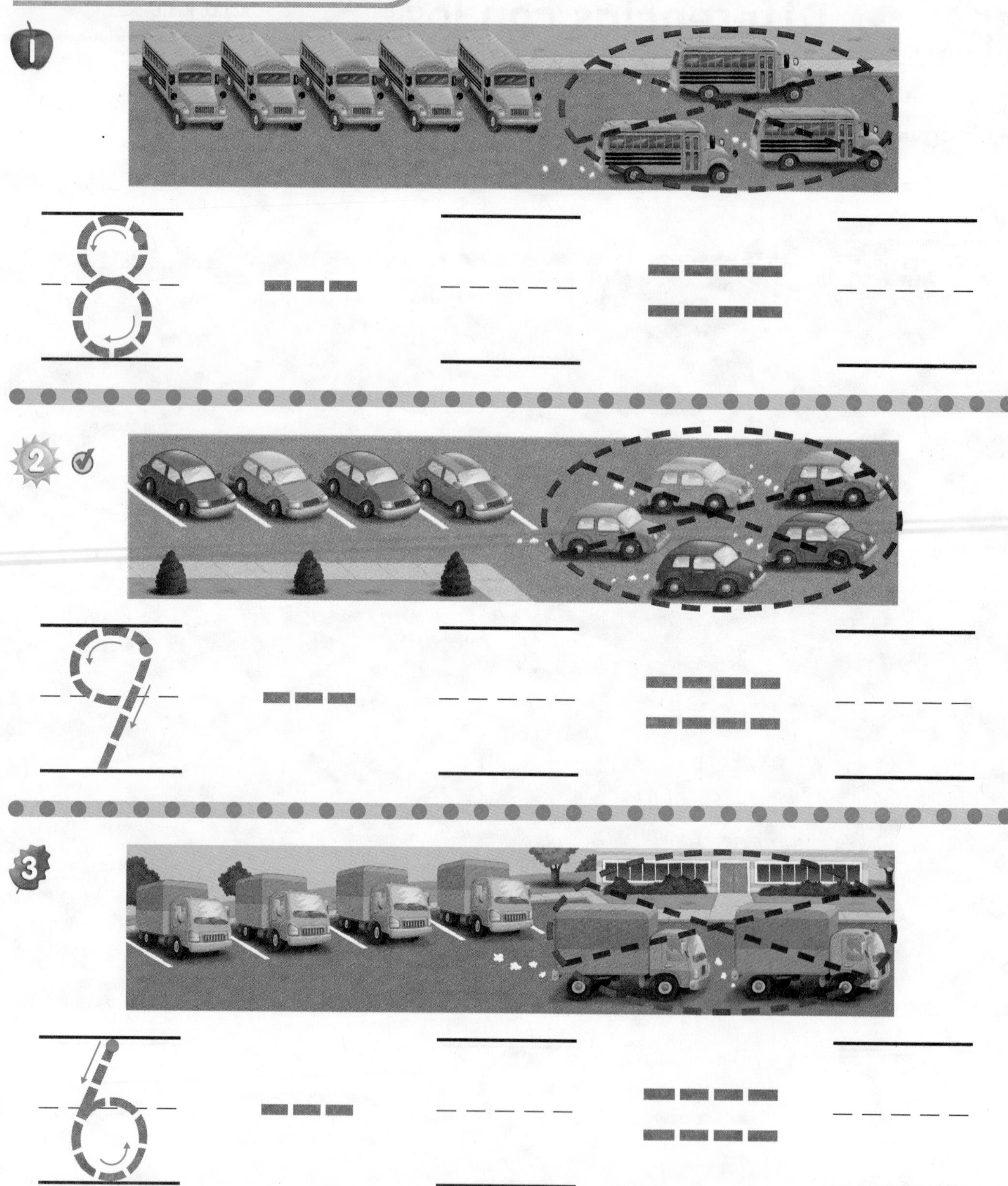

INSTRUCCIONES I. Escucha el problema de resta. ¿Cuántos autobuses se fueron? Traza el círculo y la X. ¿Cuántos autobuses quedaron? Traza y escribe los números y los signos para completar la oración de resta. 2 y 3. Escucha el problema de resta. Traza y escribe los números y los signos para completar la oración de resta.

Nombre ____________________

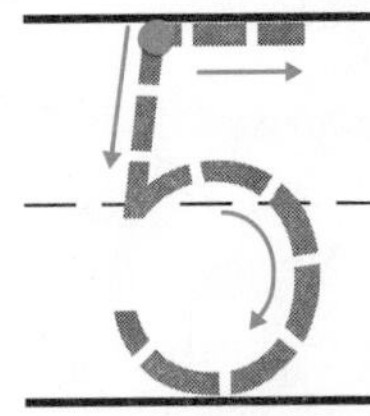

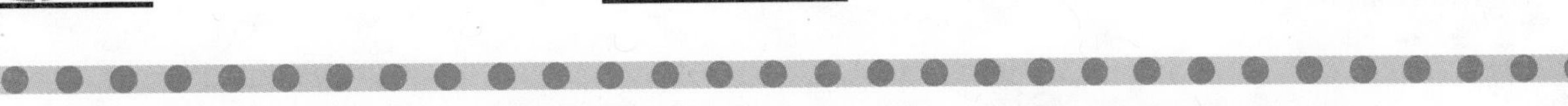

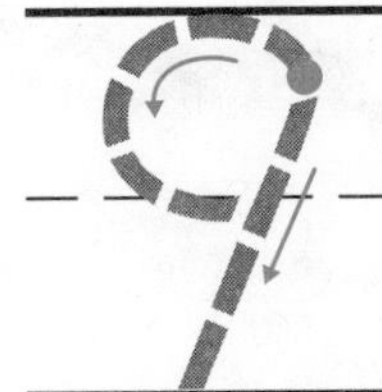

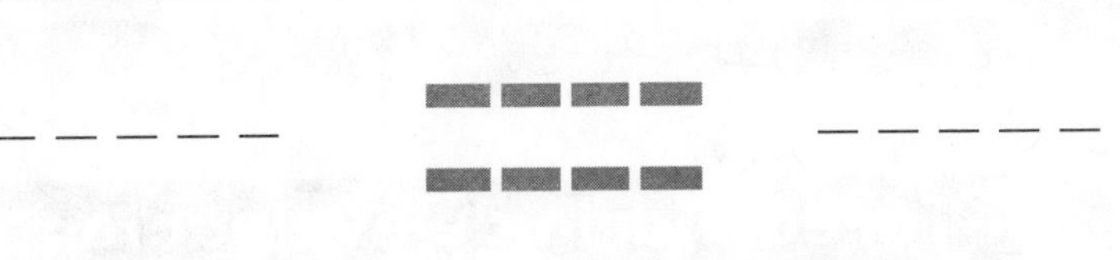

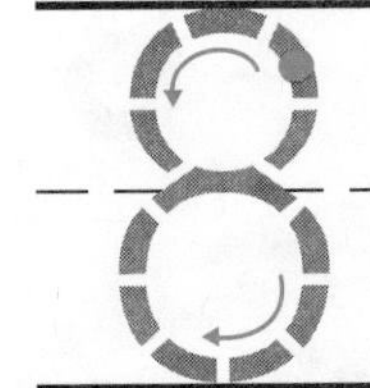

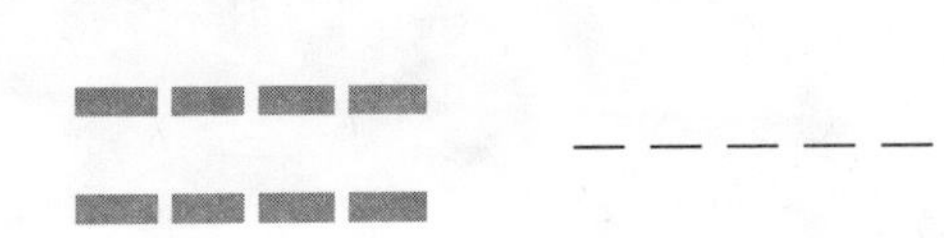

INSTRUCCIONES **4 a 6.** Escucha el problema de resta. Traza y escribe los números y los signos para completar la oración de resta.

Procesos matemáticos
Representar • Razonar • Comunicar

Resolución de problemas

7

Escribe

8 − 6 = ____

Tarea diaria de evaluación

○ 7

○ 8

INSTRUCCIONES **7.** Completa la oración de resta. Haz un dibujo para mostrar lo que sabes acerca de esta oración de resta. Describe tu dibujo a un amigo. **8.** Elige la respuesta correcta. Había nueve camiones de correo. Un camión se fue. ¿Cuánto es 9 − 1?

Tarea y práctica

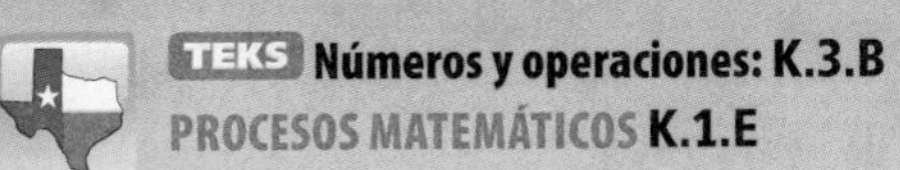

Nombre ______________________

14.2 Diferencias con los números hasta el 9

1

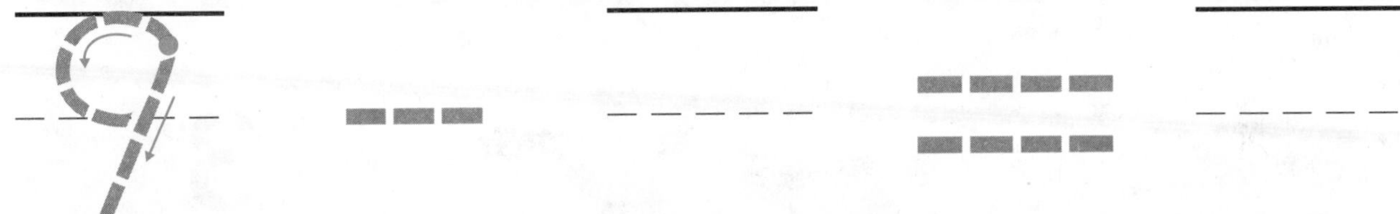

2

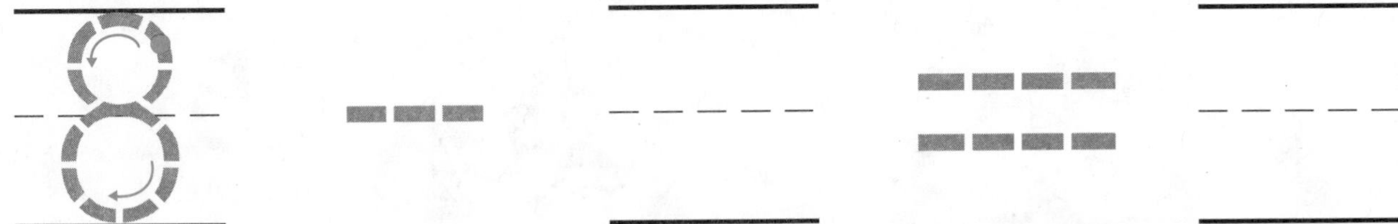

INSTRUCCIONES Traza y escribe los números y los signos para completar la oración de resta. **1.** Había nueve motocicletas. Cuatro se fueron. Traza el círculo y la X. ¿Cuántas motocicletas quedaron? **2.** Había ocho bicicletas. Cuatro se fueron. ¿Cuántas bicicletas quedaron?

Repaso de la lección

Preparación para la prueba de TEXAS

3

○ 8

○ 6

4

○ 3

○ 9

5

○ 5

○ 4

INSTRUCCIONES Elige la respuesta correcta. **3.** Había siete camiones. Uno se fue. ¿Cuánto es 7 – 1? **4.** Había nueve aviones. Seis se fueron. ¿Cuánto es 9 – 6? **5.** Había ocho veleros. Cuatro se fueron. ¿Cuánto es 8 – 4?

Nombre ______________________

PROCESOS MATEMÁTICOS
K.1.D, K.1.E

14.3 Diferencias con los números hasta el 10

Pregunta esencial ¿De qué manera puedes mostrar diferencias con los números hasta el 10?

Explora

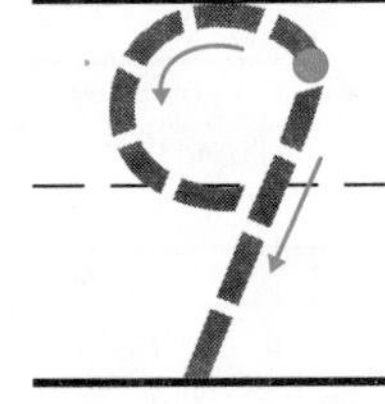

INSTRUCCIONES Hay nueve flores. Cuatro flores son moradas. Traza la X y el círculo que rodea esas flores. Las otras flores son amarillas. ¿Cuántas flores son amarillas? Traza y escribe los números y los signos para completar la oración de resta.

Comparte y muestra

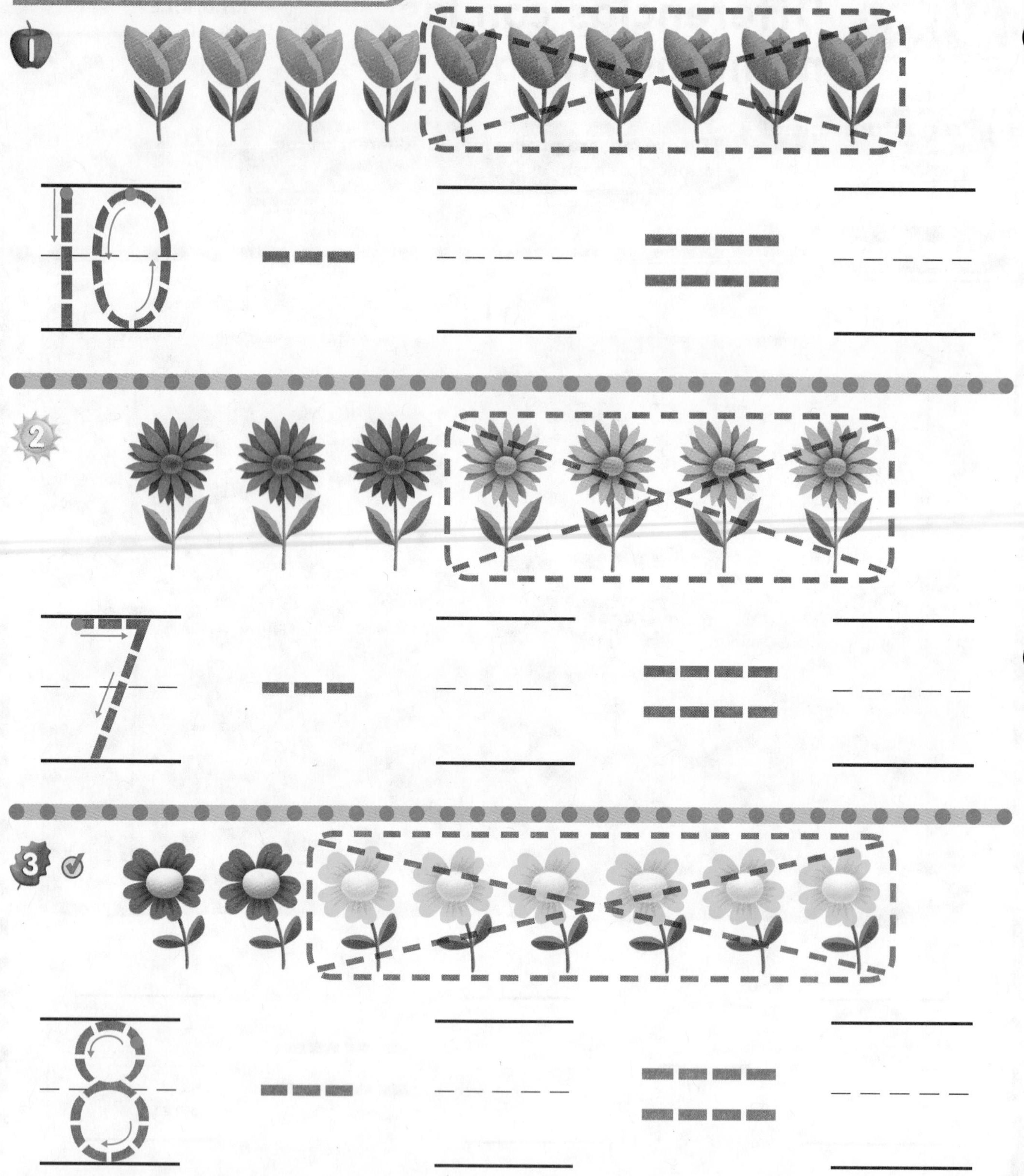

INSTRUCCIONES **1.** Escucha el problema de resta. Hay diez flores. Seis flores son anaranjadas. Las otras son rosadas. Traza el círculo y la X. ¿Cuántas flores son rosadas? Traza y escribe los números y los signos para completar la oración de resta. **2 y 3.** Escucha el problema de resta. Traza y escribe los números y los signos para completar la oración de resta.

Nombre ______________________________

4

6 − ___ = ___

5

10 − ___ = ___

6

9 − ___ = ___

INSTRUCCIONES **4 a 6.** Escucha el problema de resta. Traza y escribe los números y los signos para completar la oración de resta.

Procesos matemáticos

Representar • Razonar • Comunicar

Resolución de problemas

7

Escribe

10 − 1 = ____

Tarea diaria de evaluación

8

○ 2

○ 3

INSTRUCCIONES **7.** Completa la oración de resta. Haz un dibujo para mostrar lo que sabes acerca de esta oración de resta. Describe tu dibujo a un amigo. **8.** Elige la respuesta correcta. Hay nueve flores. Siete flores son rosadas. Las otras son amarillas. ¿Cuánto es 9 − 7?

Tarea y práctica

TEKS Números y operaciones: K.3.B
PROCESOS MATEMÁTICOS K.1.E

Nombre ____________________

14.3 Diferencias con los números hasta el 10

1

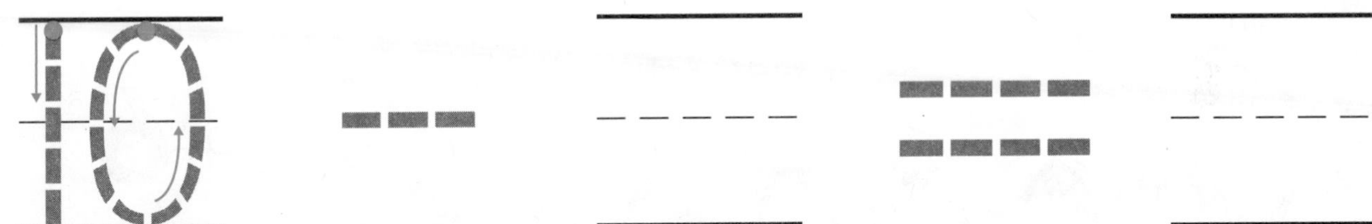

10 − ___ = ___

2

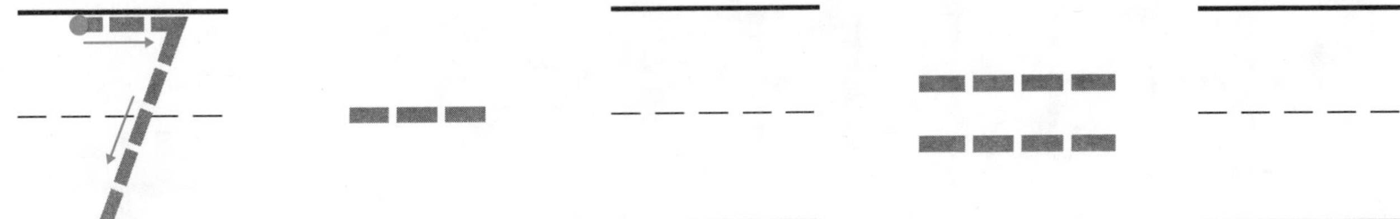

7 − ___ = ___

INSTRUCCIONES Traza y escribe los números y los signos para completar la oración de resta. **1.** Hay diez macetas. ¿Cuántas macetas son verdes? **2.** Hay siete pajareras. ¿Cuántas pajareras son rojas?

Repaso de la lección

Preparación para la prueba de TEXAS

○ 6

○ 8

○ 6

○ 4

5

○ 6

○ 4

INSTRUCCIONES Elige la respuesta correcta. **3.** Hay 10 molinetes. Dos son amarillos. ¿Cuánto es 10 – 2? **4.** Hay ocho canastas. Cuatro son azules. ¿Cuánto es 8 – 4? **5.** Hay 9 flores. Tres son rojas. Las otras son amarillas. ¿Cuánto es 9 – 3?

Nombre ____________________

TEKS Números y operaciones: K.3.C
PROCESOS MATEMÁTICOS
K.1.B, K.1.D

14.4 RESOLUCIÓN DE PROBLEMAS • Problemas de resta

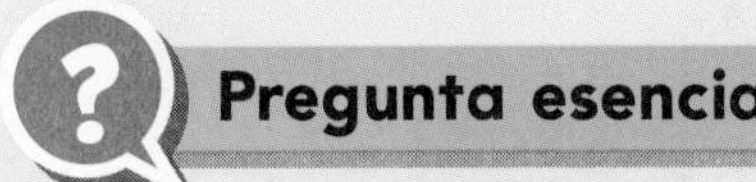

Pregunta esencial ¿De qué manera puedes resolver los problemas de resta y completar la oración de resta?

Soluciona el problema En el mundo

INSTRUCCIONES Escucha el problema de resta acerca de las ardillas. Encierra en un círculo las ardillas que se están yendo y luego táchalas con una X. ¿Cuántas ardillas quedaron en el árbol? Escribe y traza la oración de resta.

Haz otro problema

INSTRUCCIONES **1 y 2.** Escucha el problema de resta. Escribe y traza los números y los signos para completar la oración de resta. **3.** Escucha el problema de resta. Encierra en un círculo las ardillas listadas que se fueron y luego táchalas con una X. Escribe y traza los números y los signos para completar la oración de resta.

Nombre ______________________________

Comparte y muestra

5

6

INSTRUCCIONES 4 y 5. Escucha el problema de resta. Encierra en un círculo los animales que se fueron y luego táchalos con una X. Escribe y traza los números y los signos para completar la oración de resta. **6.** Escucha el problema de resta. Escribe y traza los números y los signos para completar la oración de resta.

ACTIVIDAD PARA LA CASA • Relate a su niño un problema de resta. Pídale que escriba una oración de resta que se corresponda con el problema.

Tarea diaria de evaluación

○ $5 - 3 = 2$

○ $8 - 5 = 3$

○ 4

○ 5

○ 10

○ 2

INSTRUCCIONES Elige la respuesta correcta. **7.** Hay 8 aves. Cinco aves son amarillas. Las otras aves son rojas. ¿Cuál de estas oraciones numéricas muestra cómo se halla el número de aves rojas? **8.** Había 7 mapaches. Tres mapaches se fueron. ¿Cuántos mapaches quedaron? **9.** Había 10 ranas. Algunas ranas se fueron saltando. Quedaron 8 ranas. ¿Cuántas ranas se fueron?

TEKS Números y operaciones: K.3.C
PROCESOS MATEMÁTICOS K.1.B, K.1.D

Nombre ______________________

14.4 RESOLUCIÓN DE PROBLEMAS • Problemas de resta

1

______ ______ ______

_ _ _ _ _ _ ▬▬▬ _ _ _ _ _ _ ▬▬▬▬ _ _ _ _ _ _

______ ______ ______

______ ______ ______

_ _ _ _ _ _ ▬▬▬ _ _ _ _ _ _ ▬▬▬▬ _ _ _ _ _ _

______ ______ ______

INSTRUCCIONES Escribe y traza para completar la oración de resta. **1.** Había seis osos. Dos osos se fueron. Encierra en un círculo los osos que se fueron y luego táchalos con una X. **2.** Había diez pavos. Siete pavos se fueron. Encierra en un círculo los pavos que se fueron y luego táchalos con una X.

Repaso de la lección

○ 5 – 2 = 3

○ 7 – 2 = 5

○ 5

○ 9

5

○ 4

○ 3

INSTRUCCIONES Elige la respuesta correcta. **3.** Había 7 gatos. Dos se fueron. ¿Cuánto es 7 – 2? **4.** Había 9 castores. Cuatro se fueron nadando. ¿Cuánto es 9 – 4? **5.** Había 6 águilas. Tres se fueron volando. ¿Cuánto es 6 – 3?

Nombre ______________________________

Evaluación del Módulo 14

Conceptos y destrezas

1

8 − 6 = ____

2

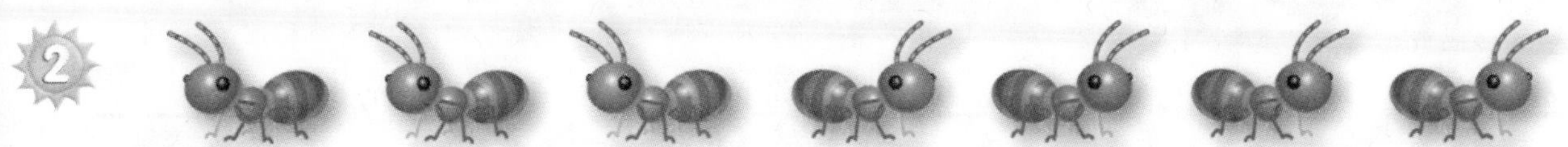

7 − 4 = ____

3

10 − 6 = ____

INSTRUCCIONES **1.** Había ocho patos. Seis patos se fueron. ¿Cuántos patos quedaron? Escribe el número. **2.** Había siete hormigas. Cuatro hormigas se fueron. ¿Cuántas hormigas quedaron? Escribe el número. **3.** Hay diez flores. Seis flores son anaranjadas. Las otras son rosadas. ¿Cuántas flores son rosadas? Escribe el número. TEKS K.3.B

______ — ______ = ______

______ — ______ = ______

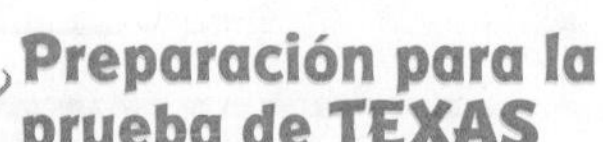

○ 7 – 5 = 2

○ 7 – 2 = 5

INSTRUCCIONES **4.** Había nueve patos. Tres patos se fueron. ¿Cuántos patos quedaron? Escribe el número de patos que había en total. Encierra en un círculo los patos que se fueron y luego táchalos con una X. Escribe el número. Escribe cuántos patos quedaron. TEKS K.3.B **5.** Hay ocho peces. Cuatro peces son azules. Los otros son rojos. ¿Cuántos peces hay en total? Escribe el número. ¿Cuántos peces son azules? Escribe el número. Escribe el número de peces que son rojos. TEKS K.3.B **6.** Elige la respuesta correcta. Había siete aves sobre la rama. Cinco aves se fueron volando. ¿Qué muestra la ilustración? TEKS K.3.C

Nombre ______________________________

TEKS Números y operaciones: K.4.A
También K.2.B, K.2.C, K.9.A, K.9.D
PROCESOS MATEMÁTICOS
K.1.A, K.1.C, K.1.G

Moneda de un centavo

Pregunta esencial ¿De qué manera identificas, describes y nombras las monedas de un centavo?

Explora

moneda de un centavo

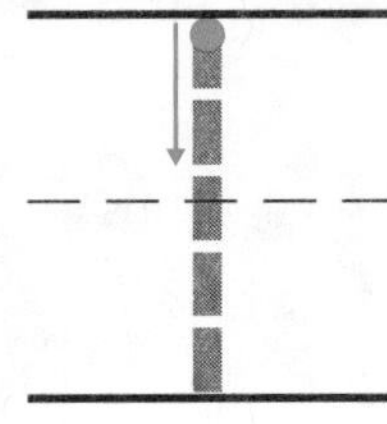

moneda de un centavo

______ **moneda de un centavo**

INSTRUCCIONES Coloca una moneda de un centavo por cada moneda de la página como se muestra. Di en qué son iguales las monedas de un centavo. Di en qué son diferentes. Traza o escribe el número que muestra cuántas monedas de un centavo hay.

Comparte y muestra

INSTRUCCIONES **1 a 4.** Cuenta las monedas de un centavo. Escribe el número que muestra cuántas monedas de un centavo hay.

Nombre ______________________________

INSTRUCCIONES **5 y 6.** Conecta con líneas para emparejar cada juguete con las monedas de un centavo que se necesitan para comprarlo.

ACTIVIDAD PARA LA CASA • Muestre a su niño un conjunto de 1 a 5 monedas de 1¢. Pídale que le diga el nombre de la moneda y que cuente el número.

Procesos matemáticos
Representar • Razonar • Comunicar

Resolución de problemas

Escribe

Tarea diaria de evaluación

○ 

○ 

INSTRUCCIONES **7.** Chloe compró un juguete nuevo con cuatro monedas de un centavo. Encierra en un círculo el número de monedas de un centavo que usó. Escribe el número. **8.** Elige la respuesta correcta. ¿Cuál de estos conjuntos muestra el número de monedas de un centavo que necesitas para comprar el avión?

Números y operaciones: K.4.A
También K.2.B, K.2.C, K.9.A, K.9.D
PROCESOS MATEMÁTICOS **K.1.A, K.1.C, K.1.G**

Nombre ______________________

15.1 Moneda de un centavo

INSTRUCCIONES **1 a 3.** Cuenta las monedas de un centavo. Escribe el número que muestra cuántas monedas de un centavo hay.

Repaso de la lección

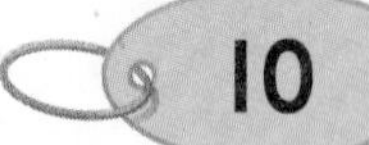

INSTRUCCIONES Elige la respuesta correcta.
4 y 5. ¿Qué conjunto de monedas de un centavo muestra el número que necesitas para comprar el juguete?

Nombre ______________________________

TEKS Números y operaciones: K.4.A
También K.2.B, K.2.C, K.9.A, K.9.B
PROCESOS MATEMÁTICOS
K.1.A

15.2 Moneda de cinco centavos

Pregunta esencial ¿De qué manera identificas, describes y nombras las monedas de cinco centavos?

Explora *En el mundo* — Manos a la obra

INSTRUCCIONES Coloca una moneda de cinco centavos por cada moneda de la parte de arriba de la página como se muestra. Di en qué son iguales las monedas de cinco centavos. Di en qué son diferentes. Cuenta el conjunto de monedas de cinco centavos de la parte de abajo de la página. Escribe el número de monedas de cinco centavos que hay.

Comparte y muestra

1

2

3

INSTRUCCIONES 1 a 3. Cuenta las monedas de cinco centavos. Escribe el número que muestra cuántas monedas de cinco centavos hay.

Nombre ____________________

4

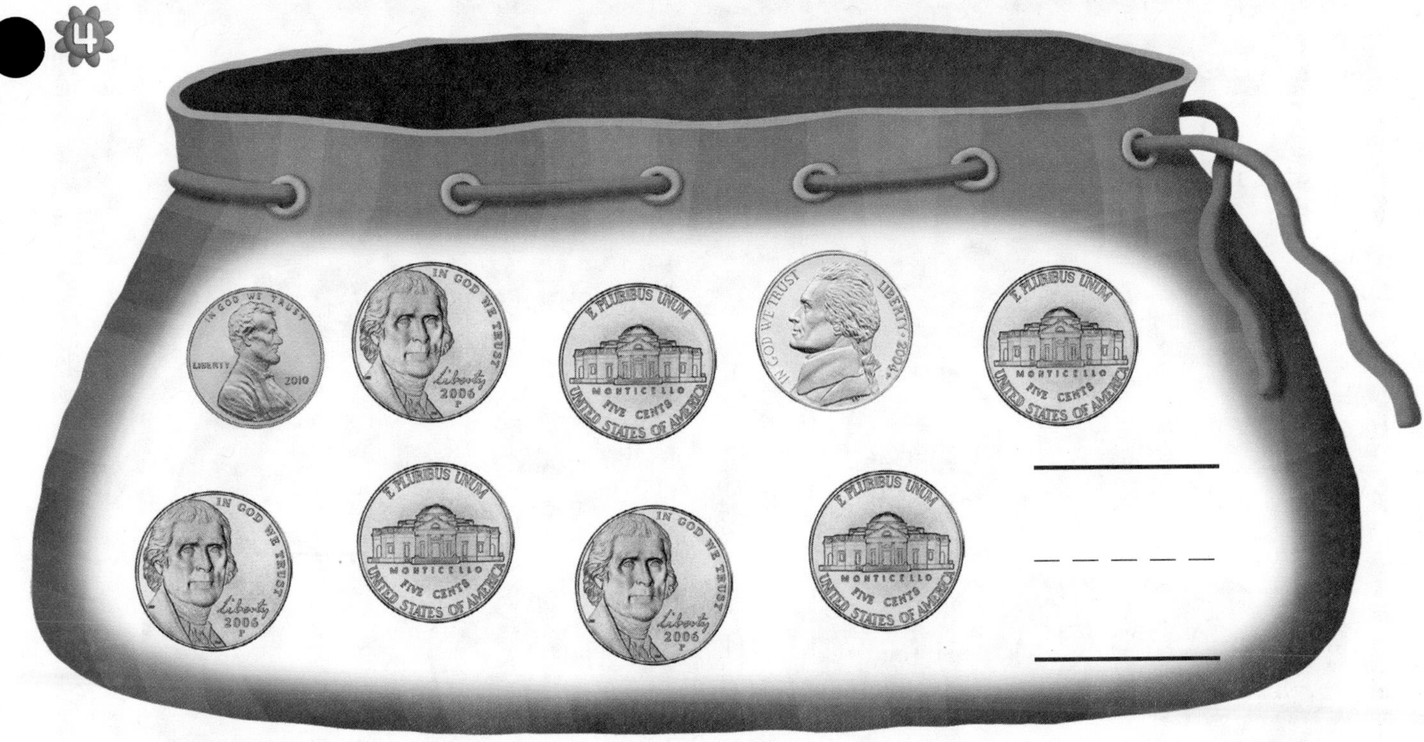

5

INSTRUCCIONES 4 y 5. Encierra en un círculo las monedas de cinco centavos. Cuenta y escribe el número de monedas de cinco centavos que hay.

ACTIVIDAD PARA LA CASA • Muestre a su niño una moneda de 5¢. Pídale que le diga el nombre de la moneda y que describa las dos caras.

Procesos matemáticos
Representar • Razonar • Comunicar

Resolución de problemas En el mundo

6

Escribe

Tarea diaria de evaluación

7

○ 3

○ 2

INSTRUCCIONES **6.** Grayson necesita cinco monedas de 5 centavos para comprar un bocadillo. Cuenta sus monedas de cinco centavos para saber si tiene suficientes. Encierra en un círculo las monedas de cinco centavos. Escribe el número de monedas de cinco centavos que hay. **7.** Elige la respuesta correcta. ¿Cuántas monedas de cinco centavos hay en este grupo?

Nombre ________________

15.2 Moneda de cinco centavos

1

______

2

______

INSTRUCCIONES **1.** Cuenta las monedas de cinco centavos. Escribe el número que muestra cuántas monedas de cinco centavos hay. **2.** Encierra en un círculo las monedas de cinco centavos. Cuenta y escribe el número de monedas de cinco centavos que hay.

Repaso de la lección

Preparación para la prueba de TEXAS

○ 2

○ 3

○ 1

○ 4

5

○ 4

○ 1

INSTRUCCIONES Elige la respuesta correcta. **3 a 5.** ¿Cuántas monedas de cinco centavos hay en este grupo?

Nombre ______________________

15.3 Moneda de diez centavos

TEKS Números y operaciones: K.4.A
También K.2.B, K.2.C, K.9.A
PROCESOS MATEMÁTICOS
K.1.A

Pregunta esencial ¿De qué manera puedes identificar, describir y nombrar las monedas de diez centavos?

Explora En el mundo

Manos a la obra

moneda de diez centavos

______

INSTRUCCIONES Coloca una moneda de diez centavos por cada moneda de la parte de arriba de la página como se muestra. Di en qué son iguales las monedas de diez centavos. Di en qué son diferentes. Cuenta el conjunto de monedas de diez centavos de la parte de abajo de la página. Escribe el número de monedas de diez centavos que hay.

Comparte y muestra

1

2

3

INSTRUCCIONES **1 a 3.** Cuenta las monedas de diez centavos. Escribe el número que muestra cuántas monedas de diez centavos hay.

Nombre ____________________

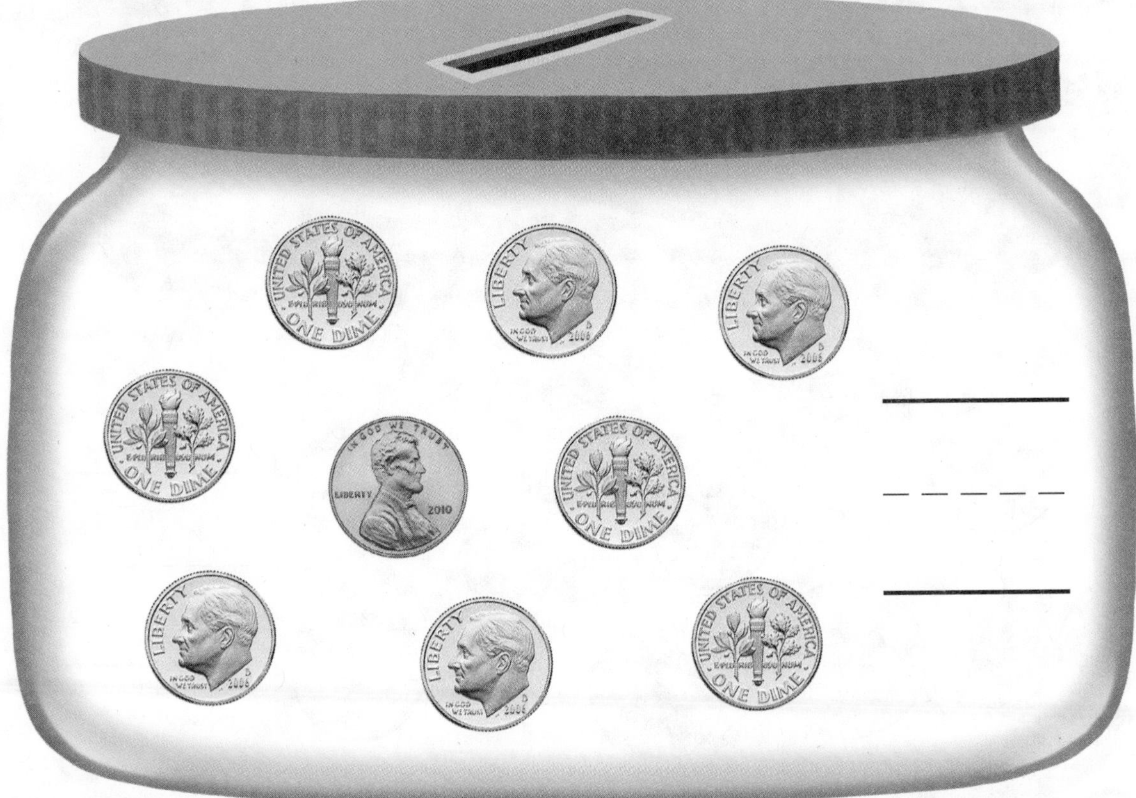

5

INSTRUCCIONES **4 y 5.** Encierra en un círculo las monedas de diez centavos. Cuenta y escribe el número de monedas de diez centavos que hay.

ACTIVIDAD PARA LA CASA • Muestre a su niño una moneda de 10¢. Pídale que le diga el nombre de la moneda y que describa las dos caras.

Resolución de problemas

6

Escribe

Tarea diaria de evaluación

INSTRUCCIONES **6.** Emmett necesita 8 monedas de diez centavos para comprar un juguete. Cuenta las monedas de diez centavos para saber si tiene suficientes. Escribe el número de monedas de diez centavos que Emmett tiene. Encierra en un círculo las monedas de diez centavos si hay dinero suficiente para comprar el juguete. **7.** Elige la respuesta correcta. Dana tiene una moneda de cinco centavos y una moneda de diez centavos. ¿Cuáles son las monedas de Dana?

Tarea y práctica

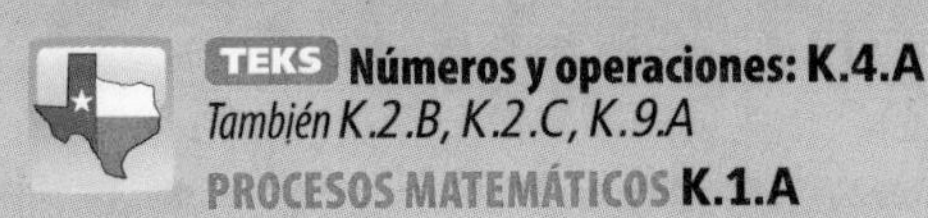

TEKS **Números y operaciones: K.4.A**
También K.2.B, K.2.C, K.9.A
PROCESOS MATEMÁTICOS **K.1.A**

Nombre ______________________

15.3 Moneda de diez centavos

______

______

INSTRUCCIONES **1.** Cuenta las monedas de diez centavos. Escribe el número que muestra cuántas monedas de diez centavos hay. **2.** Encierra en un círculo las monedas de diez centavos. Cuenta y escribe el número de monedas de diez centavos que hay.

Repaso de la lección

○

○

○

○

5

○

○

INSTRUCCIONES **3.** Chang tiene una moneda de un centavo y una moneda de cinco centavos. ¿Cuáles son las monedas de Chang? **4.** Wendy tiene dos monedas de cinco centavos. ¿Cuáles son las monedas de Wendy? **5.** Gina tiene dos monedas de diez centavos. ¿Cuáles son las monedas de Gina?

Nombre ___________________________

15.4 Moneda de veinticinco centavos

TEKS Números y operaciones: K.4.A
También K.2.B, K.2.C, K.9.B
PROCESOS MATEMÁTICOS
K.1.A

Pregunta esencial ¿De qué manera identificas, describes y nombras las monedas de veinticinco centavos?

Explora En el mundo — Manos a la obra

moneda de veinticinco centavos

______

INSTRUCCIONES Coloca una moneda de veinticinco centavos por cada moneda de la parte de arriba de la página como se muestra. Di en qué son iguales las monedas de veinticinco centavos. Di en qué son diferentes. Cuenta el conjunto de monedas de veinticinco centavos de la parte de abajo de la página. Escribe el número de monedas de veinticinco centavos que hay.

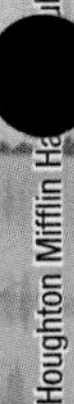

Comparte y muestra

2

3

INSTRUCCIONES **1 a 3.** Cuenta las monedas de veinticinco centavos. Escribe el número que muestra cuántas monedas de veinticinco centavos hay.

Nombre ______________________________

4

5

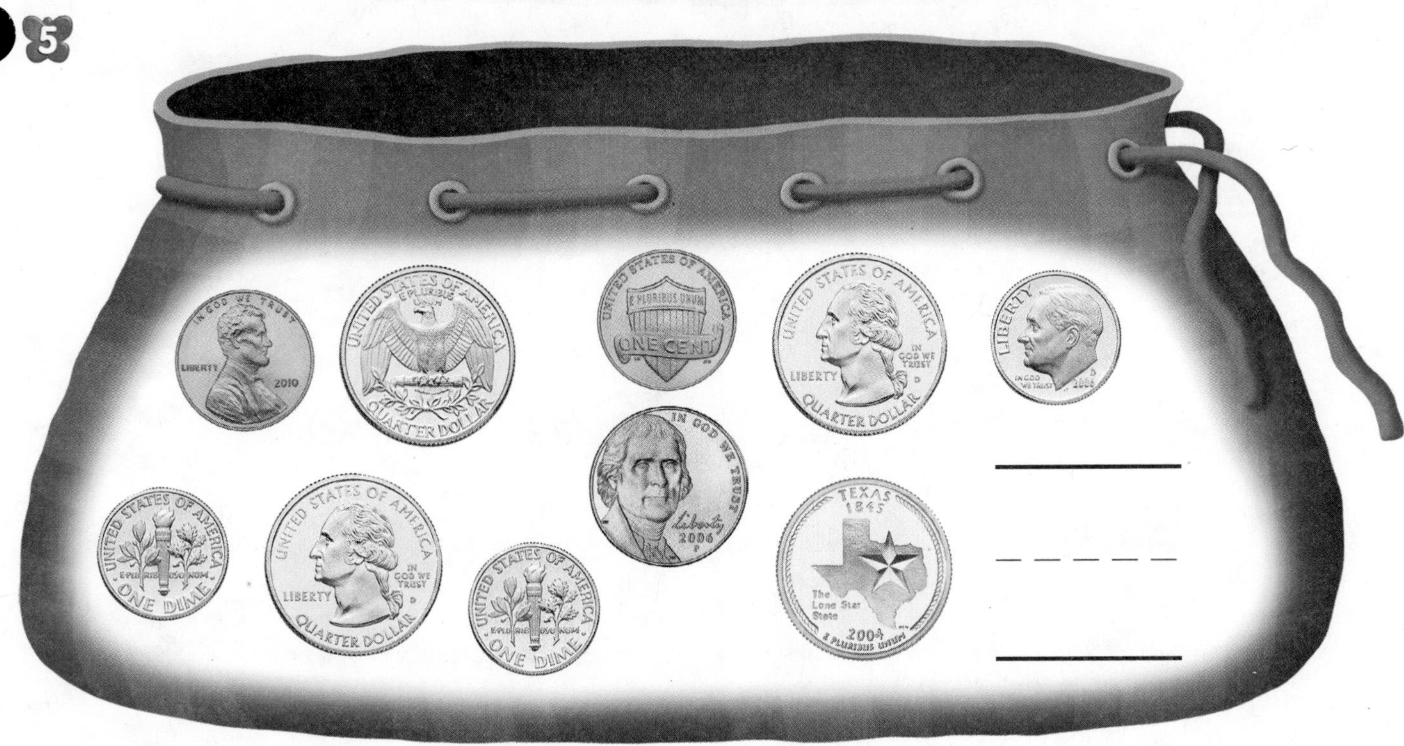

INSTRUCCIONES **4 y 5.** Encierra en un círculo las monedas de veinticinco centavos. Cuenta y escribe el número de monedas de veinticinco centavos que hay.

ACTIVIDAD PARA LA CASA • Muestre a su niño una moneda de 25¢. Pídale que le diga el nombre de la moneda y que describa los dos lados.

Procesos matemáticos
Representar • Razonar • Comunicar

Resolución de problemas En el mundo

6

Escribe

Tarea diaria de evaluación

7

○ 3

○ 2

INSTRUCCIONES **6.** Julia necesita cuatro monedas de veinticinco centavos para comprar un libro. Cuenta las monedas de veinticinco centavos para saber si tiene suficientes. Encierra en un círculo las monedas de veinticinco centavos si tiene suficientes. Escribe el número de monedas de veinticinco centavos. **7.** Elige la respuesta correcta. ¿Cuántas monedas de veinticinco centavos hay en este grupo?

Tarea y práctica

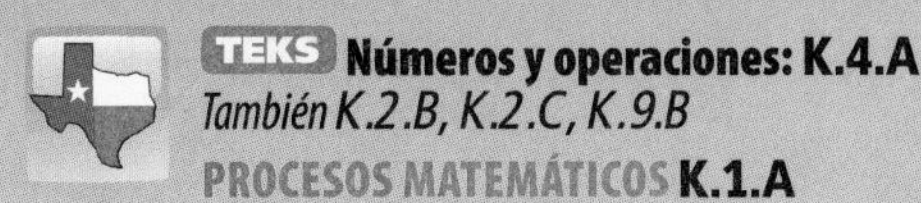

Nombre ____________________

15.4 Moneda de veinticinco centavos

1

______

2

______

INSTRUCCIONES **1.** Cuenta las monedas de veinticinco centavos. Escribe el número que muestra cuántas monedas de veinticinco centavos hay. **2.** Encierra en un círculo las monedas de veinticinco centavos. Cuenta y escribe el número de monedas de veinticinco centavos que hay.

Repaso de la lección

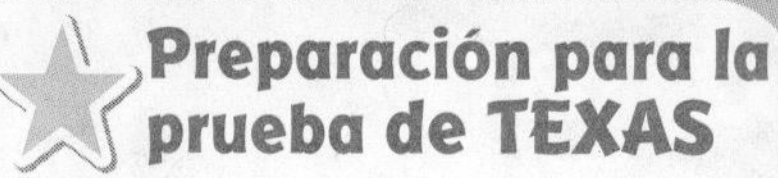

○ 4

○ 3

○ 3

○ 2

5

○ 2

○ 1

INSTRUCCIONES Elige la respuesta correcta.
3 a 5. ¿Cuántas monedas de veinticinco centavos hay en este grupo?

Nombre ________________________________

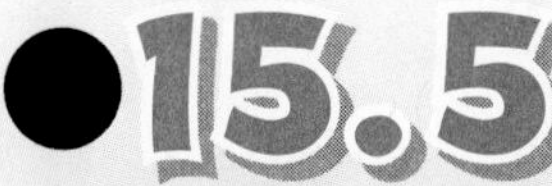

15.5 RESOLUCIÓN DE PROBLEMAS • Identificar las monedas

TEKS **Números y operaciones: K.4.A**
También K.2.B, K.2.C, K.9.A, K.9.C

PROCESOS MATEMÁTICOS
K.1.A, K.1.B

Pregunta esencial ¿De qué manera puedes usar la estrategia de *hacer una dramatización* para resolver problemas?

Soluciona el problema *En el mundo*

Manos a la obra

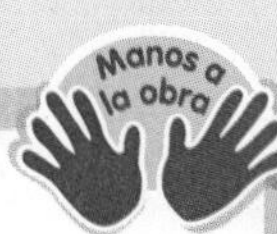

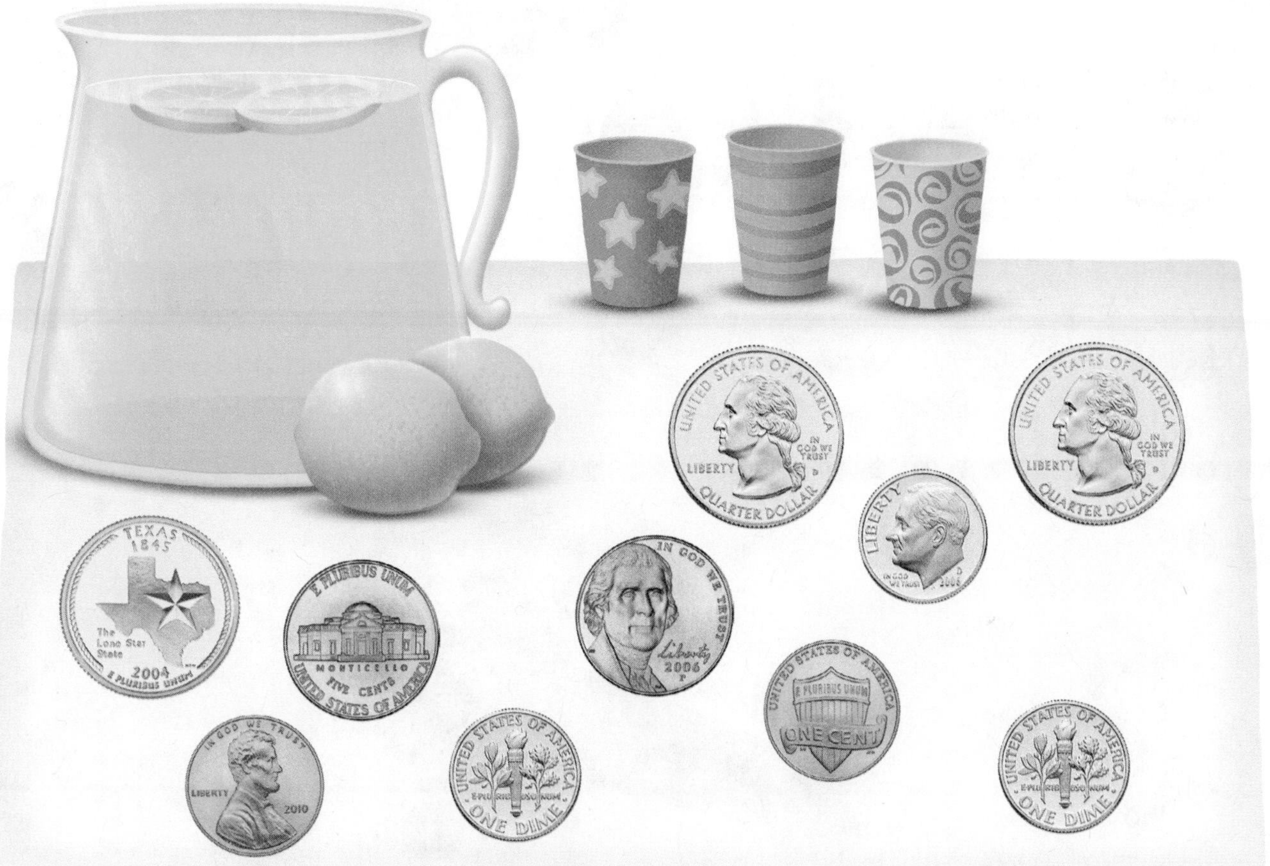

INSTRUCCIONES Encierra en un círculo amarillo las monedas de un centavo. Encierra en un círculo verde las monedas de cinco centavos. Encierra en un círculo rojo las monedas de diez centavos. Encierra en un círculo azul las monedas de veinticinco centavos. Cuenta y escribe el número de monedas de veinticinco centavos que hay.

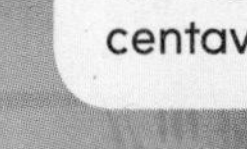

Haz otro problema

INSTRUCCIONES **1 y 2.** Escucha el problema. Encierra en un círculo el conjunto que muestra las monedas que se usaron para comprar el juguete.

Nombre ______________________________

Comparte y muestra

INSTRUCCIONES 3 y 4. Escucha el problema. Encierra en un círculo el conjunto que muestra las monedas que se usaron para comprar el juguete.

ACTIVIDAD PARA LA CASA • Muestre a su niño un conjunto de monedas que incluya una moneda de 5¢, otra de 10¢ y otra de 25¢. Pídale que le diga el nombre de cada moneda, y que describa en qué son iguales y en qué son diferentes.

Tarea diaria de evaluación

○ ○

○ 1

○ 2

○ 2

○ 3

INSTRUCCIONES Elige la respuesta correcta. **5.** ¿Cuál de estos conjuntos está formado por monedas del mismo tipo? **6.** ¿Cuántas monedas de un centavo hay en este grupo? **7.** Tina tiene estas monedas. ¿Cuántas monedas de diez centavos tiene?

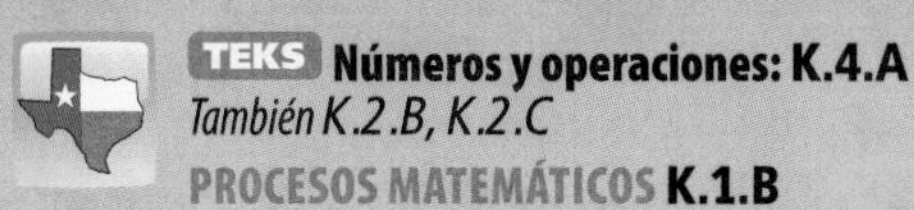

Nombre ______________________

15.5 RESOLUCIÓN DE PROBLEMAS • Identificar las monedas

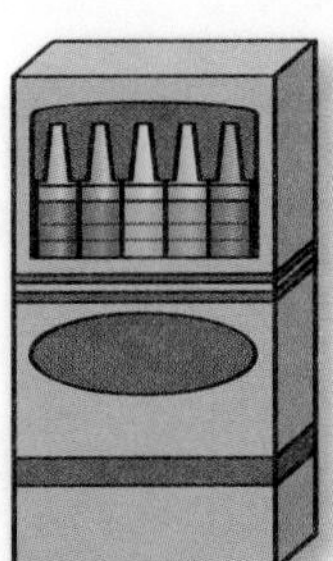

INSTRUCCIONES **1.** Abe usó cuatro monedas para comprar un carro de juguete. Encierra en un círculo el conjunto de monedas que Abe usó para comprar el carro. **2.** Beth usó cinco monedas para comprar una caja de crayones. Encierra en un círculo el conjunto que muestra las monedas que Beth usó para comprar los crayones.

Repaso de la lección

Preparación para la prueba de TEXAS

○ ○

○ 4

○ 3

5

○ 

○ 5

INSTRUCCIONES Elige la respuesta correcta. **3.** ¿Cuál de estos conjuntos está formado por monedas del mismo tipo? **4.** ¿Cuántas monedas de diez centavos hay en este grupo? **5.** Carol tiene estas monedas. ¿Cuántas monedas de cinco centavos tiene Carol?

Nombre ________________________________

Evaluación del Módulo 15

Conceptos y destrezas

INSTRUCCIONES **1.** Cuenta las monedas de un centavo. Escribe el número que muestra cuántas monedas de un centavo hay. TEKS K.4 **2.** Cuenta las monedas de cinco centavos. Escribe el número que muestra cuántas monedas de cinco centavos hay. TEKS K.4 **3.** Cuenta las monedas de diez centavos. Escribe el número que muestra cuántas monedas de diez centavos hay. TEKS K.4

4

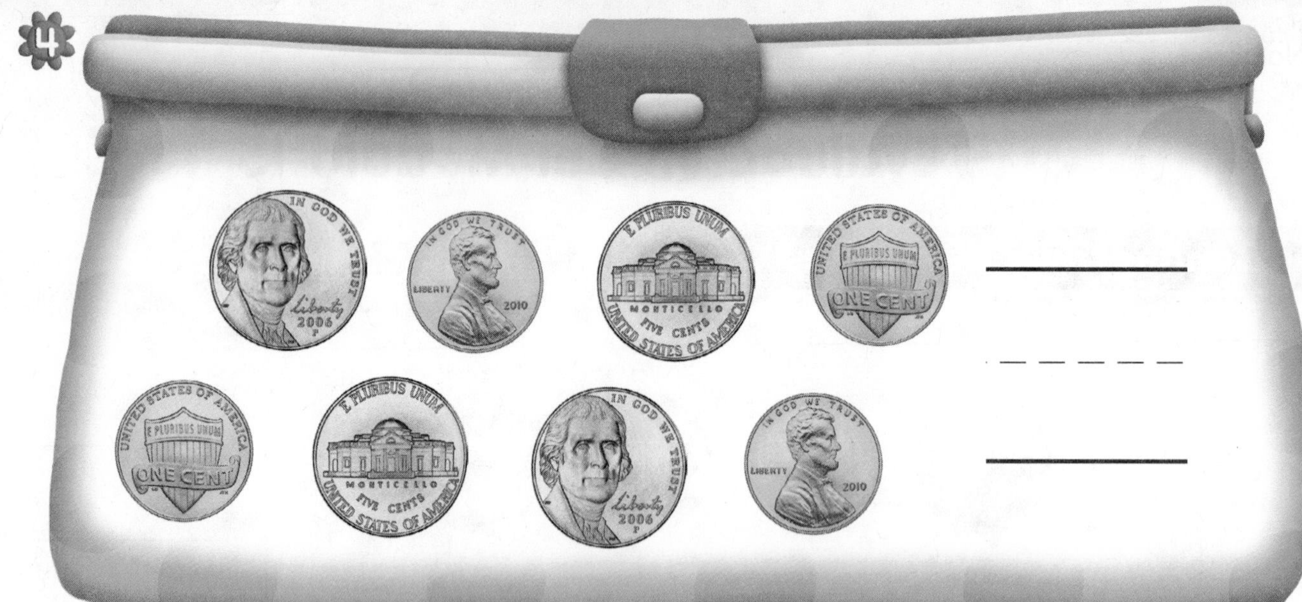

5

Preparación para la prueba de TEXAS

○

○

INSTRUCCIONES **4.** Encierra en un círculo las monedas de cinco centavos. Cuenta y escribe el número de monedas de cinco centavos que hay. TEKS K.4 **5.** Encierra en un círculo las monedas de veinticinco centavos. Cuenta y escribe el número de monedas de veinticinco centavos que hay. TEKS K.4 **6.** Elige la respuesta correcta. Suzi necesita 2 monedas de diez centavos para comprar un bocadillo. ¿Cuál de estos conjuntos muestra las monedas que Suzi necesita? TEKS K.4

Nombre ______________________

Evaluación de la Unidad 2

Vocabulario

suma

resta

Conceptos y destrezas

INSTRUCCIONES **1.** Escribe el número de cubos que hay de cada color. Escribe el número para mostrar cuántos hay en total. TEKS K.3.A **2.** Escribe el número para mostrar cuántos quedaron. TEKS K.3.A **3.** Dibuja algunos cubos azules para armar un tren de nueve cubos. Tres cubos son amarillos y los otros son azules. Escribe para completar la oración de resta. TEKS K.3.B

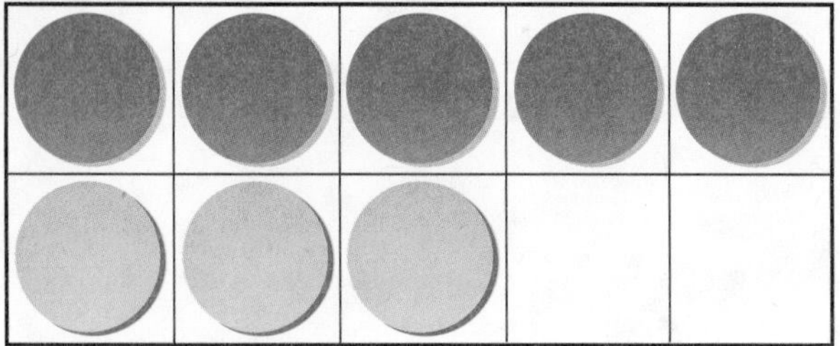

4 + 4 ○ 5 + 3 ○

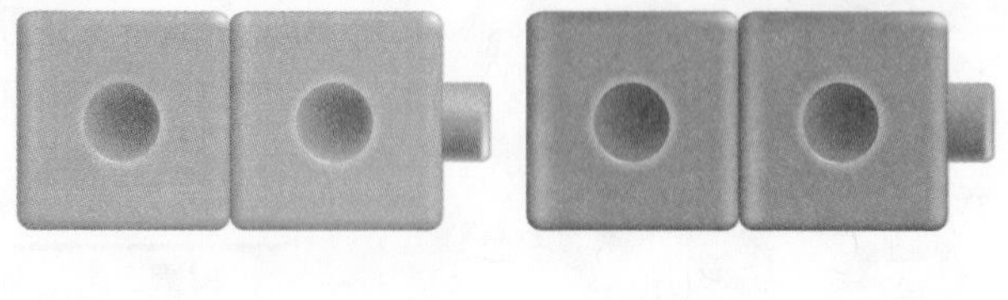

2 + 2 = 4 ○ 3 + 1 = 4 ○

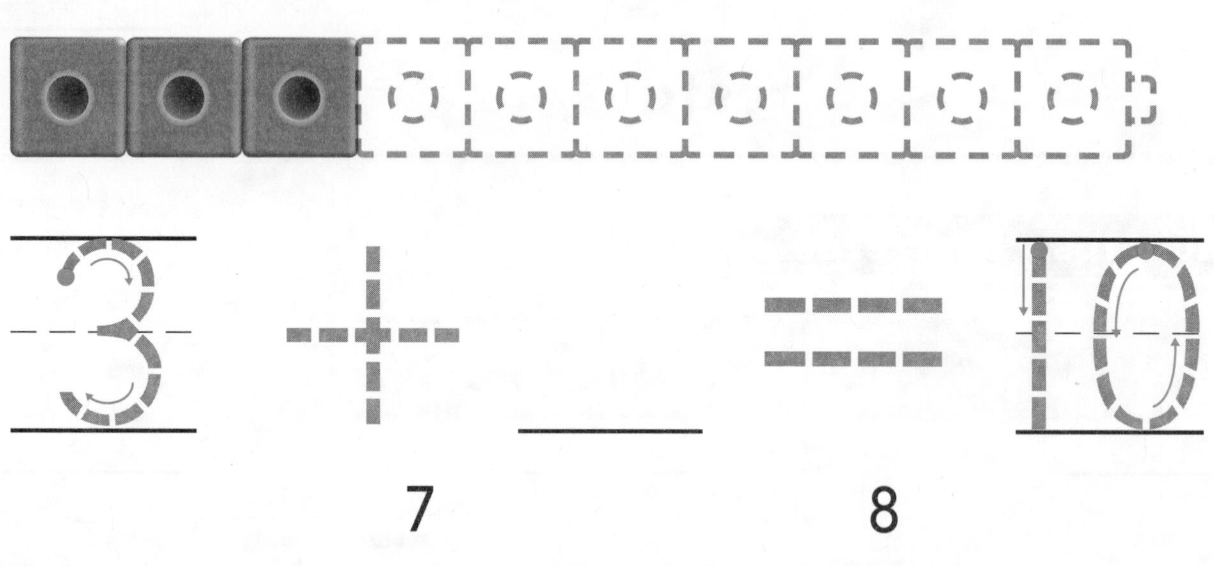

7 ○ 8 ○

INSTRUCCIONES 4. Haz una marca debajo de la suma que muestra los conjuntos que juntaste. TEKS K.3.A **5.** Haz una marca debajo de la oración de suma que muestra cuántos habrá después de que juntes los cubos. TEKS K.3.A **6.** ¿Cuántos cubos rojos ves? ¿Cuántos cubos azules debes añadir para tener 10? Colorea de azul esos cubos. Haz una marca debajo del número que completaría la oración de suma. TEKS K.3.B

Nombre ____

8 − ____ = 6

1	2
○	○

○ 7

○ 4

○ 9

○ 5

INSTRUCCIONES **7.** Haz una marca debajo del número que muestra cuántas aves se quitan del conjunto. TEKS K.3.C **8.** Haz una marca al lado del número que muestra cuántas monedas de veinticinco centavos hay en este grupo. TEKS K.4 **9.** Haz una marca al lado del número que muestra cuántas monedas de cinco centavos hay en este grupo. TEKS K.4

Tarea de rendimiento

TAREA DE RENDIMIENTO Esta tarea permitirá evaluar si el niño comprende la suma y la resta. TEKS K.3.A, K.3.B, K.3.C

Unidad 3

Razonamiento algebraico

Muestra lo que sabes

Nombre ____________________

17 y 18

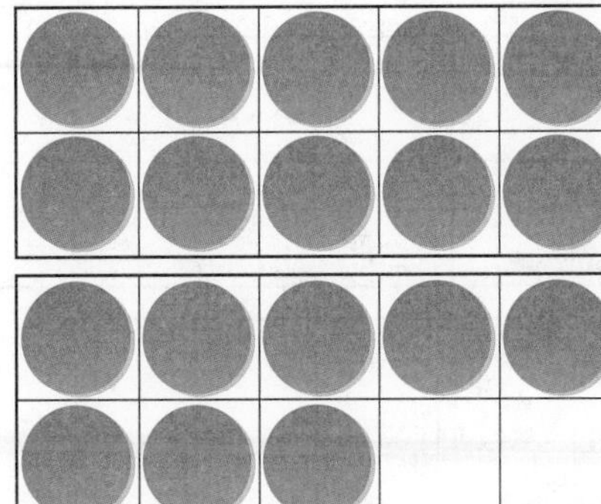

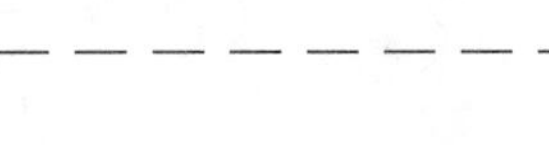

17

19 y 20

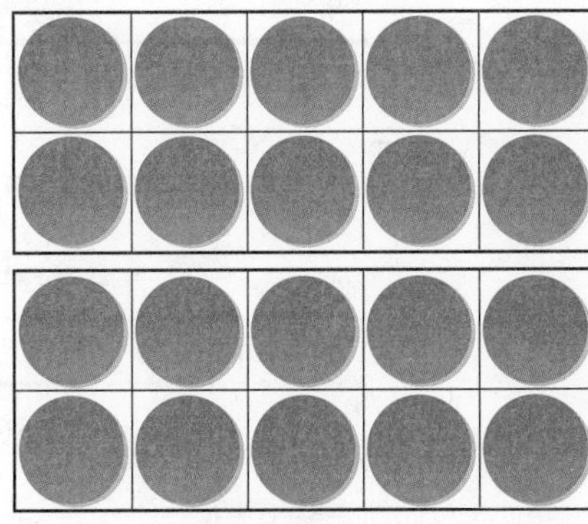

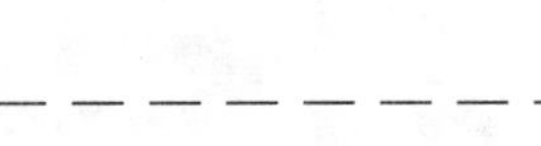

INSTRUCCIONES **1.** Cuenta cuántas hay. Escribe el número. **2.** Mira el número. Dibuja ese número de pelotas. **3.** Cuenta cuántas hay. Escribe el número.

NOTA PARA LA FAMILIA: El propósito de esta página es comprobar si su niño comprende las destrezas importantes que se necesitan para tener éxito en la Unidad 3.

Opciones de evaluación: Soar to Success Math

Desarrollo del vocabulario

Palabras de repaso

uno
diez
veinte

Visualizar

uno

diez

veinte

Comprender el vocabulario

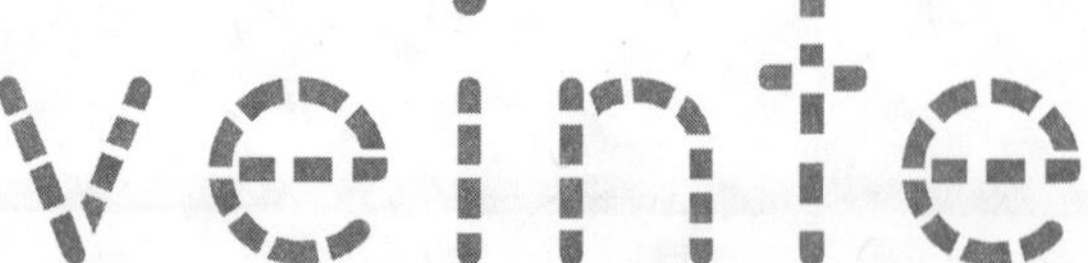

INSTRUCCIONES **Visualizar** Lee el número. Dibuja fichas para mostrar el número. **Comprender el vocabulario** Traza la palabra. Escribe el número.

- **Libro interactivo del estudiante**
- **Glosario multimedia**

Librito de vocabulario

Día de colecciones

escrito por Chloe Weasley

Este librito para la casa pertenece a:

____

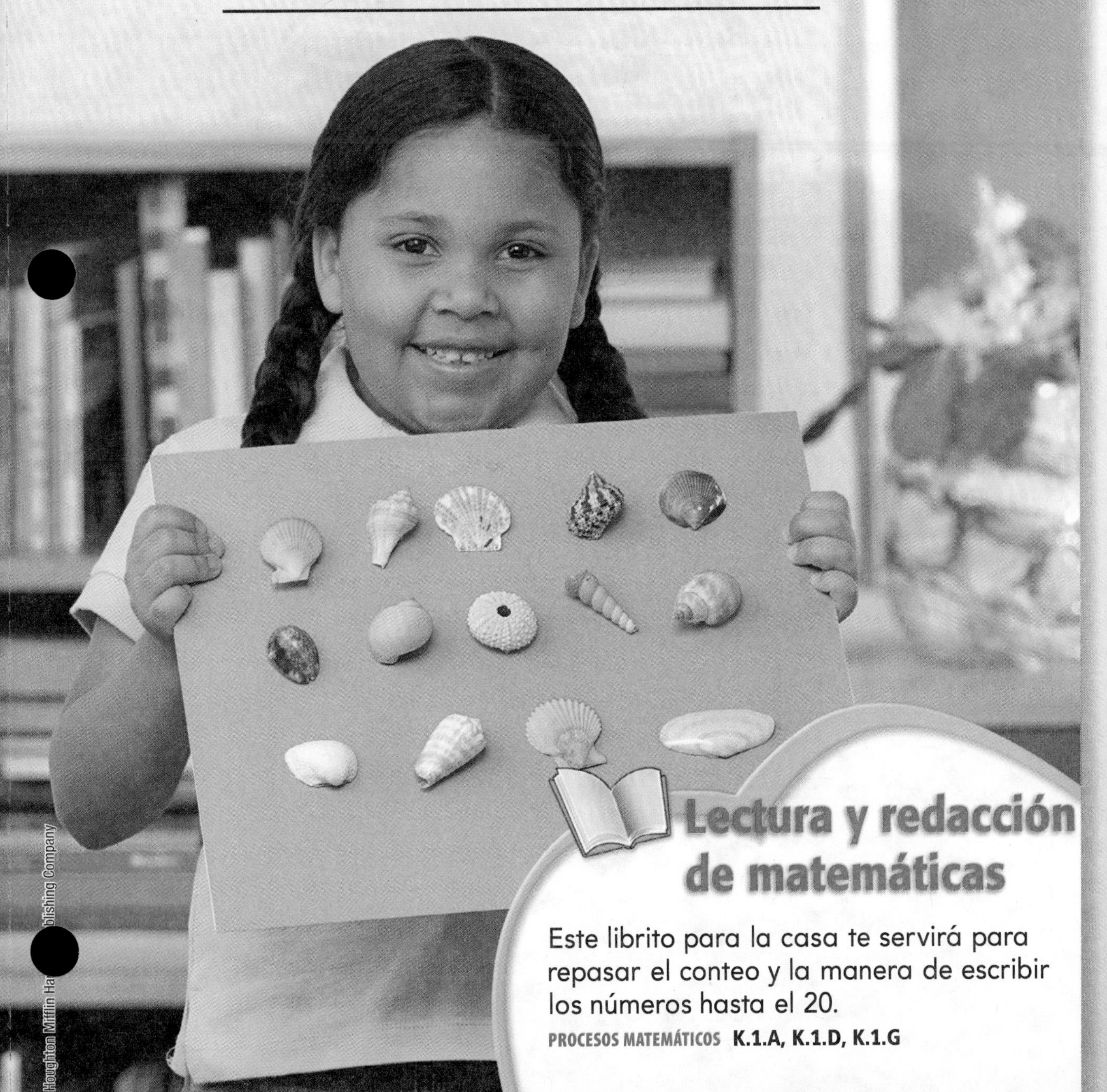

Lectura y redacción de matemáticas

Este librito para la casa te servirá para repasar el conteo y la manera de escribir los números hasta el 20.

PROCESOS MATEMÁTICOS K.1.A, K.1.D, K.1.G

Al fin el gran día llegó,
sus colecciones mostraron.
Cosas que todos hicieron,
compraron o encontraron.

Braulio trajo sus canicas.
Tenía grandes y pequeñas.
¿Cuántas canicas hay en total?
Cuéntalas y me enseñas.

Sara trajo muchas rocas,
unas lindas, otras grises.
¿Cuántas trajo en total?
Cuenta pronto y me lo dices.

Unos juguetes de cuerda
trajo mi amiga Analía,
muchos se movían bien
pero otro no se movía.

¿Cuántos juguetes en total trajo Analía?

Sandro trajo de la casa,
los dinosaurios que junta.
¿Más o menos de diecinueve?
Responde bien la pregunta.

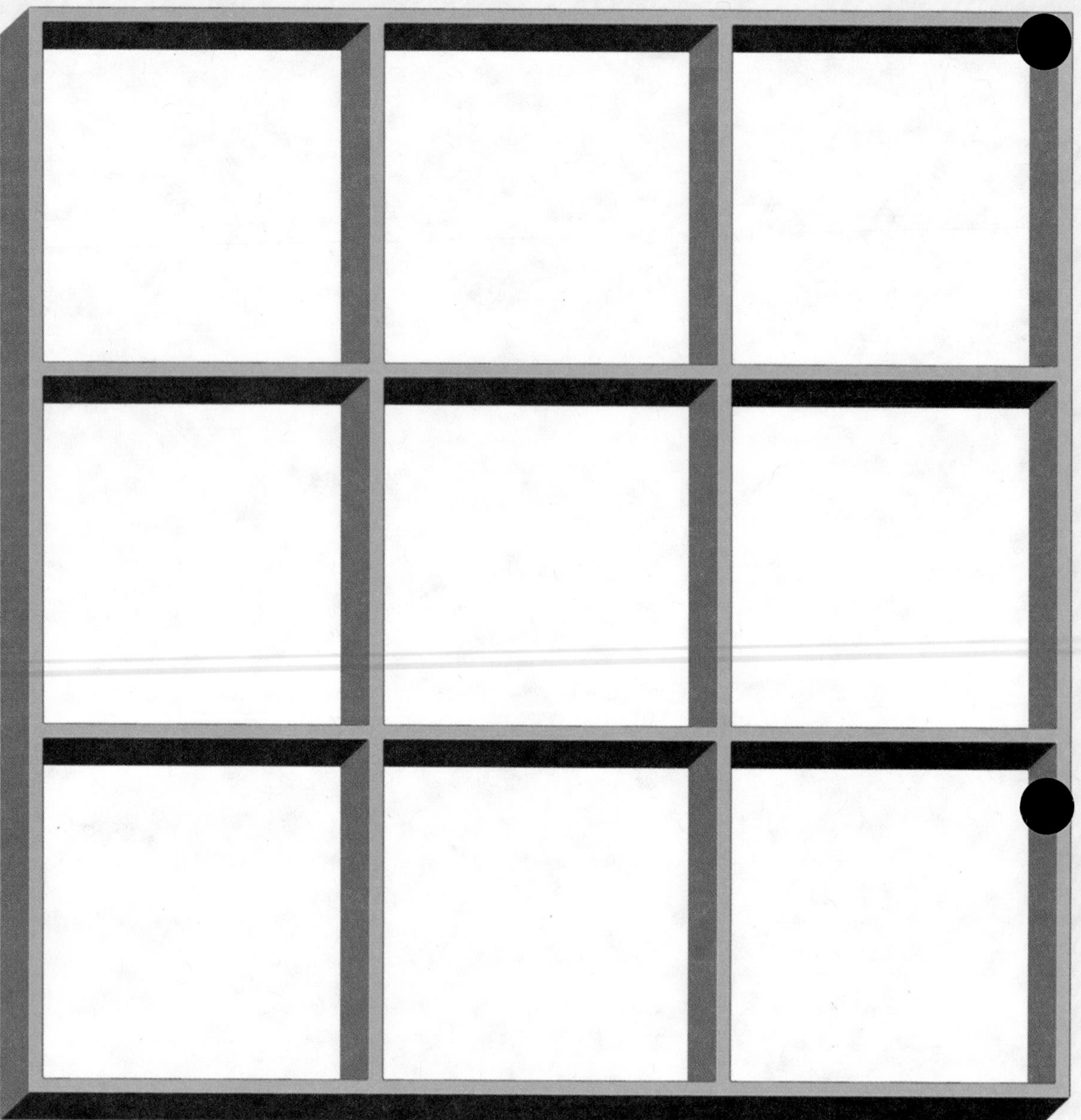

Imagina que debes traer una colección de cosas a la escuela. ¿Qué te gustaría traer? Haz un dibujo de tu colección.

Nombre ______________________________

Escribe sobre las matemáticas

Repaso del vocabulario
en total

INSTRUCCIONES Mira la caja y la colección de conchas de mar. Dibuja más conchas de mar. Relata un problema acerca de la colección de conchas de mar a un amigo.

¿Cuántos hay en total?

1

2

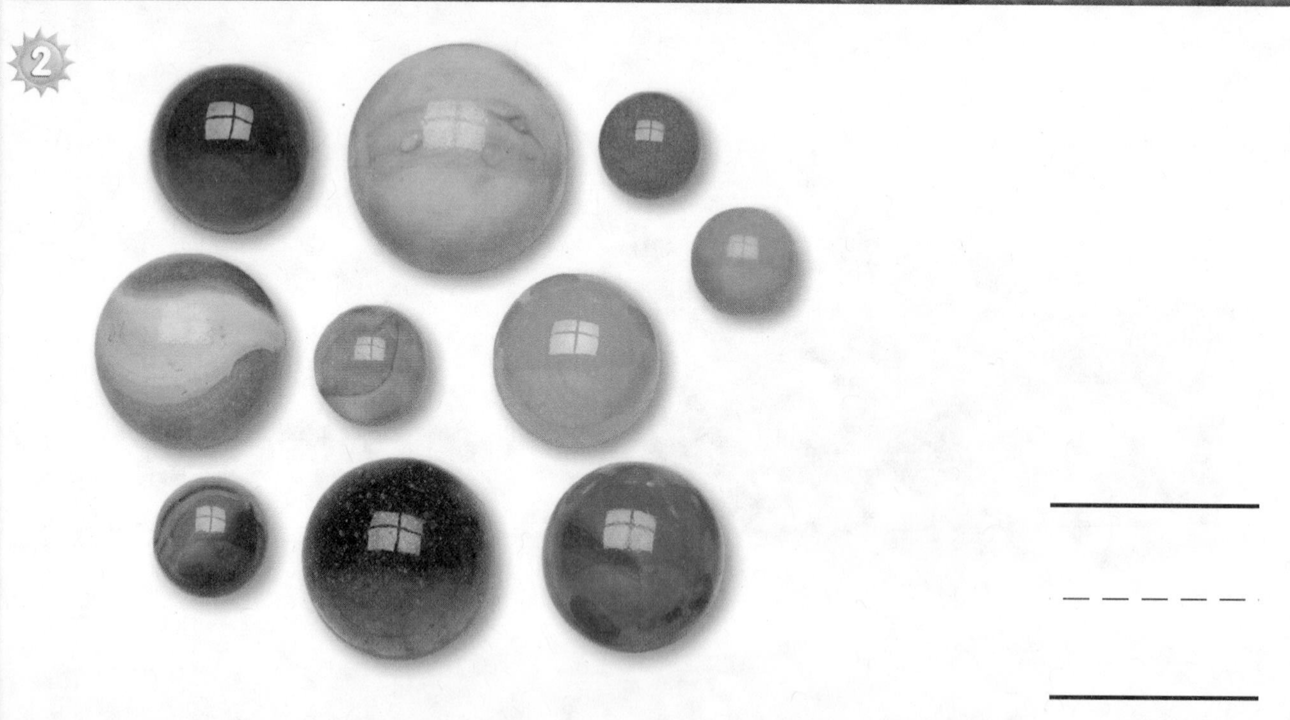

INSTRUCCIONES **1.** Cuenta los juguetes. Luego, dibuja más juguetes. Escribe cuántos hay en total. **2.** Cuenta las canicas. Luego, dibuja más canicas. Escribe cuántas hay en total.

Nombre ______________________________

PROCESOS MATEMÁTICOS
K.1.F

16.1 Contar de uno en uno hasta el 50

Pregunta esencial ¿De qué manera el orden de los números te sirve para contar de uno en uno hasta el 50?

Explora

1	2	3	4	5	6	7	8	9	10
11	12	13	14	15	16	17	18	19	20
21	22	23	24	25	26	27	28	29	30
31	32	33	34	35	36	37	38	39	40
41	42	43	44	45	46	47	48	49	50

INSTRUCCIONES Señala cada número a medida que cuentas hasta el 50. Traza el círculo que rodea el número 50.

Comparte y muestra

1	2	3	4	5	6	7	8	9	10
11	12	13	14	15	16	17	18	19	20
21	22	23	24	25	26	27	28	29	30
31	32	33	34	35	36	37	38	39	40
41	42	43	44	45	46	47	48	49	50

INSTRUCCIONES **1.** Señala cada número a medida que cuentas hasta el 50. Traza una línea debajo del número 50. Encierra en un círculo el número 15. Comienza por el 15 y vuelve a contar hacia adelante hasta el 50. Colorea de amarillo la casilla del número 39. Comienza por el 39 y vuelve a contar hacia adelante hasta el 50. Tacha con una X el número que está justo después del 44. Cuenta hacia adelante desde ese número hasta el 50.

Nombre ______________________________

1	2	3	4	5	6	7	8	9	10
11	12	13	14	15	16	17	18	19	20
21	22	23	24	25	26	27	28	29	30
31	32	33	34	35	36	37	38	39	40
41	42	43	44	45	46	47	48	49	50

INSTRUCCIONES **2.** Sin mirar, señala un número cualquiera. Encierra en un círculo ese número. Cuenta hacia adelante desde ese número hasta el 50. Traza una línea debajo del número 50. Busca el número que está justo después del 40. Colorea de amarillo la casilla de ese número. Cuenta hacia adelante desde ese número hasta el 50. Tacha con una X el número 20. Cuenta hacia atrás desde el 20 hasta el 1.

ACTIVIDAD PARA LA CASA • Piense en un número del 1 al 50 y dé pistas a su niño para que lo adivine. Por ejemplo: *"Mi número es uno más que 25. ¿Cuál es mi número?"*. Pídale que diga el número.

Procesos matemáticos
Representar • Razonar • Comunicar

Resolución de problemas

3

Escribe

1	2	3	4	5	6	7	8	9	10
11	12	13	14	15	16	17	18	19	20
21	22	23	24	25	26	27	28	29	30

Tarea diaria de evaluación

31	32	33	34	35	36	37	38	39	40
41	42	43		45	46	47	48	49	50

○ **34**

○ **44**

INSTRUCCIONES **3.** ¿Qué número es uno más que 17? Colorea de azul la casilla de ese número. ¿Qué número es uno menos que 26? Colorea de rojo la casilla de ese número. **4.** Elige la respuesta correcta. Señala cada número a medida que cuentas. ¿Qué número falta?

Tarea y práctica

Nombre ______________________

16.1 Contar de uno en uno hasta el 50

1	2	3	4	5	6	7	8	9	10
11	12	13	14	15	16	17	18	19	20
21	22	23	24	25	26	27	28	29	30
31	32	33	34	35	36	37	38	39	40
41	42	43	44	45	46	47	48	49	50

INSTRUCCIONES 1. Señala cada número a medida que cuentas hasta el 50. Traza una línea debajo del número 50. Encierra en un círculo el número 22. Comienza por el 22 y cuenta hacia adelante hasta el 50. Busca el número 36. Colorea de amarillo la casilla del número 36. Comienza por el 36 y cuenta hacia adelante hasta el 50. Tacha con una X el número que está justo después del 42. Cuenta hacia adelante desde ese número hasta el 50.

Repaso de la lección

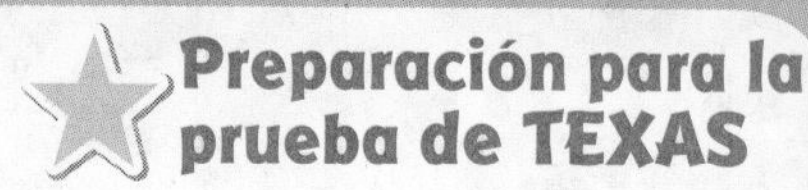

11	12	13	14		16	17	18	19	20
21	22	23	24	25	26	27	28	29	30

○ 15

○ 25

3

21	22	23	24	25	26	27	28	29	30
31	32	33	34	35	36	37		39	40

○ 28

○ 38

INSTRUCCIONES Elige la respuesta correcta.
2 y 3. Señala cada número a medida que cuentas. ¿Qué número falta?

TEKS Razonamiento algebraico: K.5
También K.2.A

PROCESOS MATEMÁTICOS
K.1.F

Nombre ___________________________

16.2 Contar de uno en uno hasta el 100

Pregunta esencial ¿De qué manera el orden de los números te sirve para contar de uno en uno hasta el 100?

Explora

1	2	3	4	5	6	7	8	9	10
11	12	13	14	15	16	17	18	19	20
21	22	23	24	25	26	27	28	29	30
31	32	33	34	35	36	37	38	39	40
41	42	43	44	45	46	47	48	49	50
51	52	53	54	55	56	57	58	59	60
61	62	63	64	65	66	67	68	69	70
71	72	73	74	75	76	77	78	79	80
81	82	83	84	85	86	87	88	89	90
91	92	93	94	95	96	97	98	99	100

INSTRUCCIONES Señala cada número a medida que cuentas hasta el 100. Traza el círculo que rodea el número 100.

Comparte y muestra

1	2	3	4	5	6	7	8	9	10
11	12	13	14	15	16	17	18	19	20
21	22	23	24	25	26	27	28	29	30
31	32	33	34	35	36	37	38	39	40
41	42	43	44	45	46	47	48	49	50
51	52	53	54	55	56	57	58	59	60
61	62	63	64	65	66	67	68	69	70
71	72	73	74	75	76	77	78	79	80
81	82	83	84	85	86	87	88	89	90
91	92	93	94	95	96	97	98	99	100

INSTRUCCIONES 1. Señala cada número a medida que cuentas hasta el 100. Traza una línea debajo del número 100. Encierra en un círculo el número 11. Comienza por el 11 y cuenta hacia adelante hasta el 100. Tacha con una X el número 76. Vuelve a contar hacia adelante desde el 76 hasta el 100.

Nombre ______________________

1	2	3	4	5	6	7	8	9	10
11	12	13	14	15	16	17	18	19	20
21	22	23	24	25	26	27	28	29	30
31	32	33	34	35	36	37	38	39	40
41	42	43	44	45	46	47	48	49	50
51	52	53	54	55	56	57	58	59	60
61	62	63	64	65	66	67	68	69	70
71	72	73	74	75	76	77	78	79	80
81	82	83	84	85	86	87	88	89	90
91	92	93	94	95	96	97	98	99	100

INSTRUCCIONES **2.** Señala cada número a medida que cuentas hasta el 100. Sin mirar, señala un número cualquiera. Encierra en un círculo ese número. Cuenta hacia adelante desde ese número hasta el 100. Traza una línea debajo del número 100. Tacha con una X el número que está justo después del 49. Vuelve a contar hacia adelante desde ese número hasta el 100. Busca el número que está justo después del 70. Colorea de rojo la casilla de ese número. Cuenta hacia adelante desde ese número hasta el 100.

ACTIVIDAD PARA LA CASA • Muestre a su niño un calendario. Señale un número del calendario. Pida al niño que cuente hacia adelante desde ese número hasta el último número del mes.

Procesos matemáticos

Representar • Razonar • Comunicar

Resolución de problemas

3

1	2	3	4	____	6	7	8	9	10
11	12	13	____	15	____	17	18	19	20
21	22	23	24	____	26	27	28	29	30

Tarea diaria de evaluación

71	72	73	74	75	76	77	78	79	80
81	82	83	84	85	86	87	88	89	90

○ **80, 81, 82**

○ **77, 78, 79**

INSTRUCCIONES **3.** Pon el dedo sobre el número 15. Escribe los números que son "vecinos" del número 15. Compara cada uno de esos números con el 15 usando *mayor que* o *menor que*. **4.** Elige la respuesta correcta. Señala cada número a medida que cuentas. ¿Cuáles son los tres números que están después del 79?

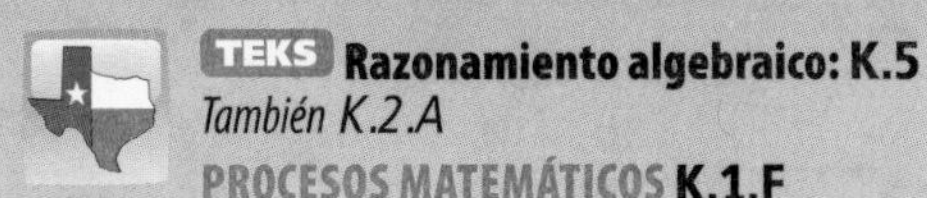

Nombre ____________________________

16.2 Contar de uno en uno hasta el 100

1

1	2	3	4	5	6	7	8	9	10
11	12	13	14	15	16	17	18	19	20
21	22	23	24	25	26	27	28	29	30
31	32	33	34	35	36	37	38	39	40
41	42	43	44	45	46	47	48	49	50
51	52	53	54	55	56	57	58	59	60
61	62	63	64	65	66	67	68	69	70
71	72	73	74	75	76	77	78	79	80
81	82	83	84	85	86	87	88	89	90
91	92	93	94	95	96	97	98	99	100

INSTRUCCIONES **1.** Señala cada número a medida que cuentas hasta el 100. Sin mirar, señala un número cualquiera. Encierra en un círculo ese número. Cuenta hacia adelante desde ese número hasta el 100. Traza una línea debajo del número 100. Tacha con una X el número que está justo después del 39. Cuenta hacia adelante desde ese número hasta el 100. Busca el número que está justo después del 65. Colorea de rojo la casilla de ese número. Cuenta hacia adelante desde ese número hasta el 100.

Repaso de la lección

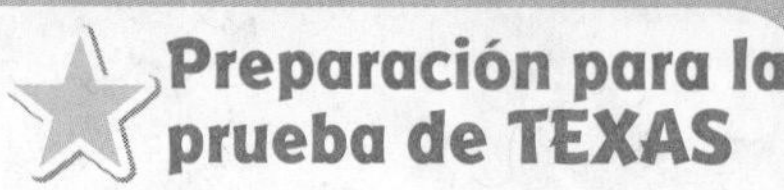

41	42	43	44	45	46	47	48	49	50
51	52	53	54	55	56	57	58	59	60

○ **47, 48, 49** ○ **51, 52, 53**

81	82	83	84	85	86	87	88	89	90
91	92	93	94	95	96	97	98	99	100

○ **88, 89, 90** ○ **84, 85, 86**

INSTRUCCIONES Elige la respuesta correcta. Señala cada número a medida que cuentas. **2.** ¿Cuáles son los tres números que están después del 50? **3.** ¿Cuáles son los tres números que están después del 87?

Nombre ______________________________

TEKS Razonamiento algebraico: K.5
También K.2.A, K.2.C
PROCESOS MATEMÁTICOS
K.1.F

16.3 Contar de diez en diez hasta el 100

Pregunta esencial

¿De qué manera puedes contar de diez en diez hasta el 100 en una tabla con los números hasta el 100?

Explora

1	2	3	4	5	6	7	8	9	10
11	12	13	14	15	16	17	18	19	20
21	22	23	24	25	26	27	28	29	30
31	32	33	34	35	36	37	38	39	40
41	42	43	44	45	46	47	48	49	50
51	52	53	54	55	56	57	58	59	60
61	62	63	64	65	66	67	68	69	70
71	72	73	74	75	76	77	78	79	80
81	82	83	84	85	86	87	88	89	90
91	92	93	94	95	96	97	98	99	100

INSTRUCCIONES Traza los círculos que rodean los números terminados en 0. Comienza por el 10 y cuenta esos números en orden. Di a un amigo de qué manera estás contando.

Comparte y muestra

1	2	3	4	5	6	7	8	9	
11	12	13	14	15	16	17	18	19	
21	22	23	24	25	26	27	28	29	30
31	32	33	34	35	36	37	38	39	40
41	42	43	44	45	46	47	48	49	50

INSTRUCCIONES **I.** Escribe los números para completar el orden de conteo hasta el 20. Traza los números para completar el orden de conteo hasta el 50. Cuenta de diez en diez a medida que señalas los números que escribiste y trazaste.

Nombre ___________________________________

51	52	53	54	55	56	57	58	59	60
61	62	63	64	65	66	67	68	69	70
71	72	73	74	75	76	77	78	79	80
81	82	83	84	85	86	87	88	89	90
91	92	93	94	95	96	97	98	99	100

INSTRUCCIONES **2.** Traza los números para completar el orden de conteo hasta el 100. Cuenta de diez en diez a medida que señalas los números que trazaste.

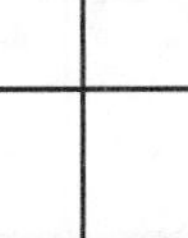

ACTIVIDAD PARA LA CASA • Muestre a su niño un calendario. Cubra algunos números al azar con notas autoadhesivas. Pida al niño que diga cuáles son los números que quedaron cubiertos. Luego, pídale que quite las notas autoadhesivas para comprobar su respuesta.

Procesos matemáticos

Representar • Razonar • Comunicar

Resolución de problemas En el mundo

Escribe

3

1	2	3	4	5	6	7	8	9	10
11	12	13	14	15	16	17	18	19	
21	22	23	24	25	26	27	28	29	30

Tarea diaria de evaluación

10	20	30	40	50	60	70	80		100

○ **70** ○ **90**

INSTRUCCIONES **3.** Escucha el problema. ¿Cuál es el último número que Jenny dijo? Escribe el número. ¿Cuál es el último número que Lindsay dirá? Traza una línea debajo del número. **4.** Elige la respuesta correcta. Cuando cuentas de diez en diez, ¿qué número nombras después del 80?

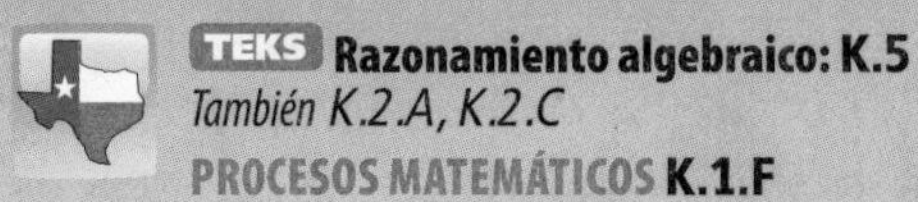

Nombre ______________________

16.3 Contar de diez en diez hasta el 100

1

1	2	3	4	5	6	7	8	9	____
11	12	13	14	15	16	17	18	19	____
21	22	23	24	25	26	27	28	29	____
31	32	33	34	35	36	37	38	39	____
41	42	43	44	45	46	47	48	49	____

INSTRUCCIONES 1. Escribe los números para completar el orden de conteo hasta el 50. Cuenta de diez en diez a medida que señalas los números que escribiste.

Repaso de la lección

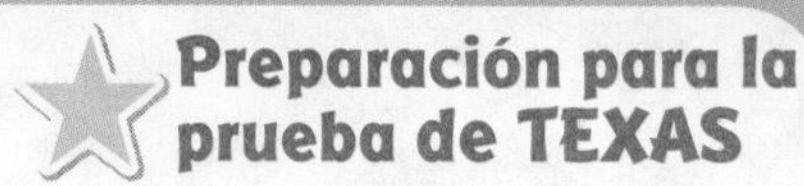

10	20	30	40		60	70	80	90	100

○ **30** ○ **50**

10	20	30	40	50	60	70		90	100

○ **80** ○ **60**

10	20		40	50	60	70	80	90	100

○ **10** ○ **30**

INSTRUCCIONES Elige la respuesta correcta. **2.** Cuando cuentas de diez en diez, ¿qué número nombras después del 40? **3.** Cuando cuentas de diez en diez, ¿qué número nombras después del 70? **4.** Cuando cuentas de diez en diez, ¿qué número nombras después del 20?

Nombre ______________________________

TEKS Razonamiento algebraico: K.5
PROCESOS MATEMÁTICOS K.1.B

RESOLUCIÓN DE PROBLEMAS • Contar desde cualquier número

Pregunta esencial ¿De qué manera puedes usar el razonamiento lógico para resolver problemas?

Soluciona el problema En el mundo

1	2	3	4	5	6	7	8	9	10
11	12	13	14	15	16	17	18	19	20
21	22	23	24	25	26	27	28	29	30
31	32	33	34	35	36	37	38	39	40
41	42	43	44	45	46	47	48	49	50

INSTRUCCIONES Escucha los acertijos numéricos. Usa la tabla con los números hasta el 50 y las claves para resolver cada acertijo. Cuenta desde el número secreto hasta el 50.

Haz otro problema

1

1	2	3	4	5	6	7	8	9	10
11	12	13	14	15	16	17	18	19	20
21	22	23	24	25	26	27	28	29	30
31	32	33	34	35	36	37	38	39	40
41	42	43	44	45	46	47	48	49	50
51	52	53	54	55	56	57	58	59	60
61	62	63	64	65	66	67	68	69	70
71	72	73	74	75	76	77	78	79	80
81	82	83	84	85	86	87	88	89	90
91	92	93	94	95	96	97	98	99	100

INSTRUCCIONES 1. Escucha los acertijos numéricos. Usa la tabla con los números hasta el 100 y las pistas para resolver cada acertijo. Cuenta desde el número secreto hasta el 100.

Nombre ___________________________

Comparte y muestra

2

1	2	3	4	5	6	7	8	9	10
11	12	13	14	15	16	17	18	19	20
21	22	23	24	25	26	27	28	29	30
31	32	33	34	35	36	37	38	39	40
41	42	43	44	45	46	47	48	49	50
51	52	53	54	55	56	57	58	59	60
61	62	63	64	65	66	67	68	69	70
71	72	73	74	75	76	77	78	79	80
81	82	83	84	85	86	87	88	89	90
91	92	93	94	95	96	97	98	99	100

INSTRUCCIONES **2.** Escucha los acertijos numéricos. Usa la tabla con los números hasta el 100 y las claves para resolver cada acertijo. Cuenta desde el número secreto hasta el 100.

ACTIVIDAD PARA LA CASA • Dé a su niño una tabla con los números hasta el 100. Relate un acertijo numérico. Por ejemplo: "*Soy mayor que 40. Soy menor que 42. ¿Qué número soy?*". Pida al niño que busque el número en la tabla y que lo encierre en un círculo.

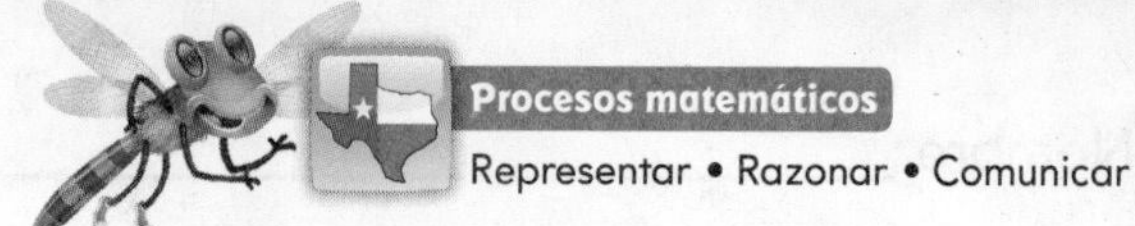

Tarea diaria de evaluación

41	42	43	44	45	46	47	48		50

○ **48** ○ **49**

50	60	70		90	100

○ **70** ○ **80**

5

61	62	63	64	65	66	67	68	69	70
71	72	73	74	75	76	77	78	79	80

○ **69, 70, 71**

○ **67, 68, 69**

INSTRUCCIONES Elige la respuesta correcta. **3.** Señala cada número a medida que cuentas. ¿Qué número falta? **4.** Cuenta de diez en diez. ¿Qué número falta? **5.** ¿Cuáles son los tres números que están después del 68?

Tarea y práctica

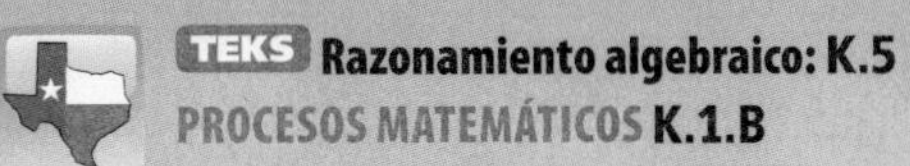

Nombre ____________________

16.4 RESOLUCIÓN DE PROBLEMAS • Contar desde cualquier número

1

1	2	3	4	5	6	7	8	9	10
11	12	13	14	15	16	17	18	19	20
21	22	23	24	25	26	27	28	29	30
31	32	33	34	35	36	37	38	39	40
41	42	43	44	45	46	47	48	49	50
51	52	53	54	55	56	57	58	59	60
61	62	63	64	65	66	67	68	69	70
71	72	73	74	75	76	77	78	79	80
81	82	83	84	85	86	87	88	89	90
91	92	93	94	95	96	97	98	99	100

INSTRUCCIONES **1.** Resuelve los acertijos numéricos. **Acertijo 1:** Estoy entre el 41 y el 50. Soy uno más que 45. ¿Qué número soy? Encierra en un círculo el número. Cuenta desde ese número hasta 100. **Acertijo 2:** Me nombras cuando cuentas de diez en diez. Soy mayor que 50. Soy menor que 70. ¿Qué número soy? Colorea de rojo la casilla del número. Cuenta desde ese número hasta 100.

Repaso de la lección

Preparación para la prueba de TEXAS

11	12	13	14	15		17	18	19	20

○ **16** ○ **15**

71	72	73	74	75		77	78	79	80

○ **75** ○ **76**

50	60	70	80		100

○ **90** ○ **50**

INSTRUCCIONES Elige la respuesta correcta. **2 y 3.** Señala cada número a medida que cuentas. ¿Qué número falta? **4.** Cuenta de diez en diez. ¿Qué número falta?

Nombre ____________________

Evaluación de la Unidad 3

Vocabulario

1. 40 50 60

2. 1 51 100

Conceptos y destrezas

1	2	3	4	5	6	7	8	9	10
11	12	13	14	15	16	17	18	19	20
21	22	23	24	25	26	27	28	29	30
31	32	33	34	35	36	37	38	39	40
41	42	43	44	45	46	47	48	49	50

1	2	3	4	5	6	7	8	9	10
11	12	13	14	15	16	17	18	19	20
21	22	23	24	25	26	27	28	29	30
31	32	33	34	35	36	37	38	39	40
41	42	43	44	45	46	47	48	49	50

INSTRUCCIONES **1.** Encierra en un círculo el número cincuenta. **2.** Encierra en un círculo el número cien. **3.** Encierra en un círculo el número 34. Comienza por el 34 y cuenta hacia adelante hasta el 50. Subraya el número 50. TEKS K.5 **4.** ¿Qué número es uno más que 39? Encierra en un círculo ese número. Comienza por ese número y cuenta hacia adelante hasta el 50. TEKS K.5

1	2	3	4	5	6	7	8	9	10
11	12	13	14	15	16	17	18	19	20
21	22	23	24	25	26	27	28	29	30
31	32	33	34	35	36	37	38	39	40
41	42	43	44	45	46	47	48	49	50
51	52	53	54	55	56	57	58	59	60
61	62	63	64	65	66	67	68	69	70
71	72	73	74	75	76	77	78	79	80
81	82	83	84	85	86	87	88	89	90
91	92	93	94	95	96	97	98		100

5

○ 41

○ 39

6

○ 99

○ 100

7

○ 70

○ 80

INSTRUCCIONES Rellena el círculo de la respuesta correcta. **5.** Mira la tabla con los números hasta el 100. ¿Qué número es uno menos que 40? TEKS K.5 **6.** Mira la tabla con los números hasta el 100. ¿Qué número falta? TEKS K.5 **7.** Mira la columna de la tabla con los números hasta el 100 que está coloreada de amarillo. Cuando cuentas de diez en diez, ¿qué número está justo después del 60? TEKS K.5

Nombre ______________________________

8

10	20		40	50	60	70	80	90	100

10 ○

30 ○

1	2	3	4	5	6	7	8	9	10
11	12	13	14	15	16	17	18	19	20
21	22	23	24	25	26	27	28	29	30
31	32	33	34	35	36	37	38	39	40
41	42	43	44	45	46	47	48	49	50
51	52	53	54	55	56	57	58	59	60
61	62	63	64	65	66	67	68	69	70
71	72	73	74	75	76	77	78	79	80
81	82	83	84	85	86	87	88	89	90
91	92	93	94	95	96	97	98	99	100

9

○ 52, 53, 54

○ 58, 59, 60

10

○ 90, 91, 92

○ 86, 87, 88

INSTRUCCIONES Rellena el círculo de la respuesta correcta. **8.** Cuenta de diez en diez. ¿Qué número falta? TEKS K.5 **9.** Mira la tabla con los números hasta el 100. ¿Cuáles son los tres números que están después del 57? TEKS K.5 **10.** Mira la tabla con los números hasta el 100. ¿Cuáles son los tres números que están después del 89? TEKS K.5

Tarea de rendimiento

18	20	19	17

41	42	43	44	45	46	47	48	49	50
51	52	54	53	55	56	57	58	59	60
61	62	63	64	65	66	67	68	69	70

TAREA DE RENDIMIENTO Esta tarea permitirá evaluar si el niño comprende cómo se identifican y cómo se cuentan los números hasta el 100.

Geometría y medición

Muestra lo que sabes

Nombre ______________________________

Igual y diferente

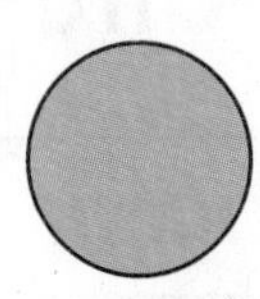
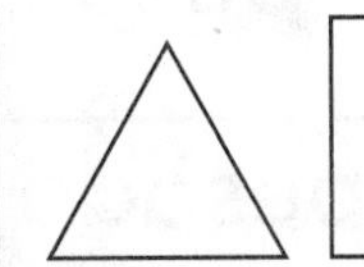
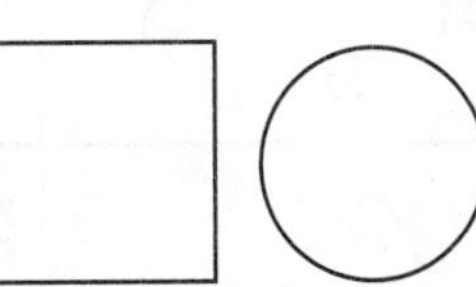

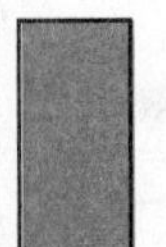
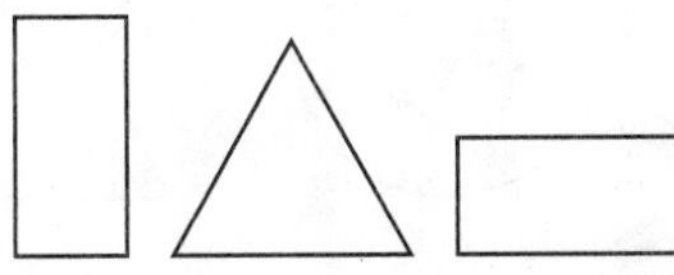

Más grande y más pequeño

INSTRUCCIONES **1.** Mira la figura que está al comienzo de la hilera. Colorea la figura que es igual. **2.** Mira la figura que está al comienzo de la hilera. Colorea la figura que es diferente. **3.** Tacha con una X el perro que es más pequeño. **4.** Tacha con una X el árbol que es más grande.

NOTA PARA LA FAMILIA: El propósito de esta página es comprobar si su niño comprende las destrezas importantes que se necesitan para tener éxito en la Unidad 4.

Opciones de evaluación: Soar to Success Math

Desarrollo del vocabulario

Palabras de repaso	
círculo	más corto
cuadrado	más bajo
triángulo	más alto
rectángulo	más pesado
más largo	más liviano

Visualizar

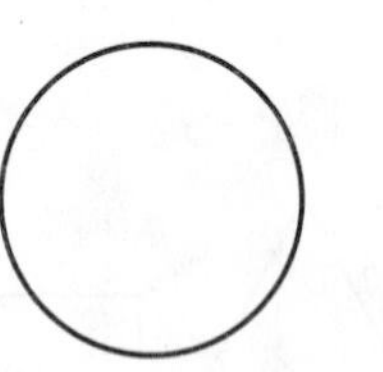

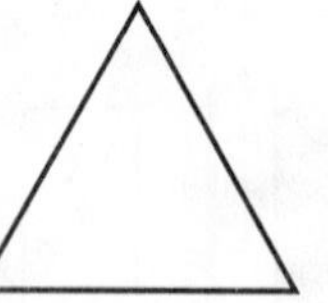

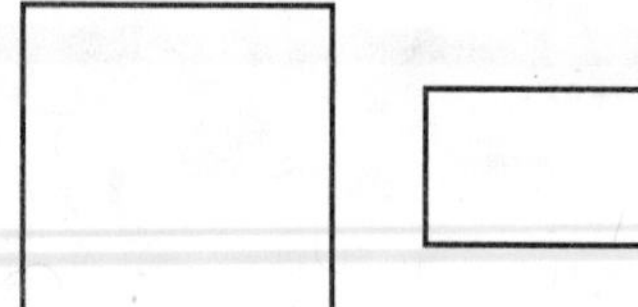

longitud	peso	altura
largo	pesado	bajo
más largo	más pesado	más bajo
corto		alto
más corto		más alto

Comprender el vocabulario

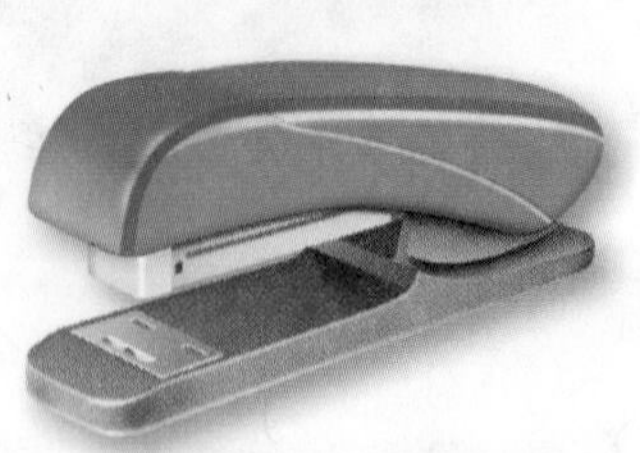

INSTRUCCIONES Visualizar 1. Mira las figuras. Colorea de rojo el círculo. Colorea de amarillo el cuadrado. Colorea de azul el triángulo. Colorea de morado el rectángulo. **2.** Encierra en un círculo las palabras de repaso que sirven para decir que algo es pequeño o de menor tamaño que otra cosa.

Comprender el vocabulario 3. Encierra en un círculo el lápiz que es más largo. **4.** Encierra en un círculo el árbol que es más alto. **5.** Encierra en un círculo el objeto que es más pesado.

• Libro interactivo del estudiante
• Glosario multimedia

Librito de vocabulario

Un jardín en la azotea

escrito por J. D. McDonnell

ilustrado por Viviana Garofoli

Este librito para la casa pertenece a:

____

Lectura y redacción de matemáticas

Este librito para la casa te servirá para repasar el significado de las palabras *más alto, más bajo* y *de aproximadamente la misma altura.*

PROCESOS MATEMÁTICOS K.1.A

El lunes voy a ir a la ciudad
a visitar a mi abuelita.

Mi abuelita vive en el edificio más alto de la cuadra. ¿Puedes encontrar ese edificio? ¿Y cuál es el edificio más bajo de la cuadra?

¡Mi abuelita tiene un jardín
en la azotea de su edificio!
La última vez que estuve de visita
sembramos unas semillas.

Después de sembradas las semillas,
empezaron a crecer las flores.
¡Mira cuánto han crecido hasta ahora!

Primero, yo recogí una flor. Luego, mi abuelita recogió otra flor. ¿Cuál de las flores es más baja?

Encierra en un círculo la tomatera más alta de la azotea.
Tacha la tomatera más baja.

¿Puedes ayudar a que florezca el jardín de mi abuelita? Dibuja una flor más alta. Dibuja una flor más baja.

Nombre ____________________

Escribe sobre las matemáticas

Repaso del vocabulario
bajo
alto

INSTRUCCIONES Mira el edificio y la calle. Dibuja un edificio alto y un edificio bajo. Dibuja una persona alta y una persona baja. Relata un cuento acerca de una cuadra de la ciudad. Pide a un amigo que diga cuáles edificios y personas son altas, y cuáles edificios y personas son bajas.

¿Baja o alta?

1

2

INSTRUCCIONES **1.** Mira las plantas. Encierra en un círculo las dos plantas que son de aproximadamente la misma altura. **2.** Mira las flores. Dibuja otra flor que sea más alta que la flor rosada y más baja que la flor amarilla.

Nombre ________________________________

Identificar los círculos

MANOS A LA OBRA

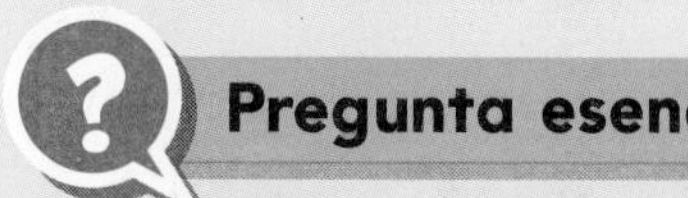

¿De qué manera puedes identificar, agrupar y describir los círculos?

Explora

curva

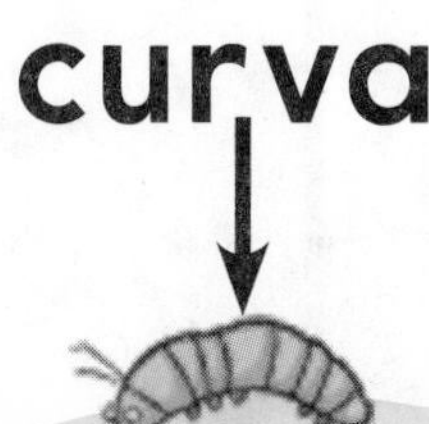

INSTRUCCIONES Traza el contorno del círculo con el dedo. Describe la curva. Traza el contorno del círculo con un lápiz o con un crayón.

Comparte y muestra

Son círculos.	No son círculos.

INSTRUCCIONES I. Usa figuras de dos dimensiones. Agrúpalas según si son círculos o no son círculos. Traza y colorea las figuras en el tapete para agrupar.

Nombre ___________________________________

2

INSTRUCCIONES **2.** Tacha con una X todos los círculos.

ACTIVIDAD PARA LA CASA • Pida a su niño que le muestre un objeto que tenga forma de círculo.

Procesos matemáticos
Representar • Razonar • Comunicar

Resolución de problemas

3

Escribe

Tarea diaria de evaluación

○

INSTRUCCIONES **3.** Mira tus figuras. Dibuja la figura que tiene una curva. Di a un amigo el nombre de la figura. **4.** Elige la respuesta correcta. ¿Cuál de estas figuras tiene un contorno curvo?

TEKS Geometría y medición: K.6.A, K.6.E
PROCESOS MATEMÁTICOS K.1.A

Nombre ____________________

17.1 Identificar los círculos

MANOS A LA OBRA

INSTRUCCIONES 1. Tacha con una X todos los círculos.

Repaso de la lección

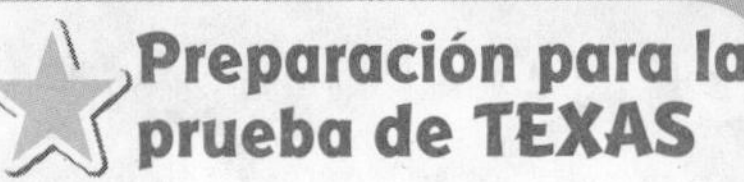

INSTRUCCIONES Elige la respuesta correcta. **2.** ¿Cuál de estas figuras es un círculo? **3.** ¿Cuál de estas figuras tiene un contorno curvo? **4.** ¿Cuál de estas figuras no es un círculo?

Nombre ________________________________

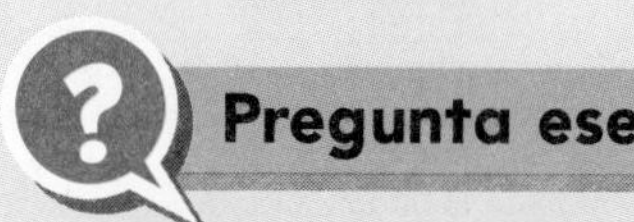

MANOS A LA OBRA

Identificar los triángulos

Pregunta esencial ¿De qué manera puedes identificar y describir los triángulos?

Explora

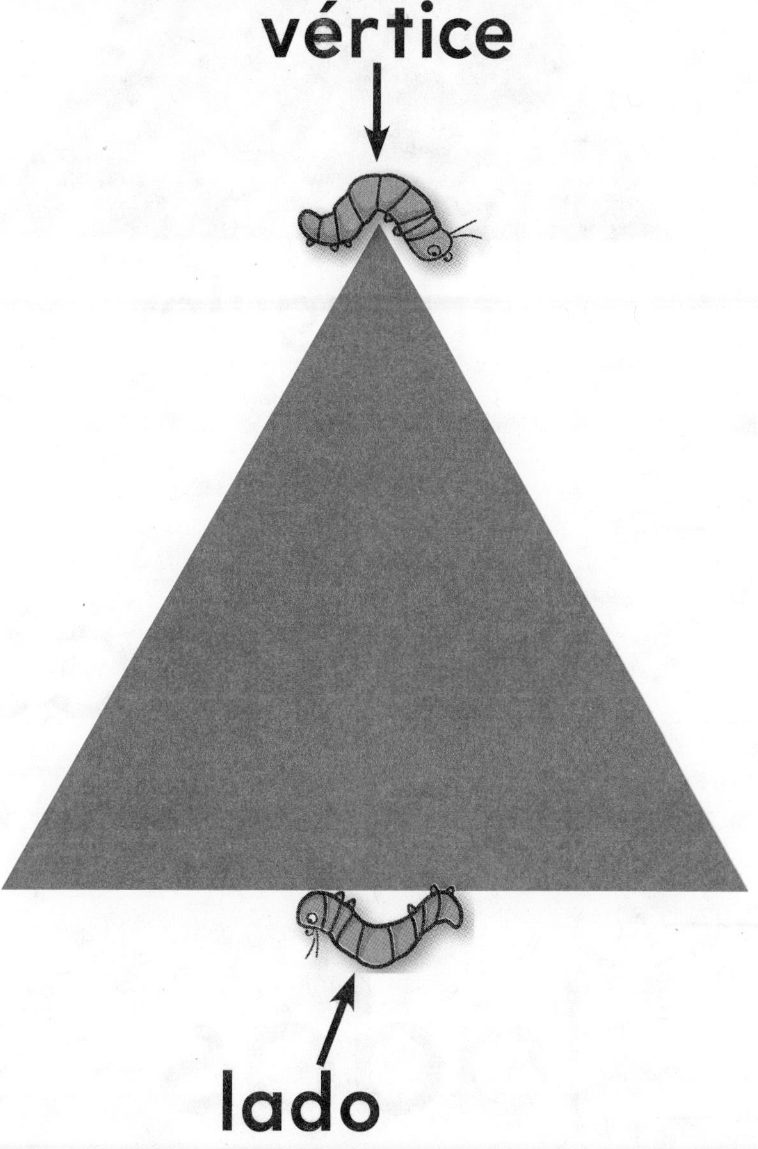

INSTRUCCIONES Traza el contorno del triángulo con el dedo. Di el número de lados rectos y el número de vértices que tiene. Dibuja una flecha que señale otro vértice. Traza el contorno del triángulo con un lápiz o con un crayón.

Comparte y muestra

triángulo

1 ✓ ____ vértices

2 ✓ ____ lados

INSTRUCCIONES **1.** Coloca una ficha sobre cada esquina, o vértice. Escribe cuántas esquinas, o vértices, hay. **2.** Traza los lados. Escribe cuántos lados hay.

Nombre ______________________________

3

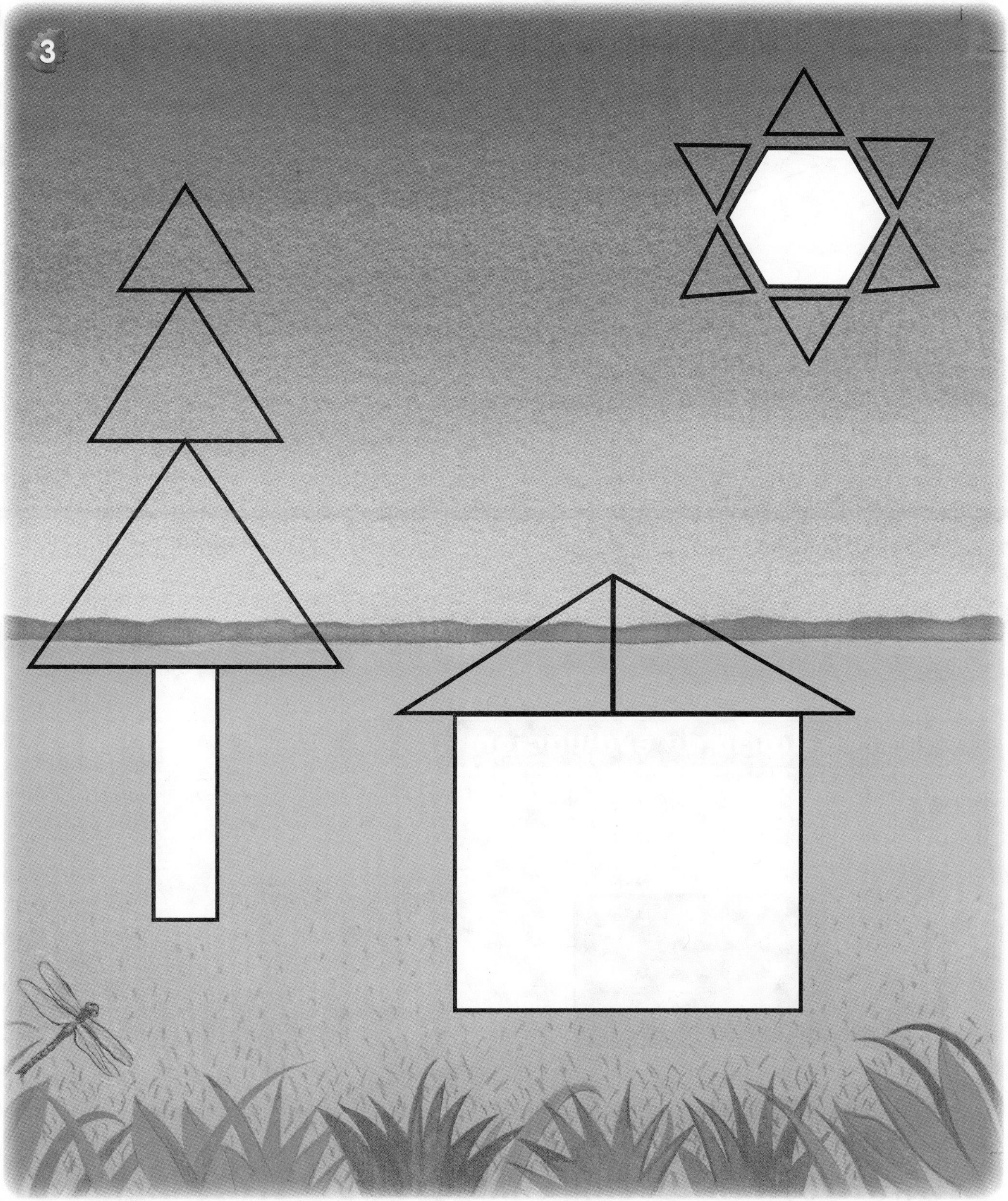

INSTRUCCIONES **3.** Colorea los triángulos de la ilustración.

ACTIVIDAD PARA LA CASA • Pida a su niño que le muestre un objeto que tenga forma de triángulo.

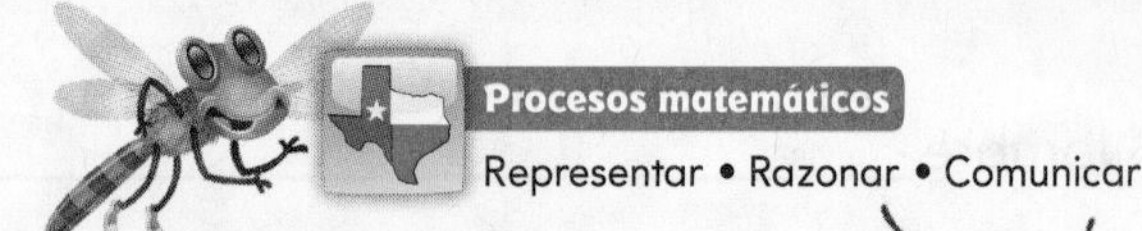

Resolución de problemas

Escribe

4

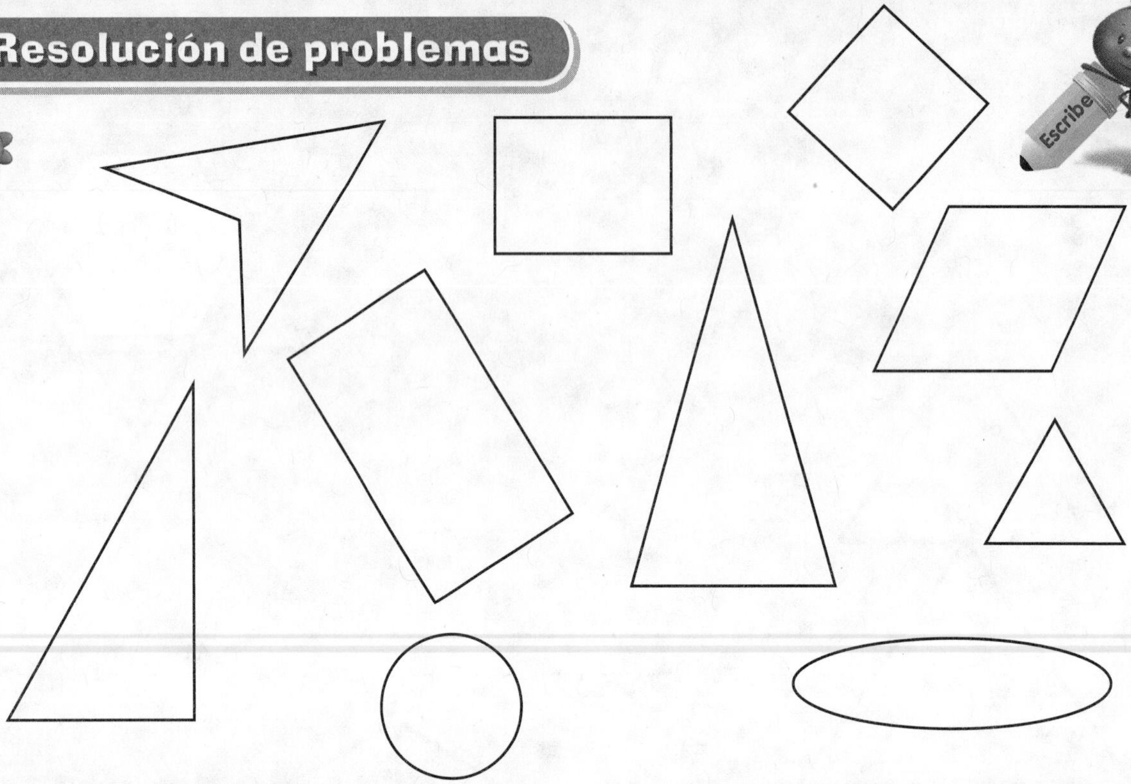

Tarea diaria de evaluación

5

○

INSTRUCCIONES 4. ¿Qué figuras son triángulos? Colorea esas figuras. 5. Elige la respuesta correcta. ¿Cuál de estas figuras tiene tres lados?

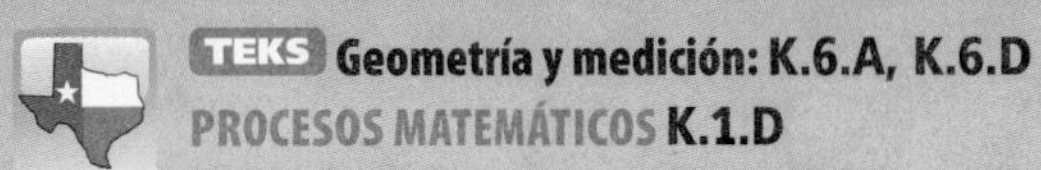

Nombre ______________________________

17.2 Identificar los triángulos

MANOS A LA OBRA

I

INSTRUCCIONES I. Colorea los triángulos de esta ilustración.

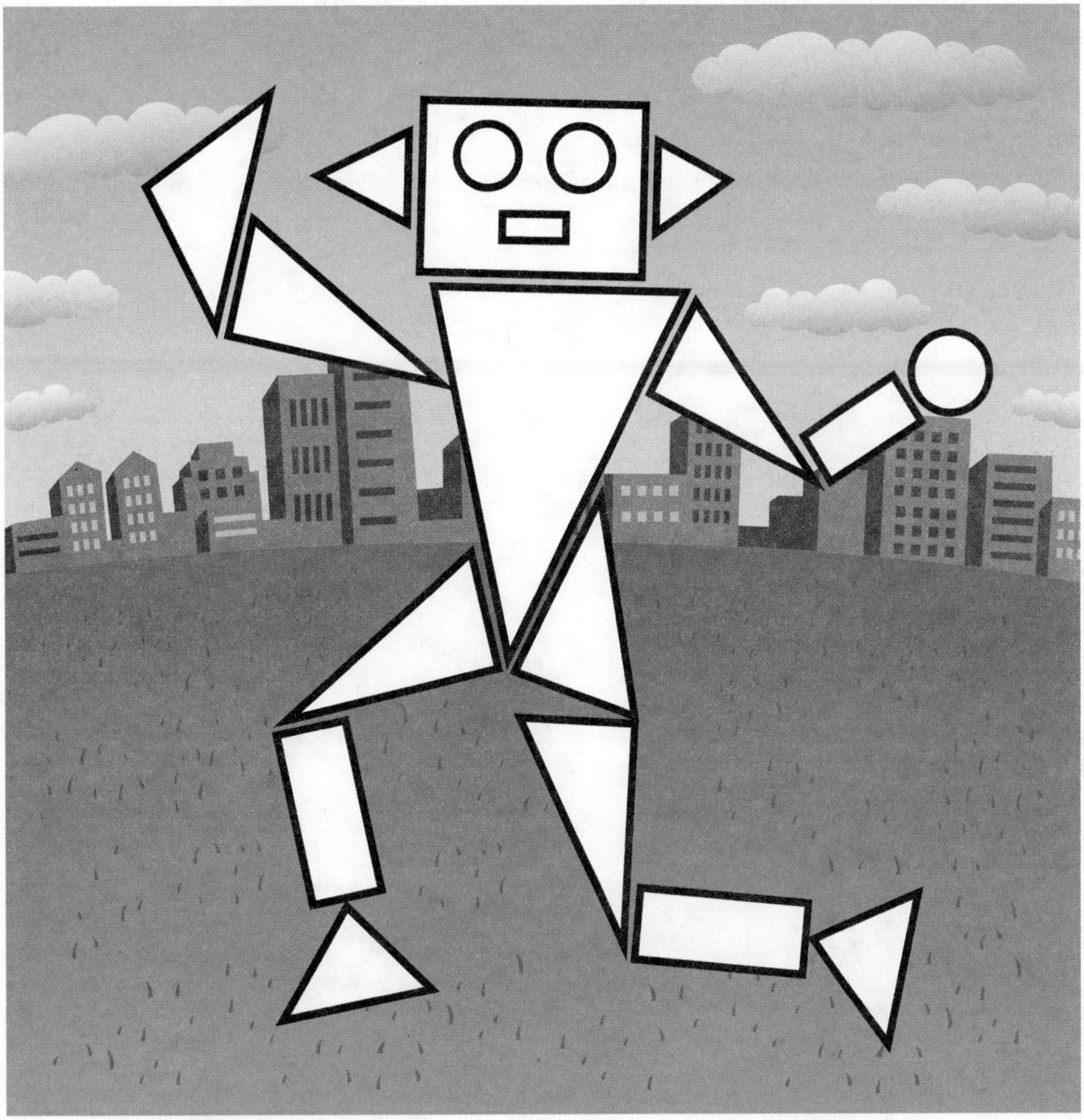

Repaso de la lección

Preparación para la prueba de TEXAS

2

○ ○

3

○ ○

4

○ ○

INSTRUCCIONES Elige la respuesta correcta. **2.** ¿Cuál de estas figuras no es un triángulo? **3.** ¿Cuál de estas figuras tiene tres lados? **4.** ¿Cuál de estas figuras tiene tres vértices?

Nombre ______________________________

TEKS Geometría y medición: K.6.A, K.6.D
PROCESOS MATEMÁTICOS K.1.A

17.3 Identificar los rectángulos

MANOS A LA OBRA

Pregunta esencial ¿De qué manera puedes identificar y describir los rectángulos?

Explora

Manos a la obra

INSTRUCCIONES Traza el contorno del rectángulo con el dedo. Di el número de lados y el número de vértices rectos que tiene. Dibuja una flecha que señale otro vértice recto. Traza el contorno del rectángulo con un lápiz o con un crayón.

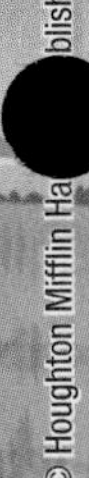

Comparte y muestra

rectángulo

___ vértices

___ lados

INSTRUCCIONES **1.** Coloca una ficha sobre cada esquina, o vértice. Escribe cuántas esquinas, o vértices, hay. **2.** Traza los lados. Escribe cuántos lados hay.

Nombre ______________________________

3

INSTRUCCIONES **3.** Tacha con una X todos los rectángulos.

ACTIVIDAD PARA LA CASA • Pida a su niño que describa un rectángulo.

Escribe

Resolución de problemas

Tarea diaria de evaluación

5

○

INSTRUCCIONES **4.** Dibuja una figura que tenga 4 lados rectos y 4 vértices rectos. Di a un amigo el nombre de la figura. **5.** Elige la respuesta correcta. ¿Cuál de estas figuras tiene cuatro lados y cuatro vértices rectos?

TEKS Geometría y medición: K.6.A, K.6.D
PROCESOS MATEMÁTICOS K.1.A

Nombre ____________________

17.3 Identificar los rectángulos

MANOS A LA OBRA

1

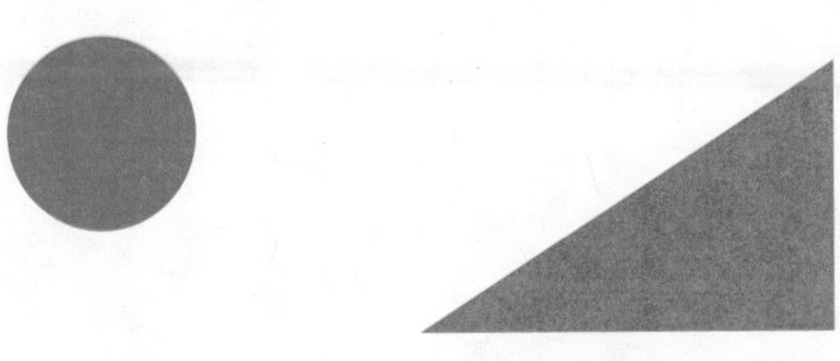

INSTRUCCIONES 1. Tacha con una X todos los rectángulos.

Repaso de la lección

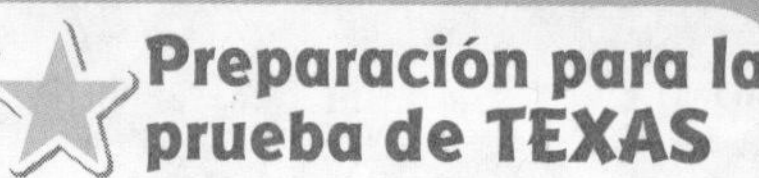

INSTRUCCIONES Elige la respuesta correcta. **2.** ¿Cuál de estas figuras tiene cuatro lados y cuatro vértices? **3.** Esta figura no es un rectángulo. ¿Qué figura es? **4.** ¿Cuál de estas figuras es un rectángulo?

Nombre ______________________________

MANOS A LA OBRA

Identificar los cuadrados

Pregunta esencial ¿De qué manera puedes identificar, agrupar y describir los cuadrados?

Explora

vértice

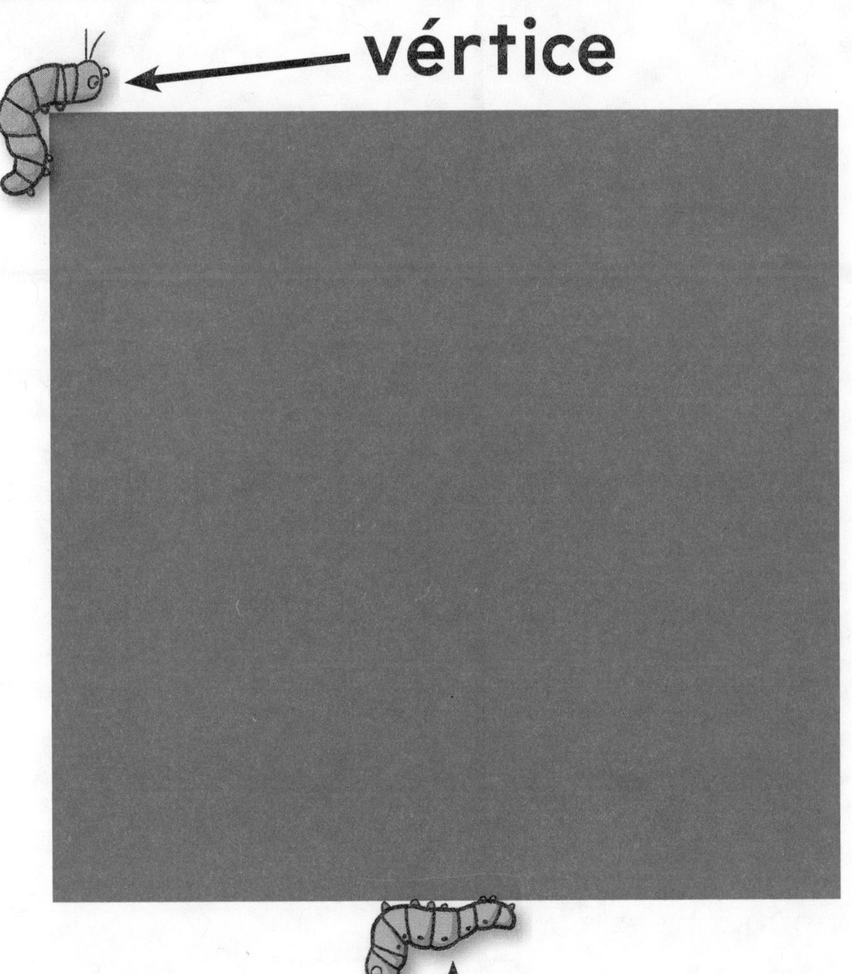

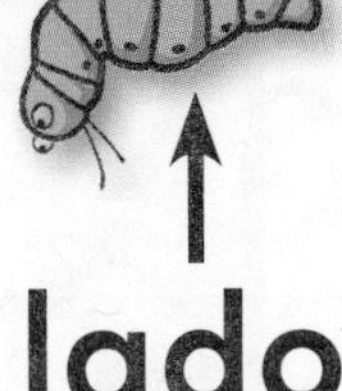

lado

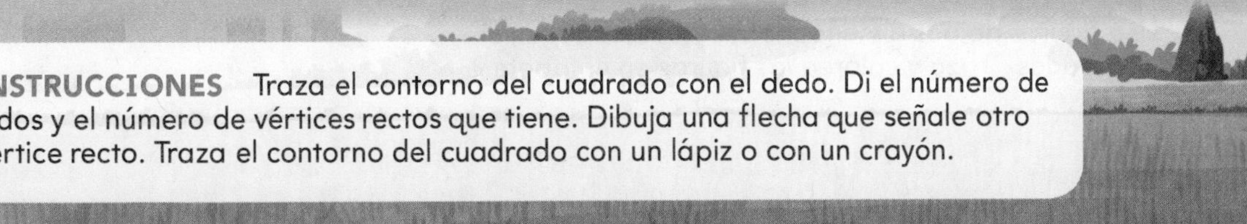

INSTRUCCIONES Traza el contorno del cuadrado con el dedo. Di el número de lados y el número de vértices rectos que tiene. Dibuja una flecha que señale otro vértice recto. Traza el contorno del cuadrado con un lápiz o con un crayón.

Comparte y muestra

Son cuadrados.	No son cuadrados.

INSTRUCCIONES **I.** Usa figuras de dos dimensiones. Agrúpalas según si son cuadrados o no son cuadrados. Traza y colorea las figuras en el tapete para agrupar.

Nombre ________________________________

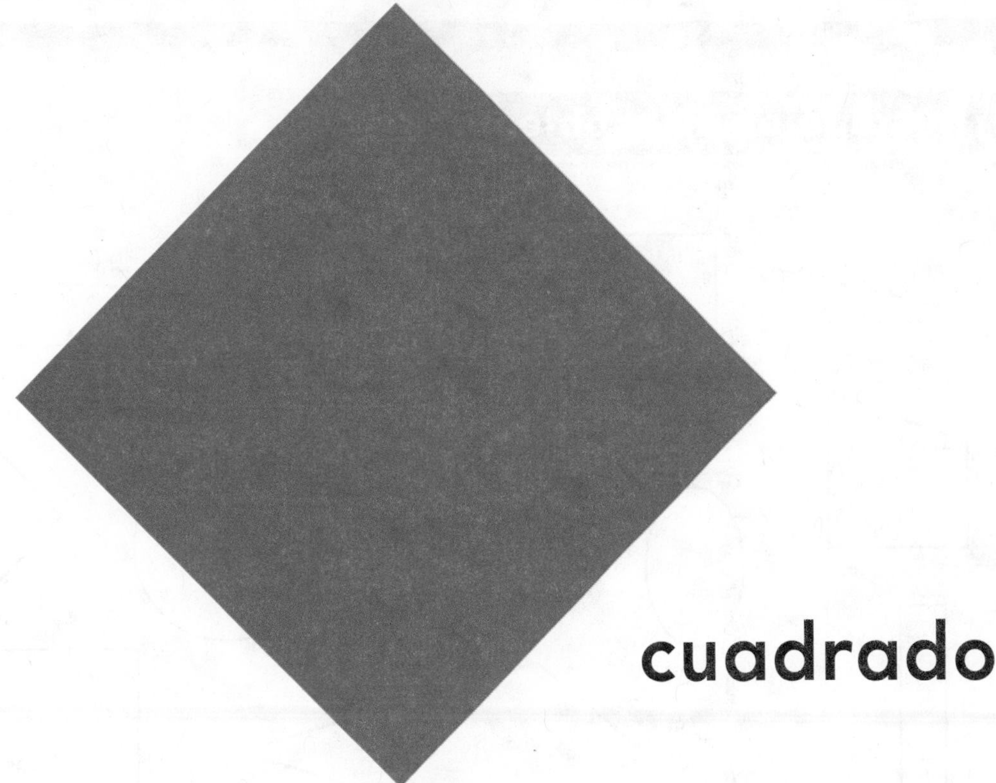

___ vértices

___ lados

INSTRUCCIONES **2.** Coloca una ficha sobre cada esquina, o vértice. Escribe cuántas esquinas, o vértices, hay. **3.** Traza los lados. Escribe cuántos lados hay.

ACTIVIDAD PARA LA CASA • Pida a su niño que le muestre un objeto que tenga forma de cuadrado.

Procesos matemáticos
Representar • Razonar • Comunicar

Escribe

Resolución de problemas

4

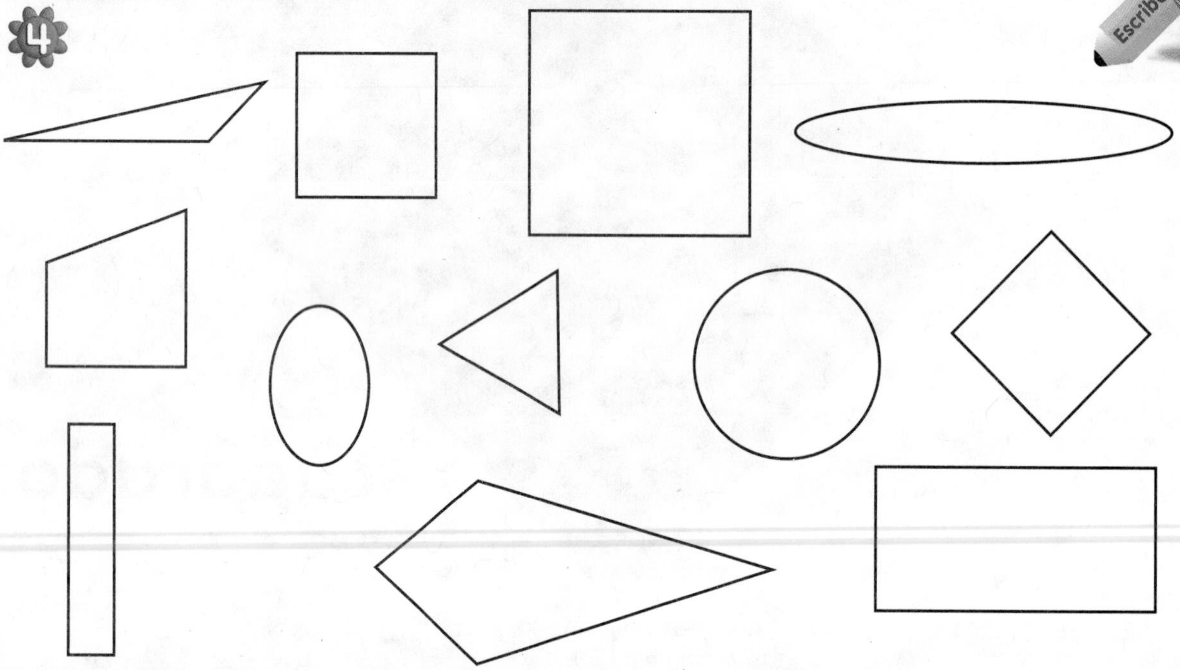

Tarea diaria de evaluación

5

○ ○

INSTRUCCIONES 4. ¿Cuáles de estas figuras son cuadrados? Táchalas con una X.
5. Elige la respuesta correcta. ¿Cuál de estas figuras tiene cuatro lados de la misma longitud y cuatro vértices rectos?

TEKS Geometría y medición: K.6.A, K.6.D, K.6.E
PROCESOS MATEMÁTICOS K.1.D

Nombre ______________________

17.4 Identificar los cuadrados

MANOS A LA OBRA

1

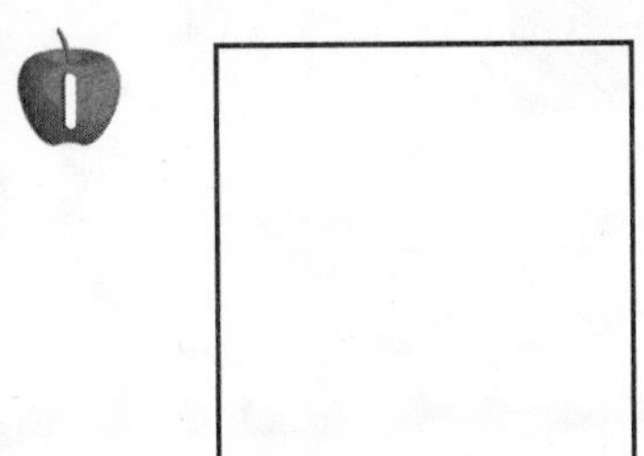
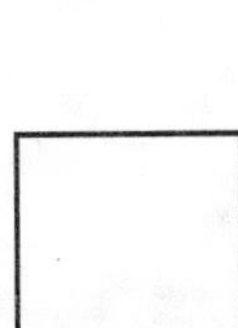
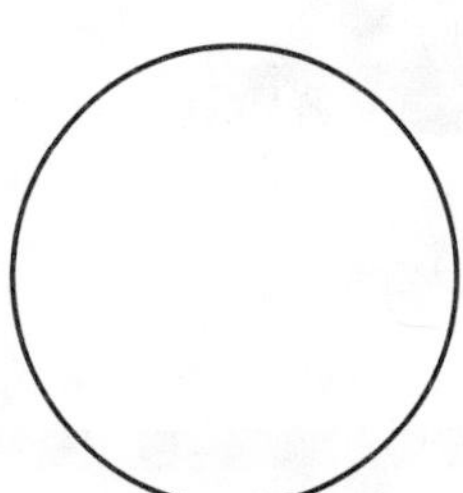
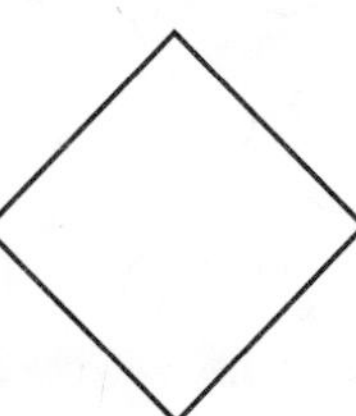

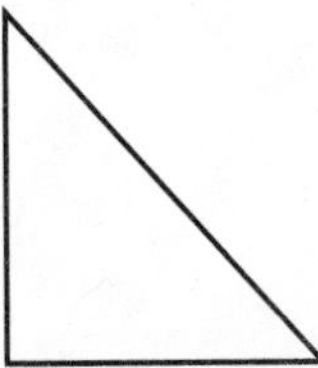
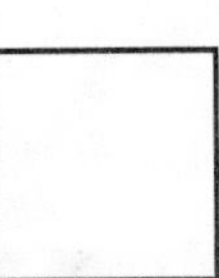

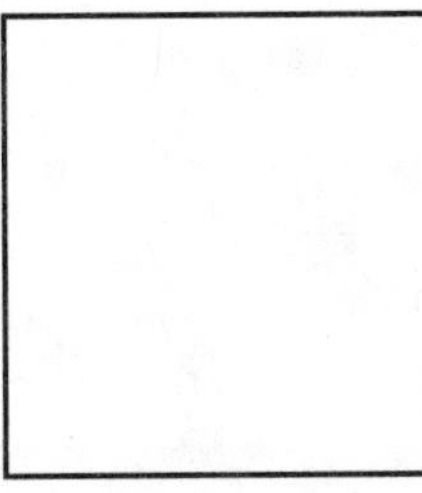

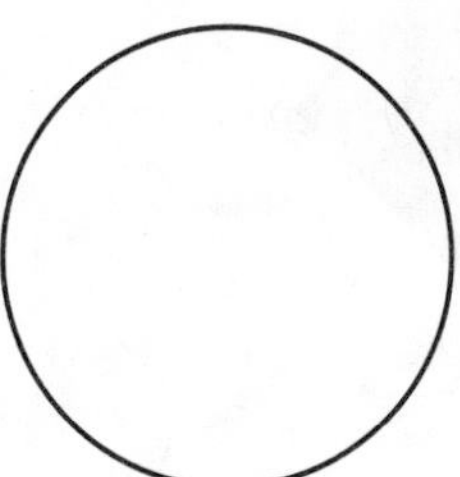
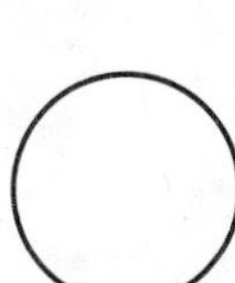
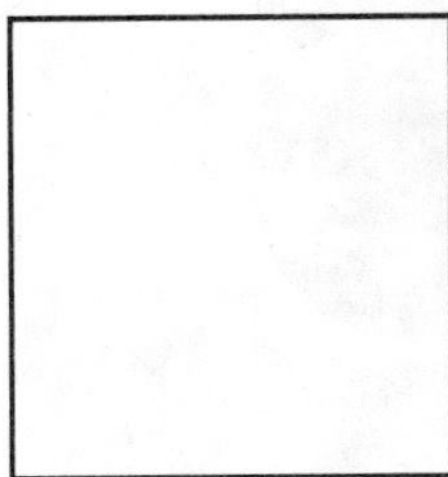
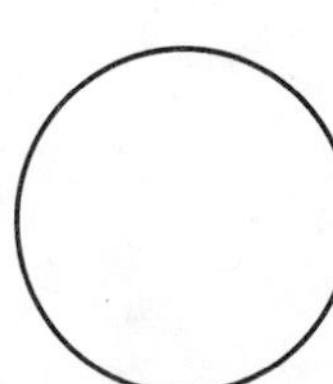

INSTRUCCIONES **1 y 2.** Identifica y nombra los cuadrados. Colorea los cuadrados. **3.** Identifica y nombra las figuras que no son cuadrados. Colorea esas figuras.

Repaso de la lección

Preparación para la prueba de TEXAS

4

○ ○

5

○ ○

6

○ ○

INSTRUCCIONES Elige la respuesta correcta. **4.** Haz una marca debajo de la figura que tiene cuatro vértices rectos y cuatro lados. **5.** Haz una marca debajo de la figura que tiene tres vértices y tres lados. **6.** Haz una marca debajo de la figura que es un cuadrado.

Nombre ______________________________

TEKS Geometría y medición: K.6.F, K.6.A
PROCESOS MATEMÁTICOS K.1.B, K.1.C

17.5 RESOLUCIÓN DE PROBLEMAS • Crear figuras

MANOS A LA OBRA

Pregunta esencial ¿De qué manera puedes usar la estrategia de *hacer un dibujo* para resolver problemas?

Soluciona el problema

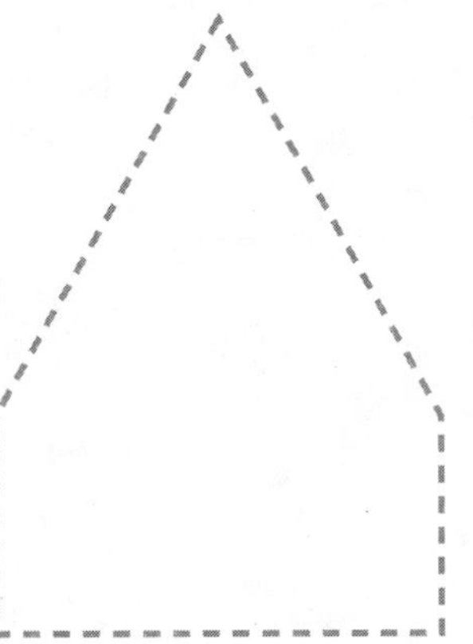

INSTRUCCIONES ¿Qué figuras pueden unirse para formar la figura más grande? Enciérralas en un círculo. Traza y colorea las figuras que uses.

Haz otro problema

1

INSTRUCCIONES **1.** ¿De qué manera puedes unir algunos de los rectángulos pequeños para formar un cuadrado? Usa rectángulos para formar un cuadrado. Dibuja el cuadrado que formes. **2.** ¿De qué manera puedes unir algunos rectángulos para formar un rectángulo grande que no sea un cuadrado? Usa rectángulos para formar un rectángulo grande. Dibuja el rectángulo que formes.

Nombre ____________________

Comparte y muestra

INSTRUCCIONES **3.** Usa figuras de dos dimensiones para hacer una corona de rectángulos y triángulos. Dibuja la corona que hagas. **4.** Usa 3 figuras de dos dimensiones diferentes. Únelas para formar una figura nueva. Traza y dibuja la figura que formes.

ACTIVIDAD PARA LA CASA • Pida a su niño que una algunas figuras para formar una figura más grande. Luego, pídale que le describa la figura.

Tarea diaria de evaluación

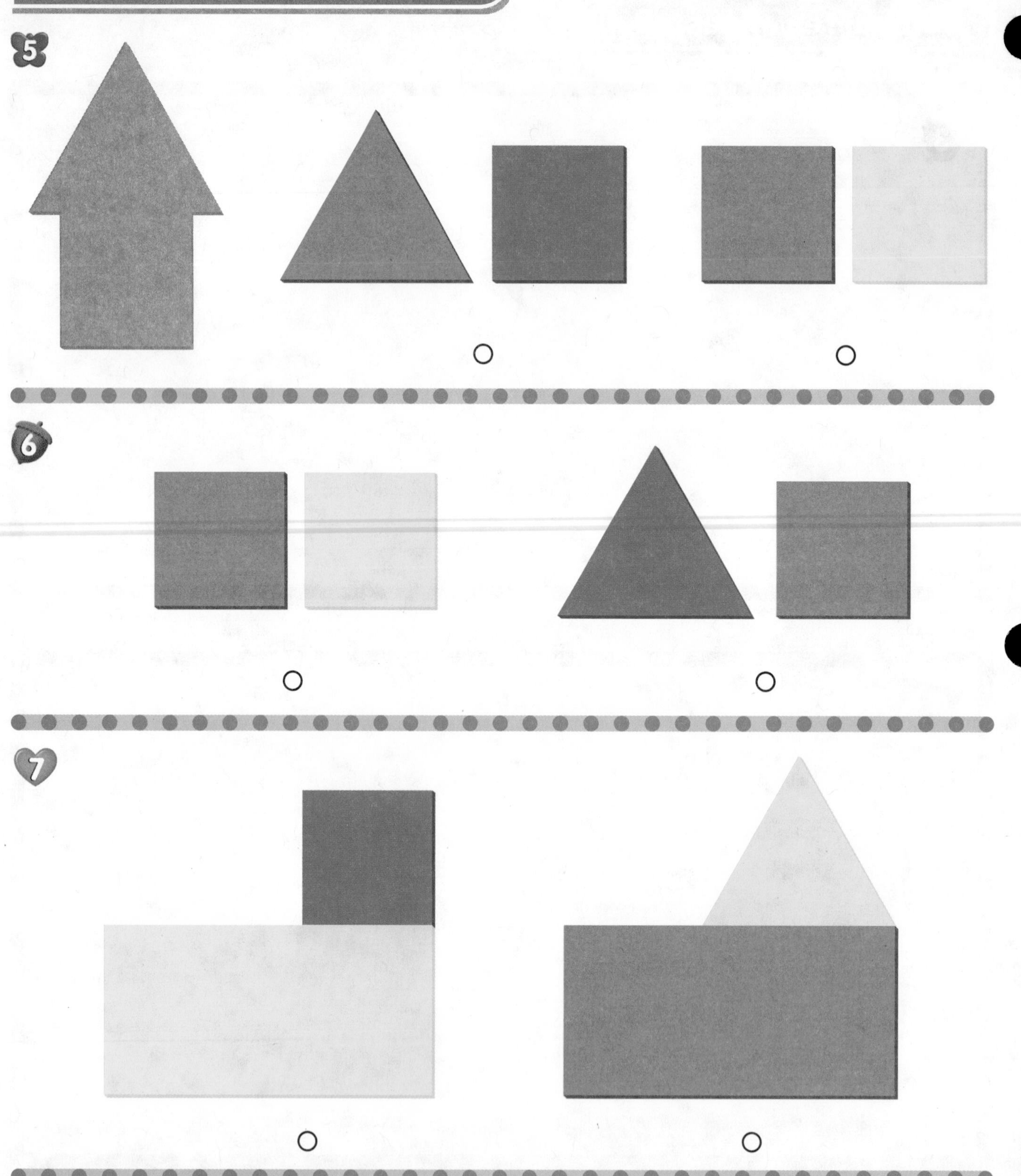

INSTRUCCIONES Elige la respuesta correcta. **5.** ¿Qué dos figuras se usaron para formar la figura gris? **6.** Jackson usó dos figuras para formar un rectángulo. ¿Cuáles son las dos figuras que usó? **7.** ¿Cuál de estas figuras se formó con dos rectángulos?

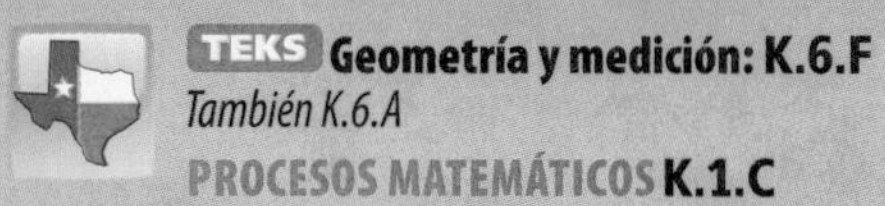

TEKS Geometría y medición: K.6.F
También K.6.A
PROCESOS MATEMÁTICOS K.1.C

Nombre ______________________

17.5 MANOS A LA OBRA

RESOLUCIÓN DE PROBLEMAS • Crear figuras

INSTRUCCIONES **1.** ¿De qué manera puedes unir los dos cuadrados para formar un rectángulo? Dibuja el rectángulo. **2.** ¿De qué manera puedes unir algunos rectángulos para formar un rectángulo más grande? Dibuja el rectángulo que formaste.

Repaso de la lección

Preparación para la prueba de TEXAS

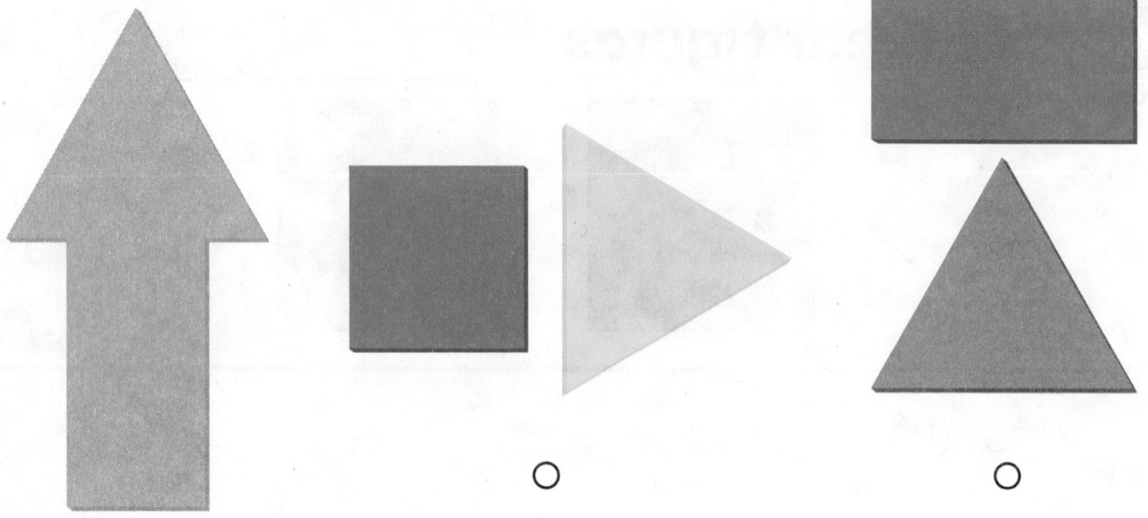

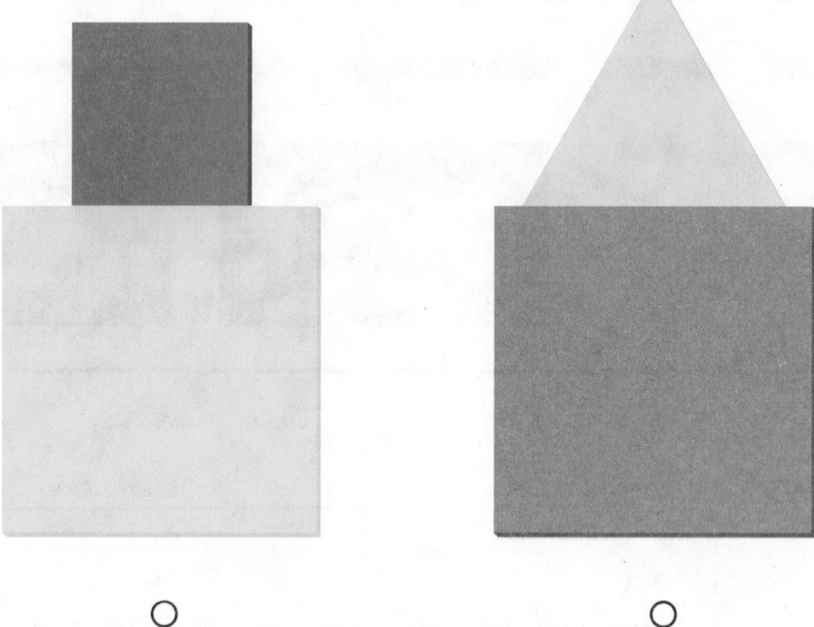

INSTRUCCIONES Elige la respuesta correcta. **3.** ¿Qué dos figuras se usaron para formar la figura gris? **4.** Jeff unió un cuadrado y un triángulo para formar una figura. ¿Qué figura formó Jeff?

Nombre ____________________

Evaluación del Módulo 17

Conceptos y destrezas

______ lados

______ vértices

______ lados

______ vértices

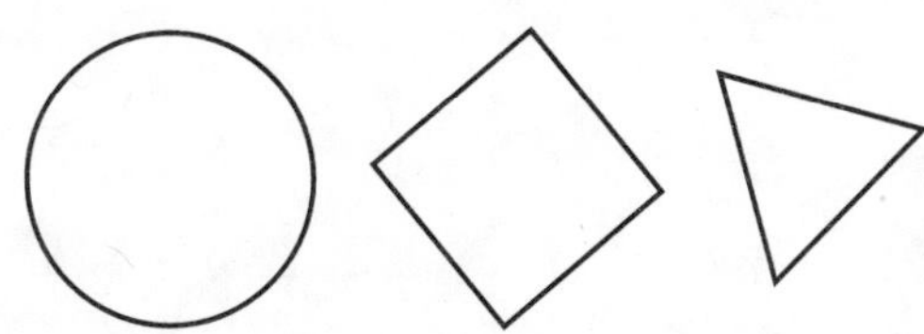

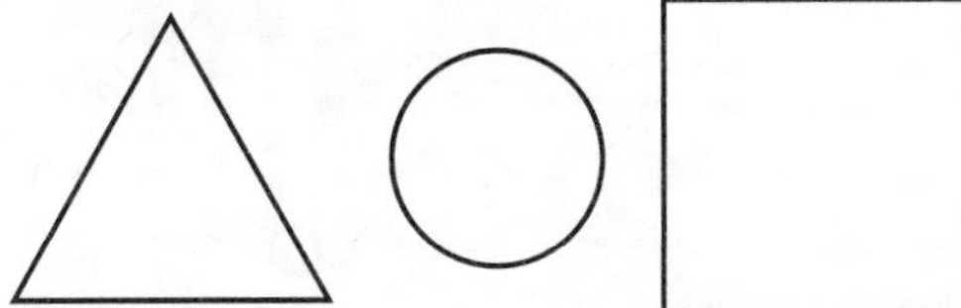

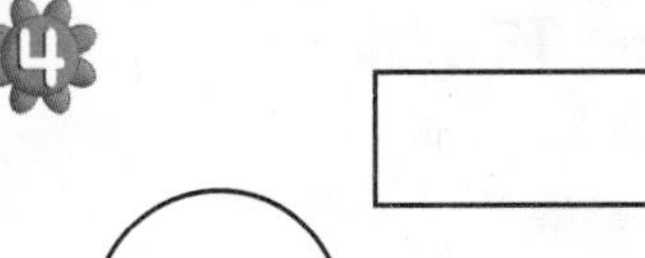

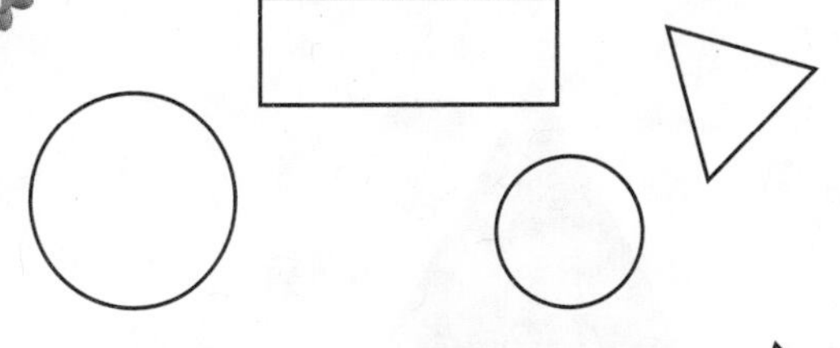

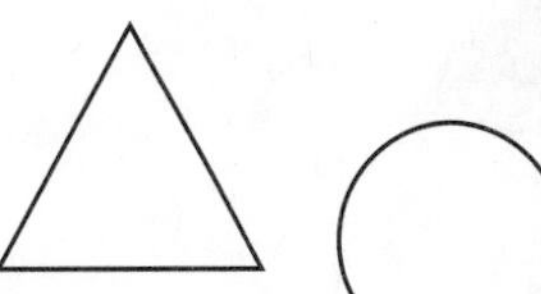

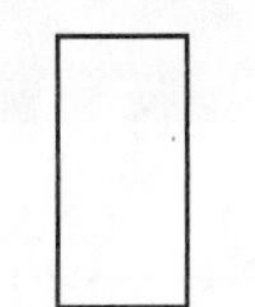

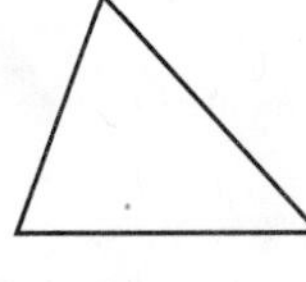

INSTRUCCIONES **1 y 2.** Traza el contorno de cada figura. Escribe cuántos lados tienen. Coloca una ficha sobre cada esquina, o vértice. Escribe cuántos vértices hay. TEKS K.6.D **3.** Colorea todos los círculos. TEKS K.6.A **4.** Colorea todos los triángulos. TEKS K.6.A

Preparación para la prueba de TEXAS

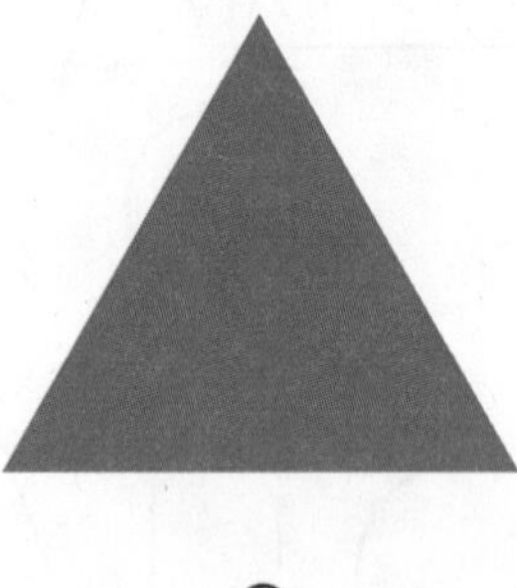

○ ○ ○

INSTRUCCIONES **5.** Colorea todos los rectángulos. TEKS K.6.A **6.** Colorea todos los cuadrados. TEKS K.6.A **7.** Usa 3 cuadrados pequeños para formar un rectángulo. Dibuja y colorea las figuras que uses. TEKS K.6.F **8.** Haz una marca debajo de la figura que es un triángulo. TEKS K.6.A, K.6.D

Nombre ___

TEKS Geometría y medición: K.6.B
También K.6.E, K.8.A

PROCESOS MATEMÁTICOS
K.1.A, K.1.E

18.1 Identificar los cilindros

MANOS A LA OBRA

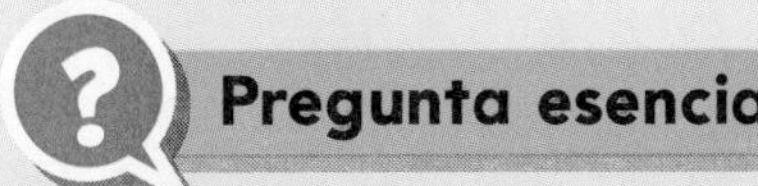

Pregunta esencial ¿De qué manera puedes agrupar, clasificar e identificar los cilindros?

Explora En el mundo

Es un cilindro.	No es un cilindro.

INSTRUCCIONES Usa figuras de tres dimensiones e identifica el cilindro. Agrupa las figuras. Describe el cilindro. Empareja las figuras del tapete con sus ilustraciones. Pega las ilustraciones de las figuras para mostrar cómo las agrupaste.

Comparte y muestra

cilindro

superficie plana

superficie curva

______ **superficies planas**

INSTRUCCIONES **1.** Mira el cilindro. Encierra en un círculo las palabras que describen un cilindro. **2.** Toma un cilindro y cuenta cuántas superficies planas tiene. Escribe el número.

Nombre ______________________________

3

ATÚN

HACIA ARRIBA

FRÁGIL

INSTRUCCIONES **3.** Identifica los objetos que tienen forma de cilindro. Táchalos con una X.

ACTIVIDAD PARA LA CASA • Pida a su niño que identifique y que describa un objeto de la casa que tenga forma de cilindro.

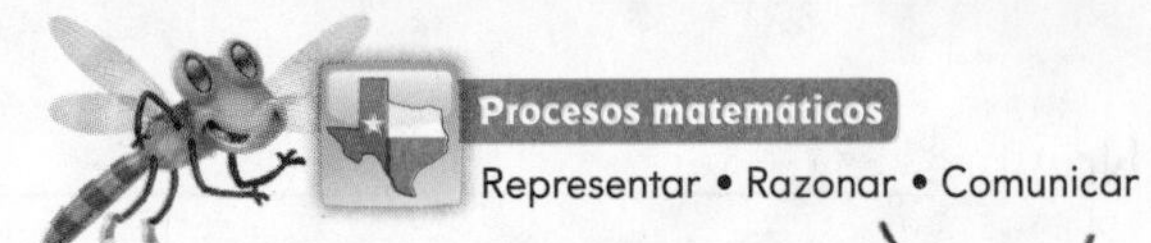

Resolución de problemas

4

Escribe

Tarea diaria de evaluación

5

○ ○

INSTRUCCIONES 4. Tengo dos superficies planas que son círculos. ¿Qué figura soy? Tacha con una X esa figura. 5. Elige la respuesta correcta. ¿Qué objeto tiene forma de cilindro?

Tarea y práctica

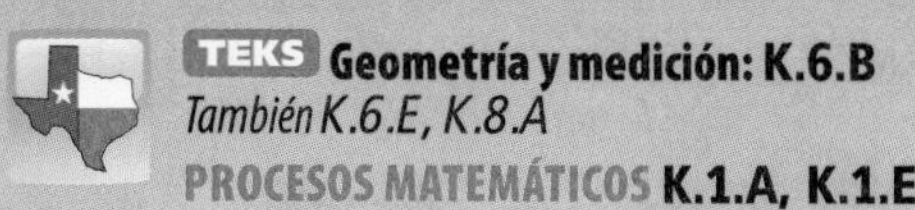

Nombre ___________________________

18.1 Identificar los cilindros

MANOS A LA OBRA

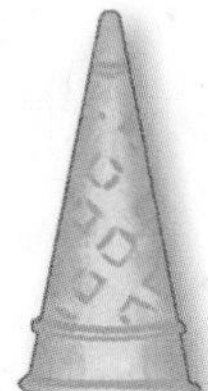

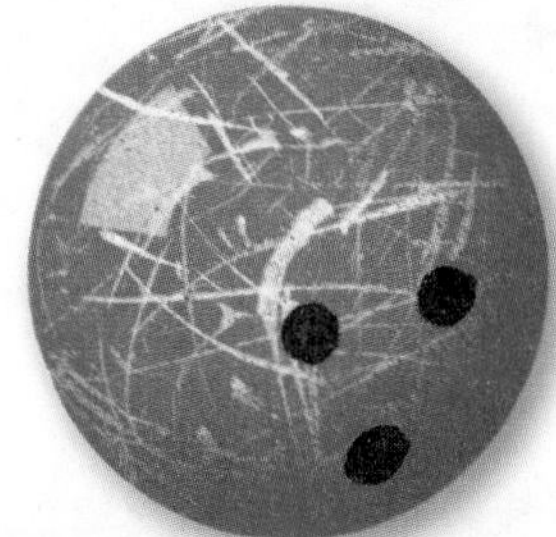

INSTRUCCIONES **1 a 3.** Identifica el objeto que tiene forma de cilindro. Táchalo con una X.

Repaso de la lección

○ ○

5

○ ○

6

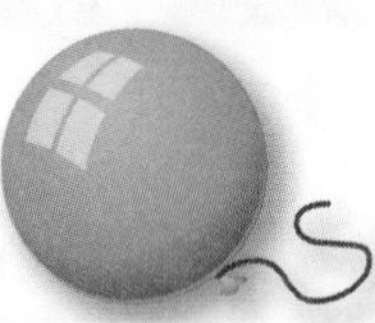

○ ○

INSTRUCCIONES Elige la respuesta correcta. **4.** ¿Cuál de estos objetos tiene forma de cilindro? **5.** ¿Cuál de estos objetos tiene superficies planas y superficies curvas? **6.** ¿Cuál de estos objetos tiene 2 superficies planas?

Nombre ____________________________

Identificar los conos

MANOS A LA OBRA

Pregunta esencial ¿De qué manera puedes agrupar, clasificar e identificar los conos?

Explora En el mundo

Es un cono.	No es un cono.

INSTRUCCIONES Usa figuras de tres dimensiones e identifica el cono. Agrupa las figuras. Describe el cono. Empareja las figuras del tapete con sus ilustraciones. Pega las ilustraciones de las figuras para mostrar cómo las agrupaste.

Comparte y muestra

cono

superficie plana

superficie curva

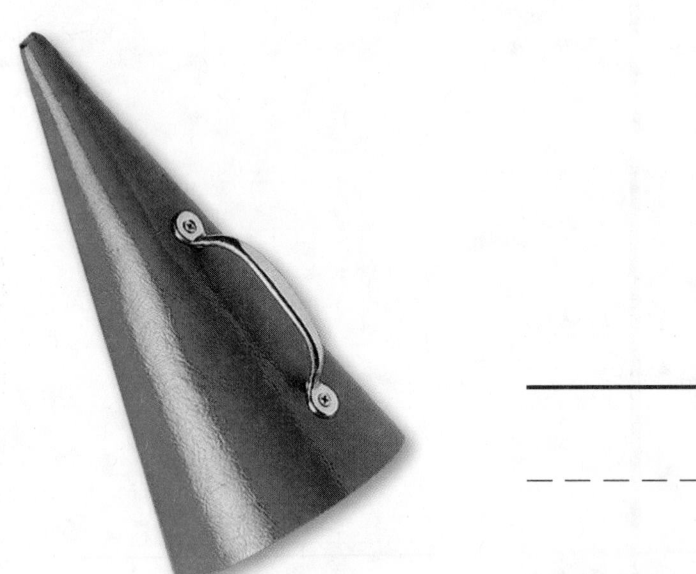

______ superficie plana

INSTRUCCIONES **1.** Mira el cono. Encierra en un círculo las palabras que describen un cono. **2.** Toma un cono y cuenta cuántas superficies planas tiene. Escribe el número.

Nombre _______________

3

INSTRUCCIONES **3.** Identifica los objetos que tienen forma de cono. Táchalos con una X.

ACTIVIDAD PARA LA CASA • Pida a su niño que identifique y que describa un objeto de la casa que tenga forma de cono.

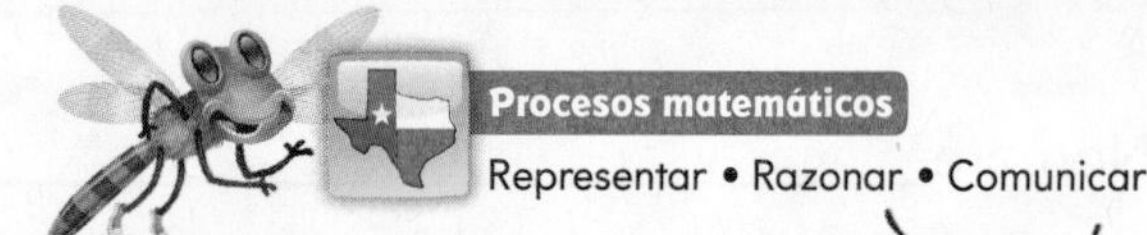

Resolución de problemas

4

Escribe

Tarea diaria de evaluación

5

○ ○

INSTRUCCIONES **4.** Tengo una superficie curva y una superficie plana. ¿Qué figura soy? Tacha con una X esa figura. **5.** Elige la respuesta correcta. ¿Cuál de estos sombreros tiene forma de cono?

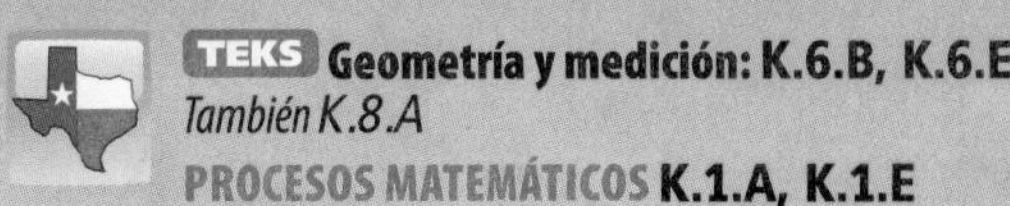

Nombre ______________________

18.2 Identificar los conos

MANOS A LA OBRA

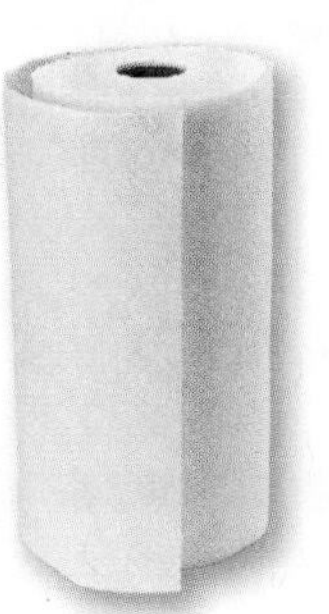

INSTRUCCIONES **1 a 3.** Identifica el objeto que tiene forma de cono. Táchalo con una X.

Repaso de la lección

Preparación para la prueba de TEXAS

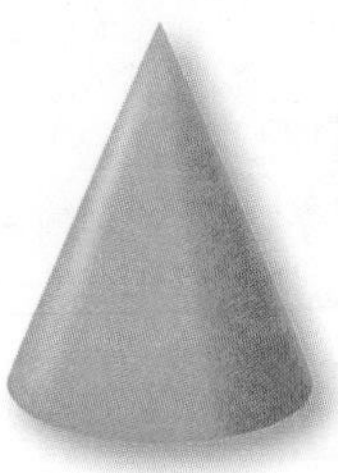

○ ○

5

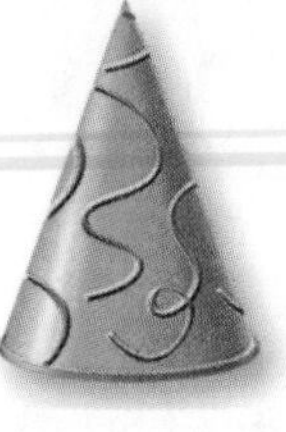

○ ○

6

○ ○

INSTRUCCIONES Elige la respuesta correcta.
4. ¿Cuál de estos bloques tiene forma de cono?
5. ¿Cuál de estos objetos no es un cono? **6.** ¿Cuál de estos objetos tiene una superficie plana y una superficie curva?

Nombre ____________________________

Geometría y medición: K.6.B, K.6.E *También K.8.A*

PROCESOS MATEMÁTICOS
K.1.A, K.1.E

Identificar las esferas

MANOS A LA OBRA

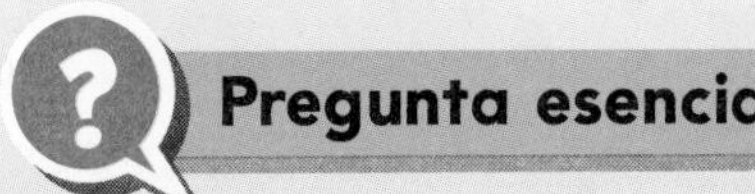

¿De qué manera puedes agrupar, clasificar e identificar las esferas?

Explora

Es una esfera.	No es una esfera.

INSTRUCCIONES Usa figuras de tres dimensiones e identifica la esfera. Agrupa las figuras. Describe la esfera. Empareja las figuras del tapete con sus ilustraciones. Pega las ilustraciones de las figuras para mostrar cómo las agrupaste.

1 **esfera**

superficie plana

superficie curva

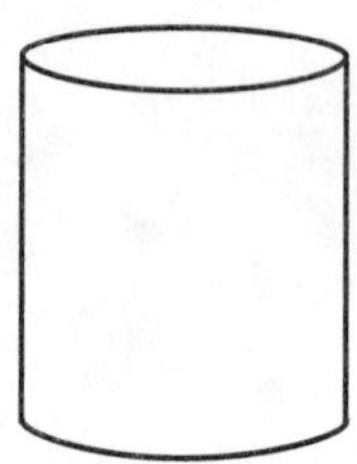
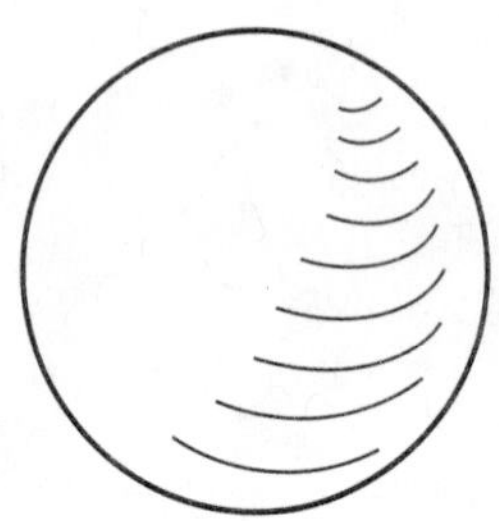

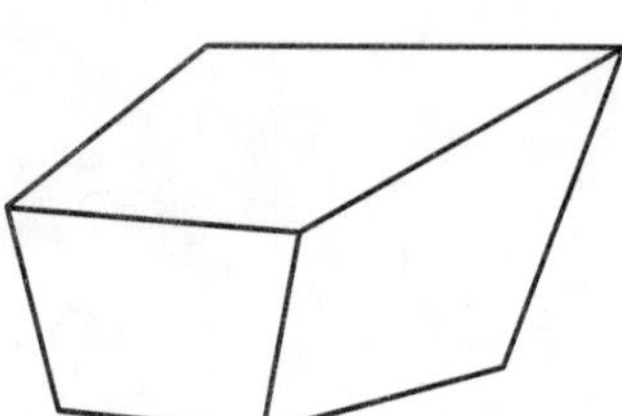

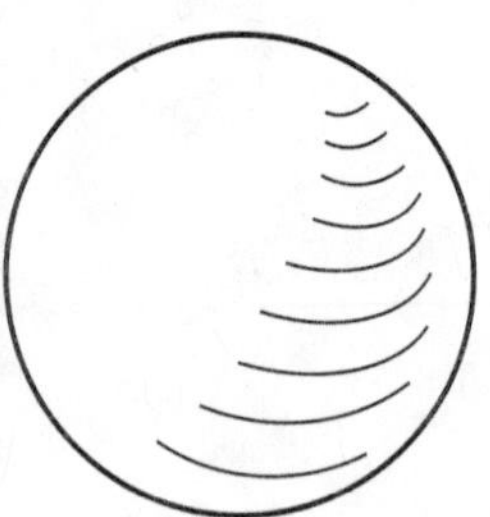

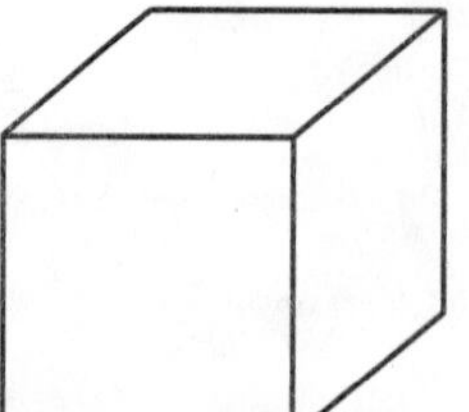
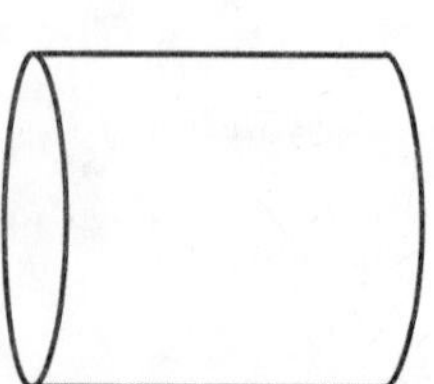

INSTRUCCIONES **1.** Mira la esfera. Encierra en un círculo las palabras que describen una esfera. **2.** Colorea las esferas.

Nombre ____________________

3

INSTRUCCIONES **3.** Identifica los objetos que tienen forma de esfera. Táchalos con una X.

ACTIVIDAD PARA LA CASA • Pida a su niño que identifique y que describa un objeto de la casa que tenga forma de esfera.

Procesos matemáticos
Representar • Razonar • Comunicar

Resolución de problemas

Escribe

4

Tarea diaria de evaluación

5

○ ○

INSTRUCCIONES **4.** Tengo una superficie curva. ¿Qué figura soy? Tacha con una X esa figura. **5.** Elige la respuesta correcta. ¿Cuál de estas figuras no es una esfera?

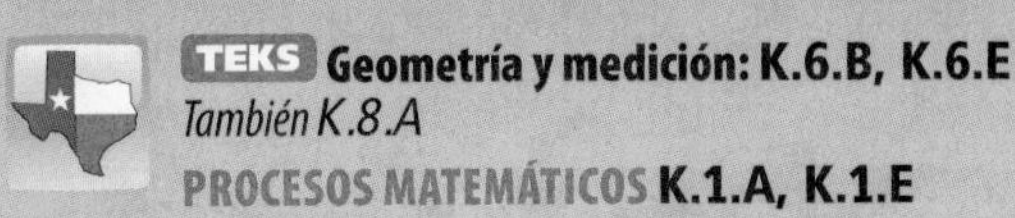

Nombre ____________________

18.3 Identificar las esferas

MANOS A LA OBRA

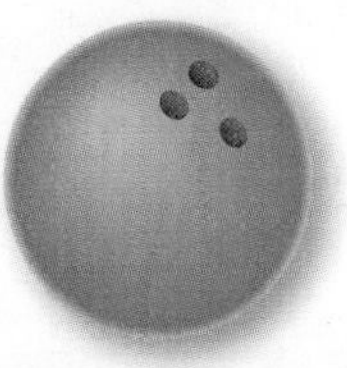

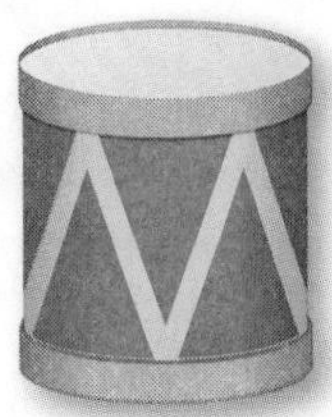

INSTRUCCIONES **1 a 3.** Identifica el objeto que tiene forma de esfera. Táchalo con una X.

Repaso de la lección

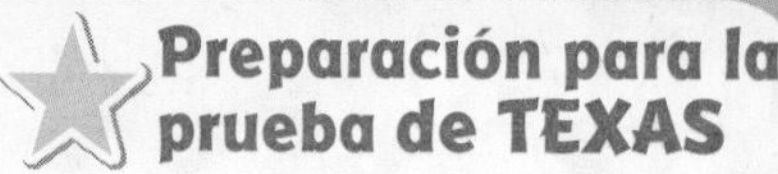

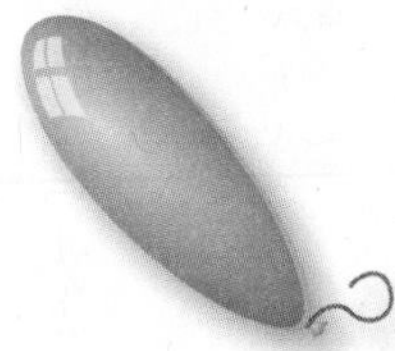

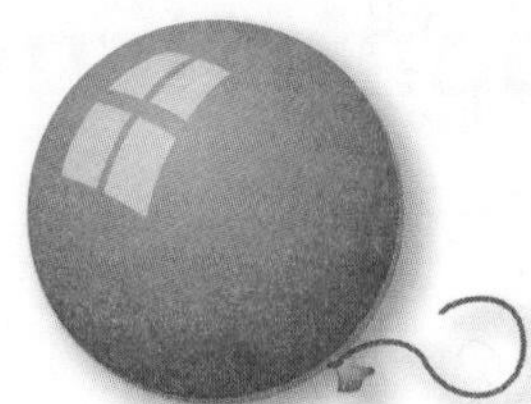

○ ○

5

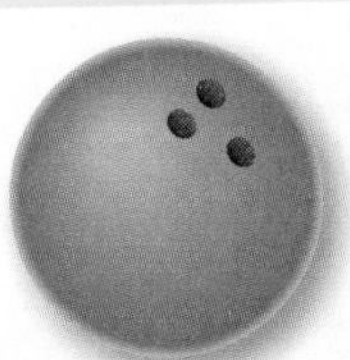

○ ○

6

○ ○

INSTRUCCIONES Elige la respuesta correcta.
4. ¿Cuál de estos globos tiene forma de esfera?
5. ¿Cuál de estos objetos tiene forma de esfera?
6. ¿Cuál de estos objetos tiene una superficie curva?

Nombre ______________________________

PROCESOS MATEMÁTICOS
K.1.A, K.1.E

Identificar los cubos

MANOS A LA OBRA

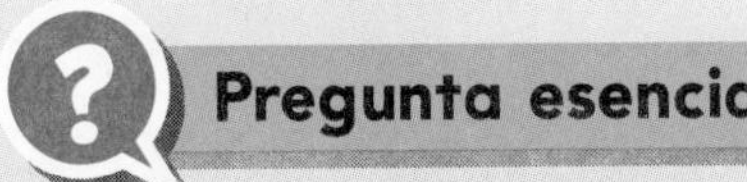

¿De qué manera puedes agrupar, clasificar e identificar los cubos?

Explora

Es un cubo.	No es un cubo.

INSTRUCCIONES Usa figuras de tres dimensiones e identifica el cubo. Agrupa las figuras. Describe el cubo. Empareja las figuras del tapete con sus ilustraciones. Pega las ilustraciones de las figuras para mostrar cómo las agrupaste.

Comparte y muestra

cubo

superficie plana

superficie curva

_____ superficies planas

INSTRUCCIONES **I.** Mira el cubo. Encierra en un círculo las palabras que describen un cubo. **2.** Toma un cubo y cuenta cuántas superficies planas tiene. Escribe el número.

Nombre ____________________________________

Béisbol

INSTRUCCIONES **3.** Identifica los objetos que tienen forma de cubo. Táchalos con una X.

ACTIVIDAD PARA LA CASA • Pida a su niño que identifique y que describa un objeto de la casa que tenga forma de cubo.

Procesos matemáticos
Representar • Razonar • Comunicar

Escribe

Resolución de problemas

Tarea diaria de evaluación

5

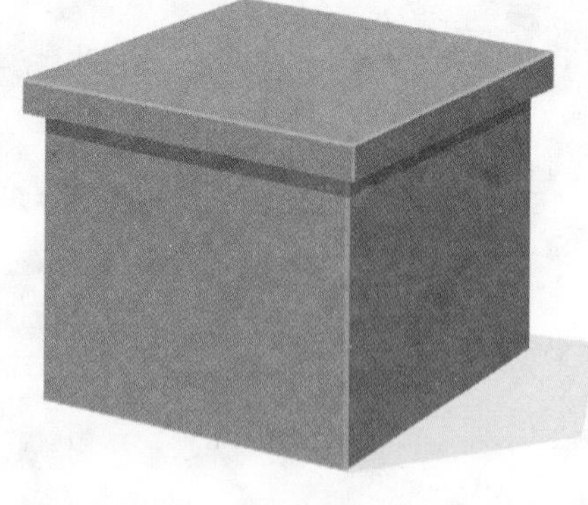

○ ○

INSTRUCCIONES **4.** Tengo 6 superficies planas. ¿Qué figura soy? Tacha con una X esa figura. **5.** Elige la respuesta correcta. ¿Cuál de estos objetos tiene forma de cubo?

TEKS Geometría y medición: K.6.B, K.6.E
También K.8.A
PROCESOS MATEMÁTICOS K.1.A, K.1.E

Nombre ____________________

18.4 Identificar los cubos

MANOS A LA OBRA

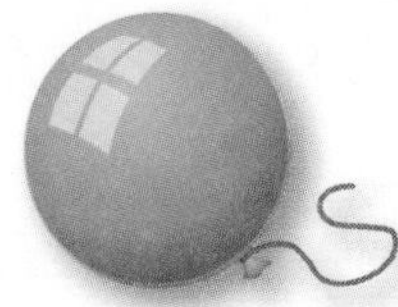

INSTRUCCIONES **I a 3.** Identifica el objeto que tiene forma de cubo. Táchalo con una X.

Repaso de la lección

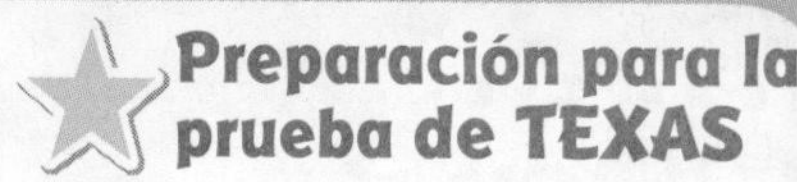

○ ○

5

○ ○

6

○ ○

INSTRUCCIONES **4.** ¿Cuál de estos objetos tiene forma de cubo? **5.** ¿Cuál de estos objetos tiene seis superficies planas? **6.** ¿Cuál de estos objetos tiene una superficie curva?

Nombre ________________________________

TEKS Geometría y medición: K.6.C

PROCESOS MATEMÁTICOS K.1.A, K.1.B

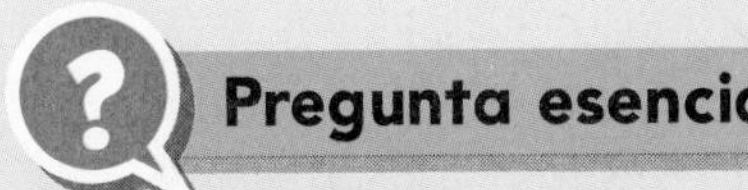

18.5 RESOLUCIÓN DE PROBLEMAS • Componentes de las figuras de tres dimensiones

Pregunta esencial ¿De qué manera puedes hallar figuras de dos dimensiones en una figura de tres dimensiones?

Soluciona el problema

En el mundo

Manos a la obra

INSTRUCCIONES Traza las líneas punteadas de cada figura de tres dimensiones. Conecta con líneas para emparejar las superficies planas de las figuras de tres dimensiones con las figuras de dos dimensiones.

Haz otro problema

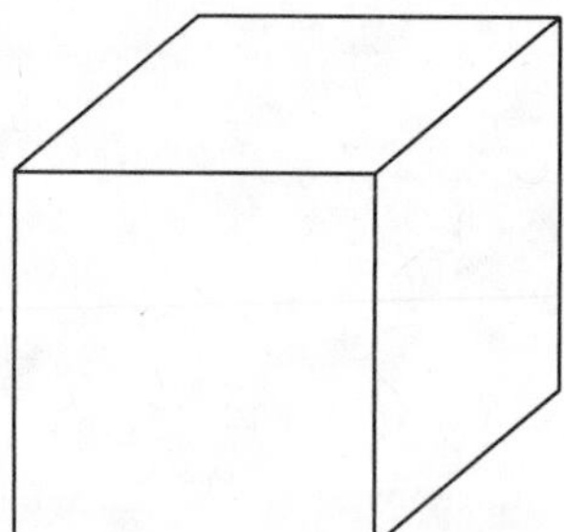

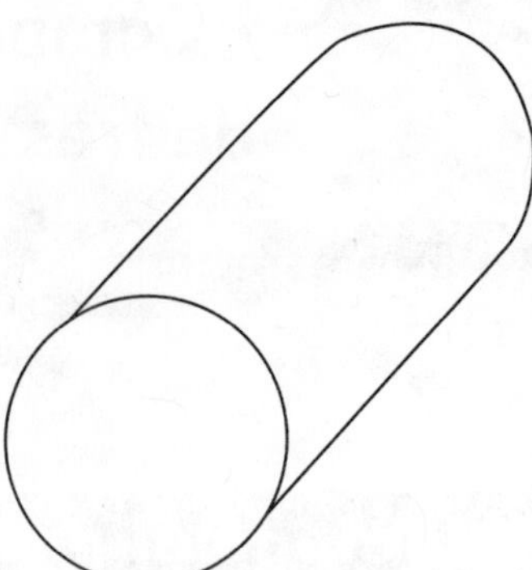

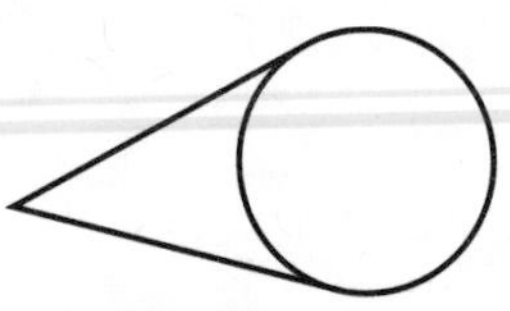

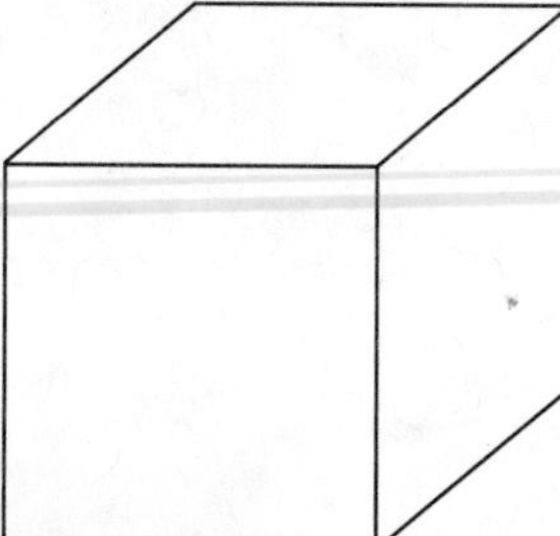

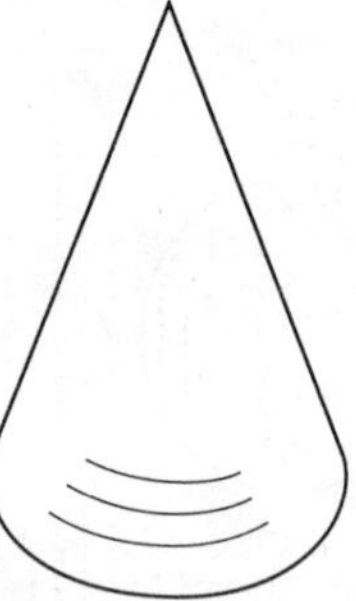

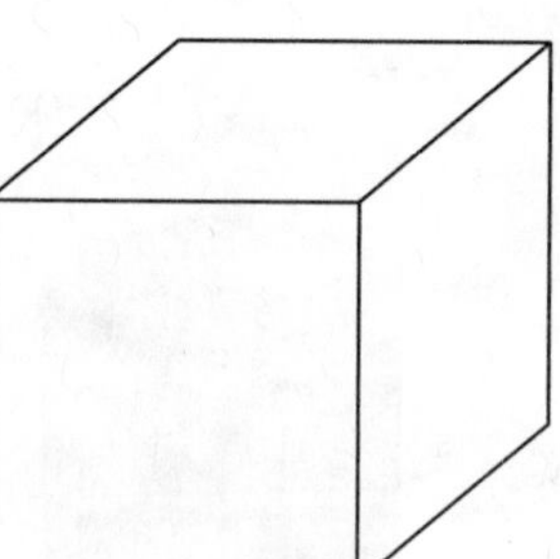

INSTRUCCIONES **1.** ¿Cuál de estas figuras de tres dimensiones tiene una superficie plana con forma de círculo? Colorea la figura. **2.** ¿Cuál de estas figuras de tres dimensiones no tiene una superficie plana con forma de cuadrado? Colorea la figura. **3.** ¿Cuál de estas figuras de tres dimensiones tiene una superficie plana con forma de cuadrado? Colorea la figura.

Nombre ______________________________

Comparte y muestra

	(cuadrado)	(círculo)
4 		
5 		
6 		
7 		
8 		

INSTRUCCIONES **4 a 8.** Mira el objeto de la tabla. Escribe una X debajo del círculo si la superficie plana del objeto es un círculo. Escribe una X debajo del cuadrado si la superficie plana del objeto es un cuadrado.

ACTIVIDAD PARA LA CASA • Pida a su niño que identifique un objeto de la casa que tenga forma de alguna figura de tres dimensiones. Pídale que le diga qué figura es la superficie plana del objeto.

Tarea diaria de evaluación

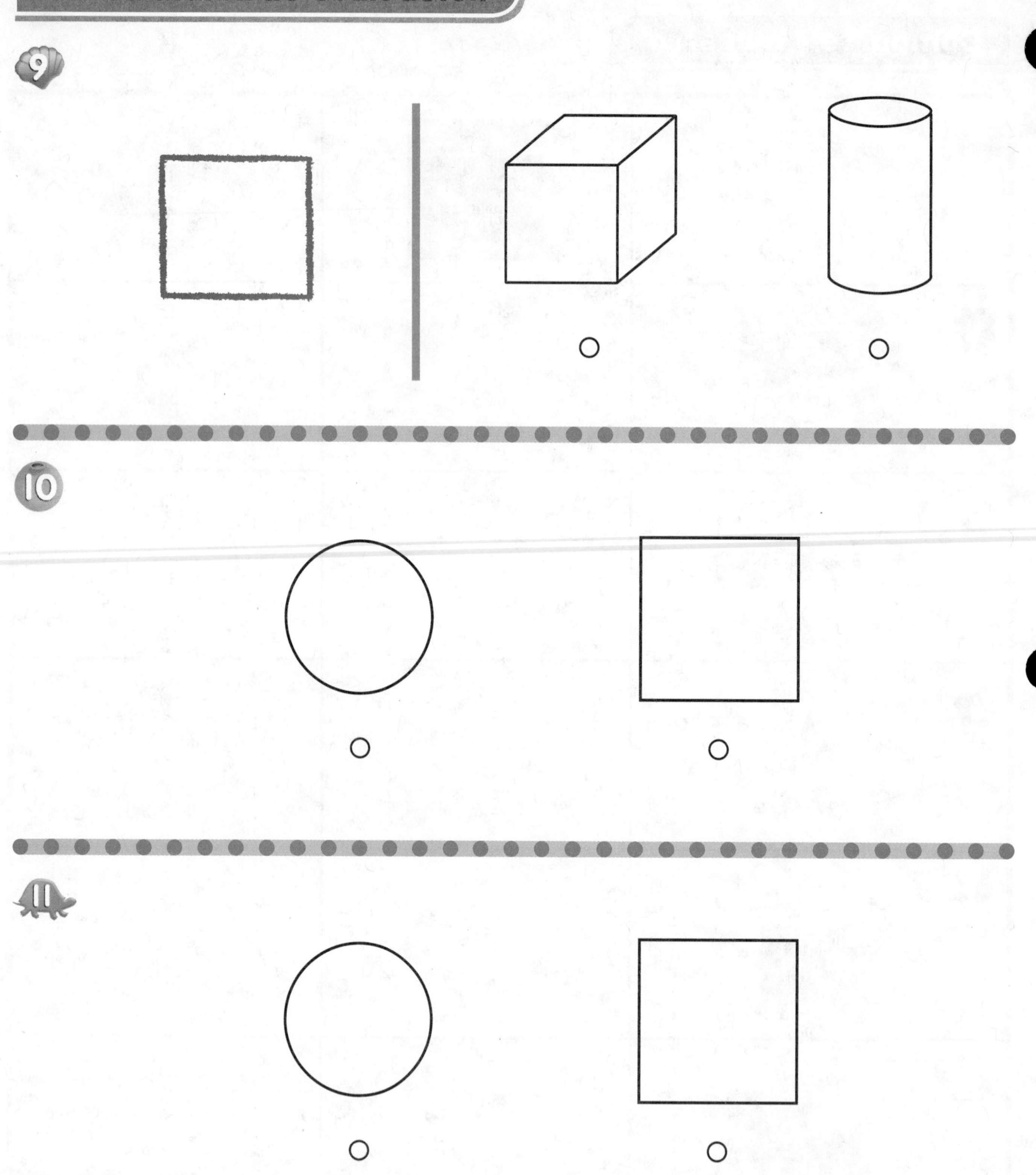

INSTRUCCIONES Elige la respuesta correcta. **9.** Saya trazó un bloque para dibujar un cuadrado. ¿Cuál de estos bloques usó? **10.** ¿Cuál de estas figuras no es la superficie plana de un cono? **11.** ¿Cuál de estas figuras es la superficie plana de un cubo?

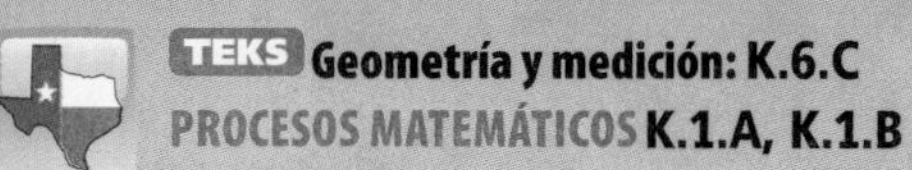

Nombre ____________________

18.5 RESOLUCIÓN DE PROBLEMAS • Componentes de las figuras de tres dimensiones

	●	■
1		
2		
3		
4		
5		

INSTRUCCIONES **1 a 5.** Mira el objeto de la tabla. Escribe una X debajo del círculo si la superficie plana del objeto es un círculo. Escribe una X debajo del cuadrado si la superficie plana del objeto es un cuadrado.

Repaso de la lección

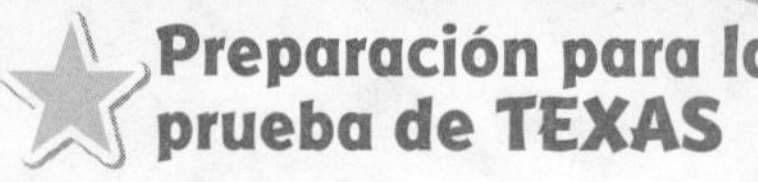

6

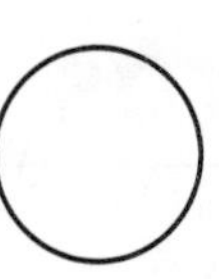

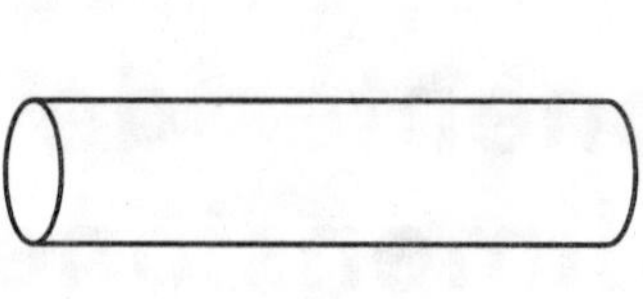

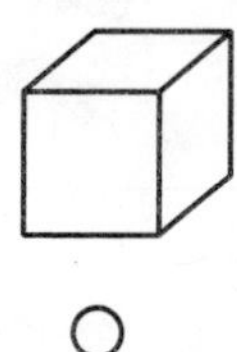

7

8

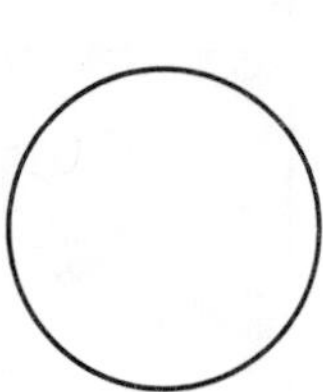

INSTRUCCIONES Elige la respuesta correcta. **6.** Diana trazó un cilindro para dibujar un círculo. ¿Cuál de estos bloques usó? **7.** ¿Cuál de estas figuras es la superficie plana de un cono? **8.** ¿Cuál de estas figuras no es la superficie plana de un cubo?

Nombre ______________________________

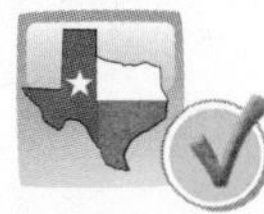

Evaluación del Módulo 18

Conceptos y destrezas

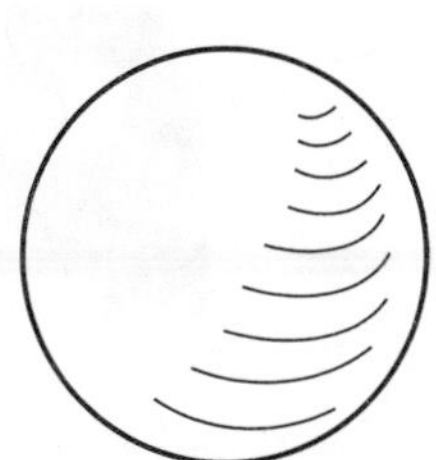

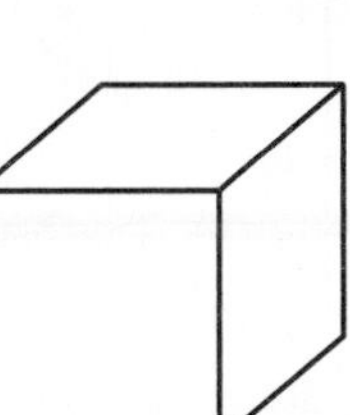

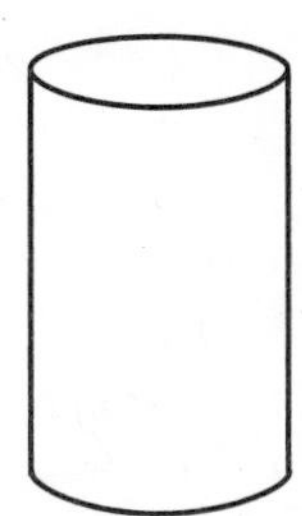

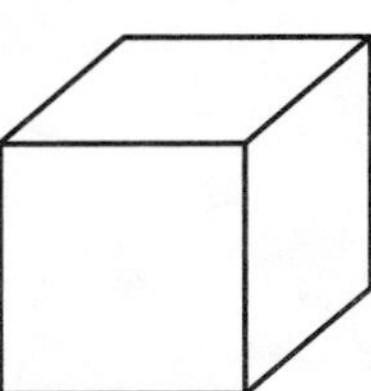

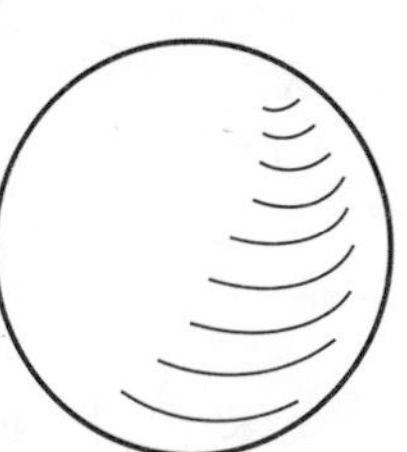

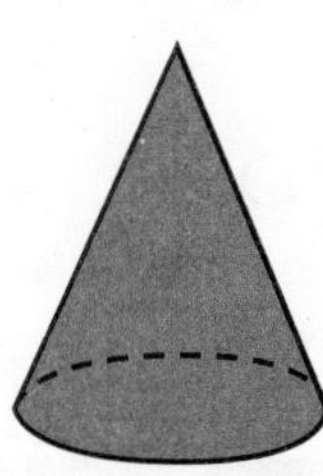

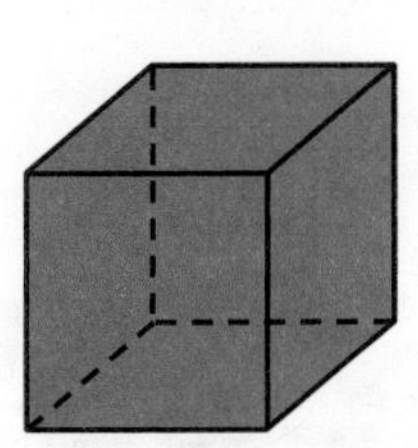

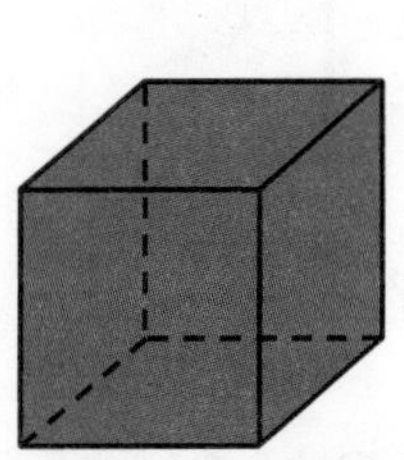

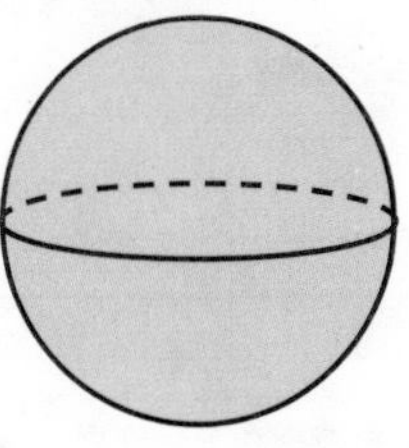

INSTRUCCIONES **1.** Encierra en un círculo el objeto que tiene forma de cilindro. TEKS K.6.B **2.** Colorea la esfera. TEKS K.6.E **3.** Colorea el cubo. TEKS K.6.E **4.** Tacha con una X la figura que tiene una superficie curva. TEKS K.6.E **5.** Tacha con una X la figura que tiene superficies planas. TEKS K.6.E

6

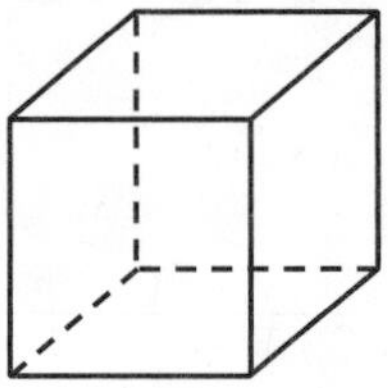

7

Preparación para la prueba de TEXAS

8

INSTRUCCIONES 6 y 7. Mira la figura de tres dimensiones. Colorea una superficie plana. Encierra en un círculo la figura de dos dimensiones que es igual a la superficie plana. TEKS K.6.C **8.** Elige la respuesta correcta. ¿Cuál de estos objetos tiene la misma forma que el objeto que está al comienzo de la hilera? TEKS K.6.B

Nombre ______________________________

TEKS Geometría y medición: K.7.A

PROCESOS MATEMÁTICOS K.1.B

19.1 RESOLUCIÓN DE PROBLEMAS • Medir un objeto

Pregunta esencial ¿De qué manera puedes hacer un dibujo para resolver problemas?

Soluciona el problema

INSTRUCCIONES Katie quiere medir el frasco. ¿Qué puede hallar?

Comparte y muestra

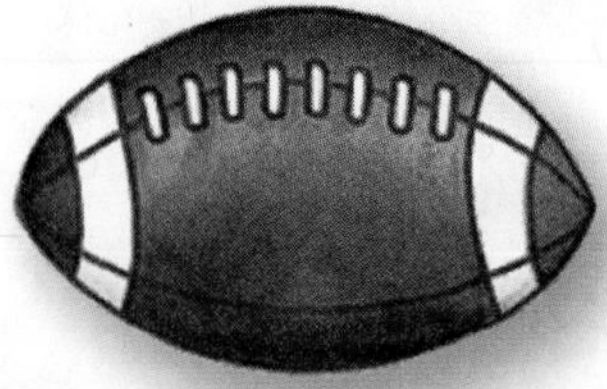

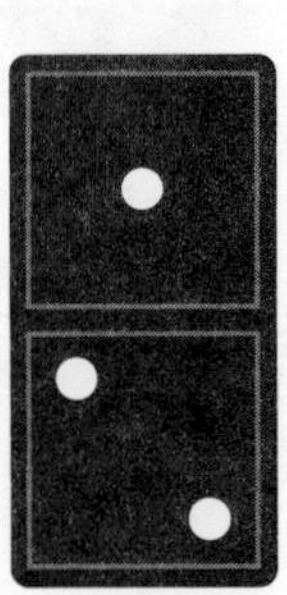

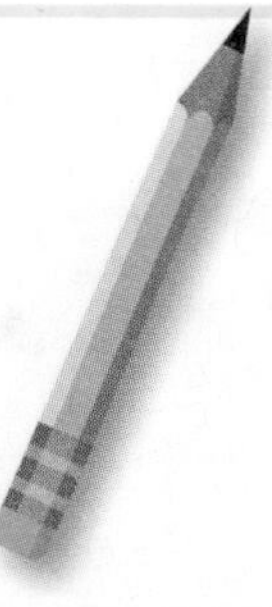

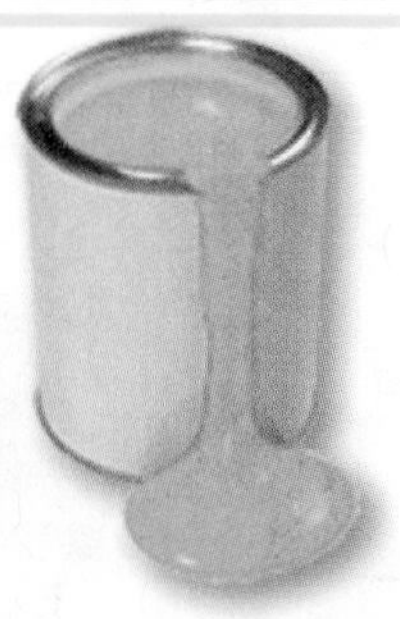

INSTRUCCIONES **1.** ¿Cuál sería el objeto que más probablemente medirías para hallar cuánto le cabe? Enciérralo en un círculo. **2.** ¿Cuál sería el objeto que más probablemente medirías para hallar qué tan largo es? Enciérralo en un círculo. **3.** ¿Cuál sería el objeto que más probablemente medirías para hallar cuánto pesa? Enciérralo en un círculo.

Nombre ______________________________

5

6

INSTRUCCIONES 4. Dibuja un objeto que medirías para hallar su peso. 5. Dibuja un objeto que medirías para hallar cuánto le cabe. 6. Dibuja un objeto que medirías para hallar su longitud.

Tarea diaria de evaluación

INSTRUCCIONES **7.** Dibuja un objeto que medirías para hallar su peso. **8.** Dibuja un objeto que medirías para hallar su longitud. **9.** Dibuja un objeto que medirías para hallar cuánto le cabe.

Nombre ______________________

19.1 RESOLUCIÓN DE PROBLEMAS • Medir un objeto

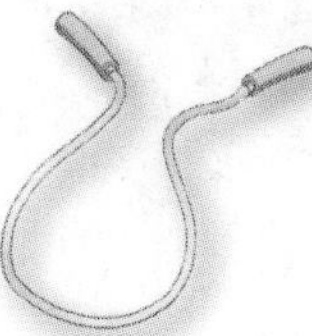

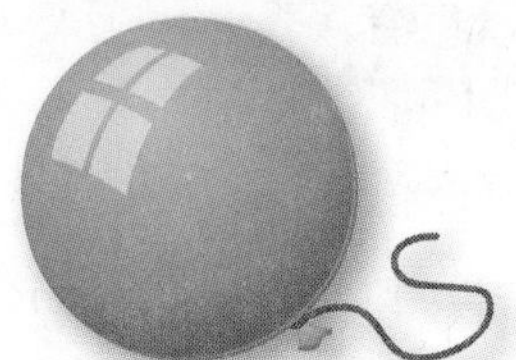

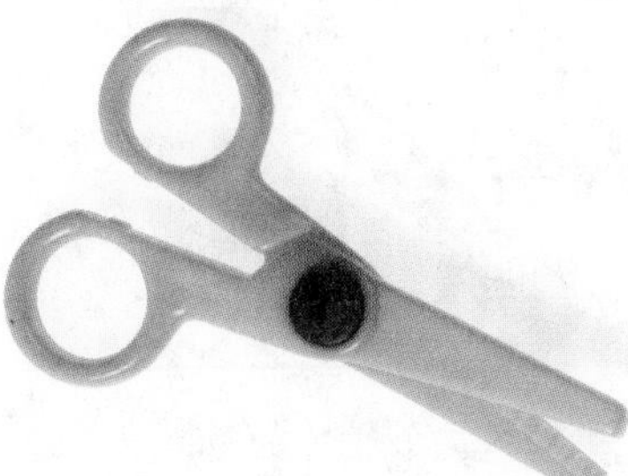

INSTRUCCIONES **I.** Encierra en un círculo el objeto que más probablemente medirías para hallar qué tan largo es. **2.** Encierra en un círculo el objeto que más probablemente medirías para hallar cuánto pesa. **3.** Encierra en un círculo el objeto que más probablemente medirías para hallar cuánto le cabe.

Repaso de la lección

Preparación para la prueba de TEXAS

○ ○

5

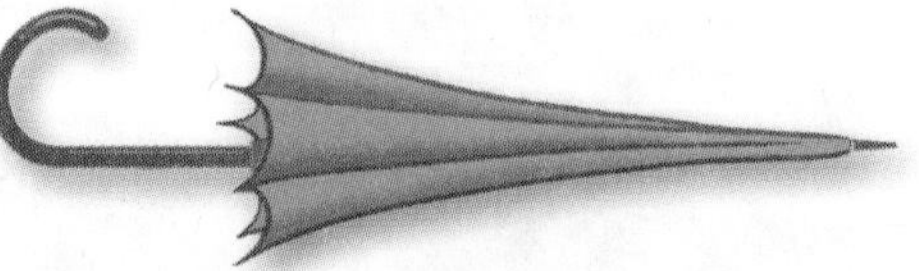

○ ○

6

○ ○

INSTRUCCIONES Elige la respuesta correcta. **4.** ¿Cuál sería el objeto que más probablemente medirías para hallar cuánto pesa? **5.** ¿Cuál sería el objeto que más probablemente medirías para hallar qué tan largo es? **6.** ¿Cuál sería el objeto que más probablemente medirías para hallar cuánto le cabe?

Nombre ____________________________________

TEKS Geometría y medición: K.7.B
PROCESOS MATEMÁTICOS
K.1.D

19.2 Comparar longitudes

MANOS A LA OBRA

Pregunta esencial ¿De qué manera puedes comparar la longitud de dos objetos?

Explora En el mundo

INSTRUCCIONES Mira los lápices. Compara la longitud de los dos lápices. Describe las longitudes con las palabras *más largo que*, *más corto que* o *de aproximadamente la misma longitud*. Encierra en un círculo el lápiz más largo. Tacha con una X el lápiz más corto.

Comparte y muestra

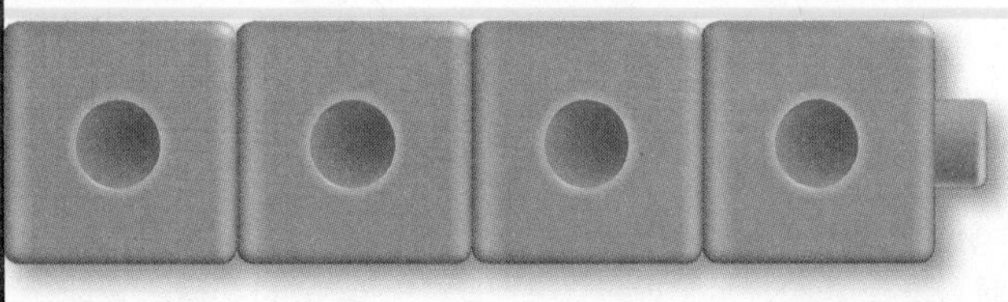

INSTRUCCIONES **1 a 3.** Arma un tren de cubos más largo que el tren de cubos que se muestra. Dibuja el tren de cubos y coloréalo.

Nombre ____

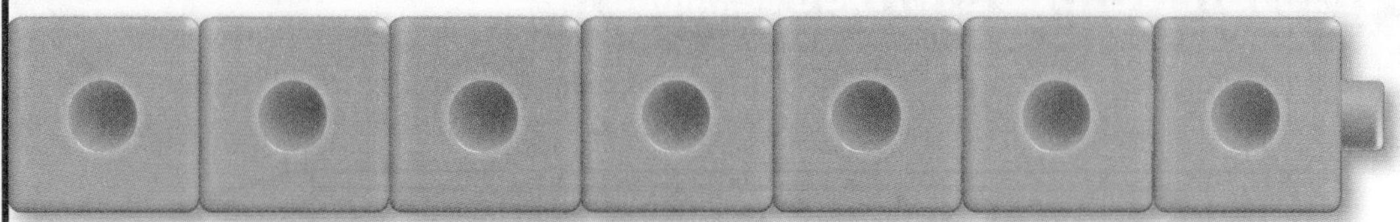

INSTRUCCIONES 4 a 6. Arma un tren de cubos más corto que el tren de cubos que se muestra. Dibuja el tren de cubos y coloréalo.

Procesos matemáticos
Representar • Razonar • Comunicar

Resolución de problemas En el mundo

7

Escribe

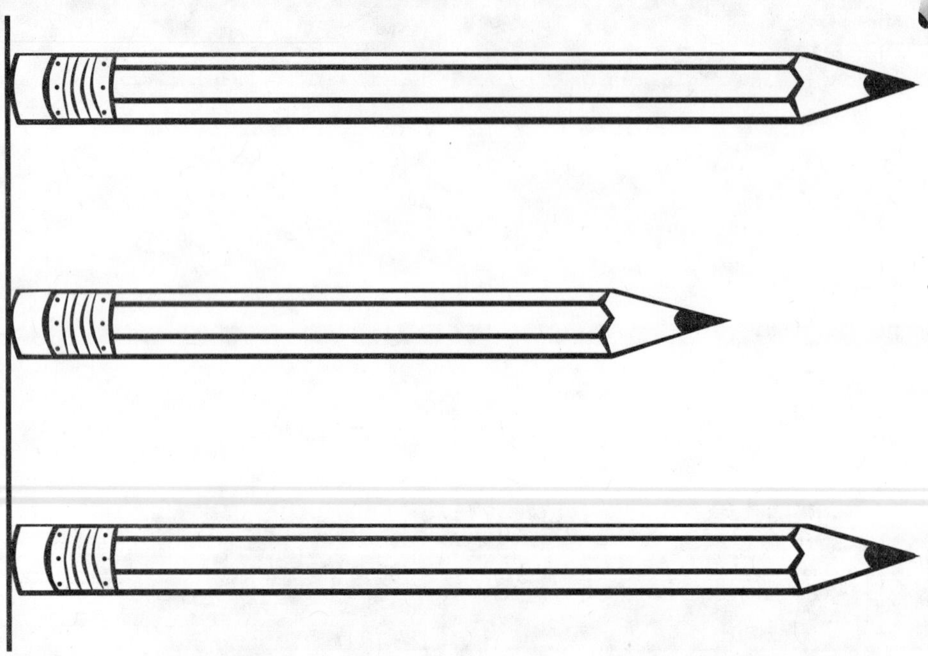

Tarea diaria de evaluación

8

INSTRUCCIONES **7.** Dos de estos lápices son de aproximadamente la misma longitud. Coloréalos. **8.** Elige la respuesta correcta. ¿Cuál de estos crayones es más corto?

ACTIVIDAD PARA LA CASA • Muestre a su niño un lápiz y pídale que busque un objeto más largo. Repita la actividad con un objeto más corto que el lápiz y con otro objeto de aproximadamente la misma longitud.

Tarea y práctica

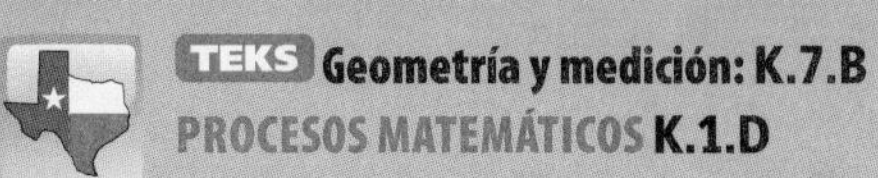

Nombre ______________________

19.2 Comparar longitudes

MANOS A LA OBRA

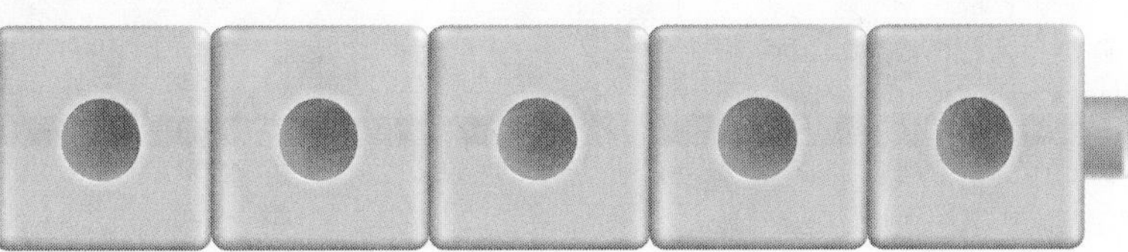

INSTRUCCIONES **1 y 2.** Dibuja un tren de cubos más largo que el tren de cubos que se muestra y coloréalo. **3.** Dibuja un tren de cubos más corto que el tren de cubos que se muestra y coloréalo.

Repaso de la lección

Preparación para la prueba de TEXAS

5

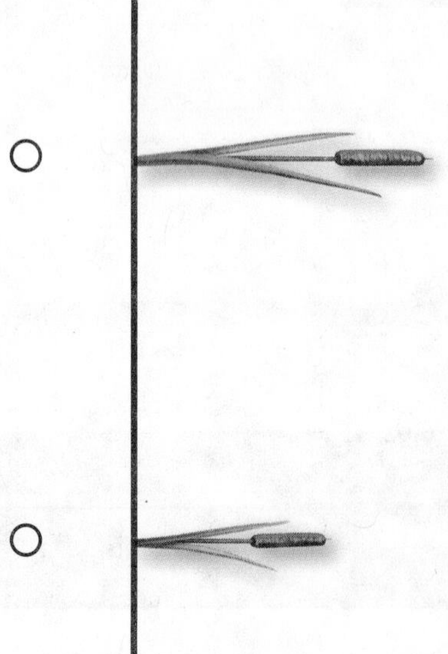

INSTRUCCIONES Elige la respuesta correcta. **4.** ¿Cuál de estas hojas es más larga? **5.** ¿Cuál de estas espadañas es más corta?

Nombre ________________________________

19.3 Comparar alturas

MANOS A LA OBRA

Pregunta esencial ¿De qué manera puedes comparar la altura de dos objetos?

Explora En el mundo

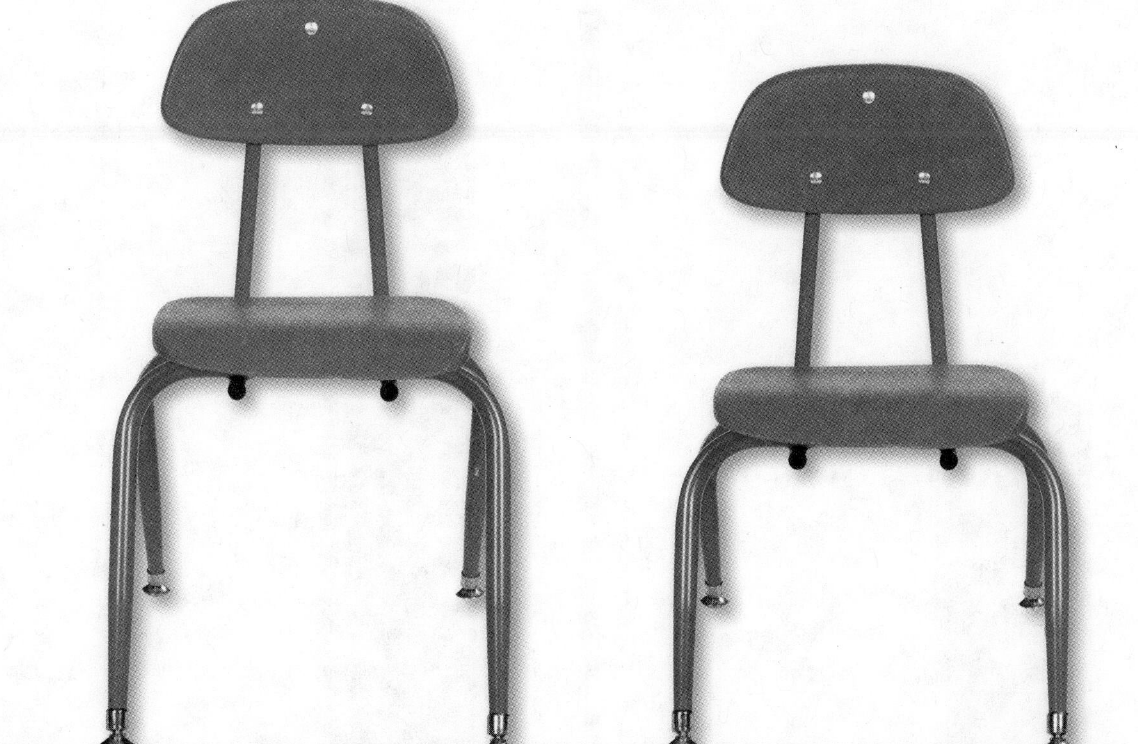

INSTRUCCIONES Mira las sillas. Compara la altura de las dos sillas. Describe las alturas con las palabras *más alta que*, *más baja que* o *de aproximadamente la misma altura*. Encierra en un círculo la silla más alta. Tacha con una X la silla más baja.

Comparte y muestra

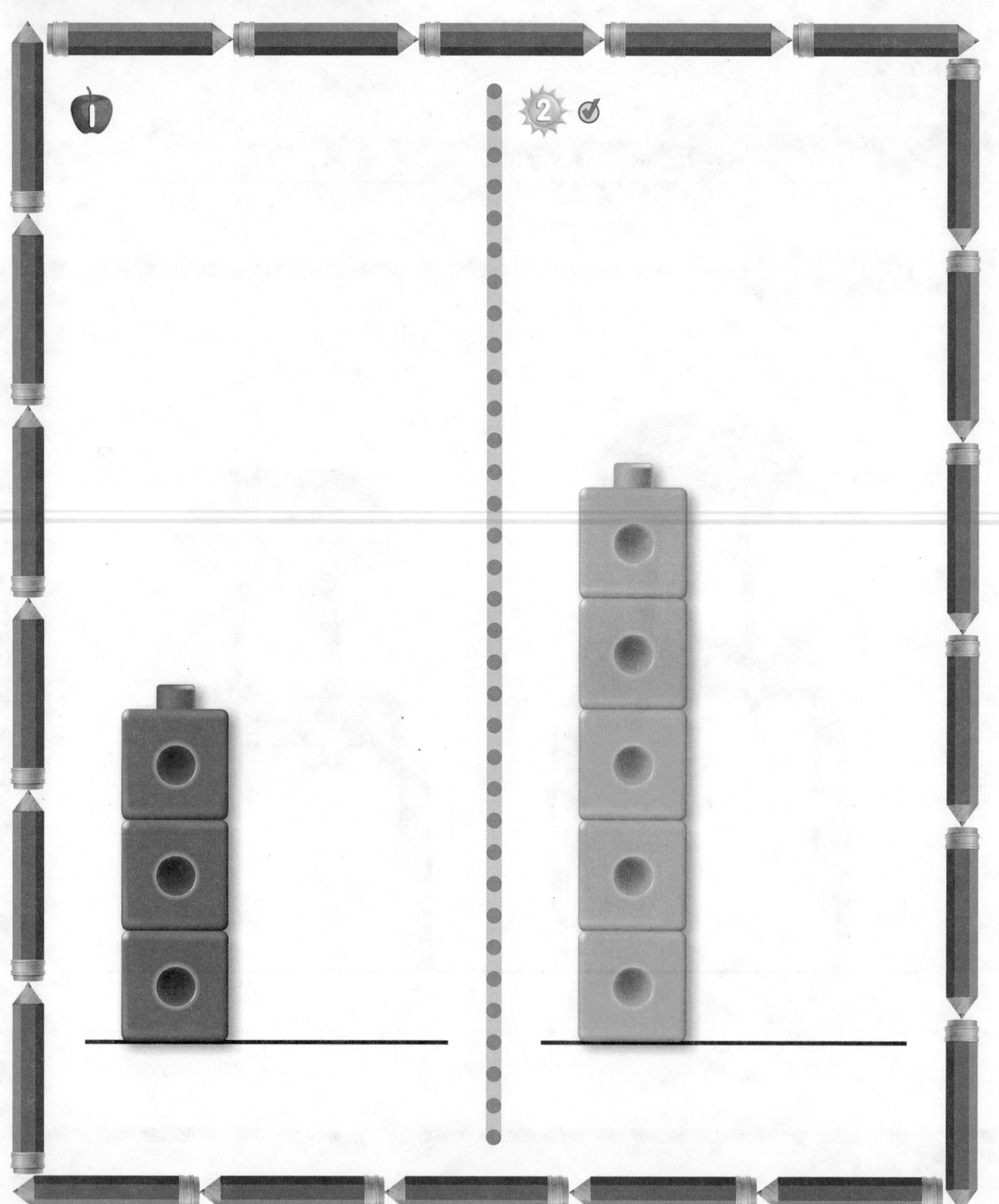

INSTRUCCIONES **1 y 2.** Arma una torre de cubos más alta que la torre de cubos que se muestra. Dibuja la torre de cubos y coloréala.

Nombre ___________________________

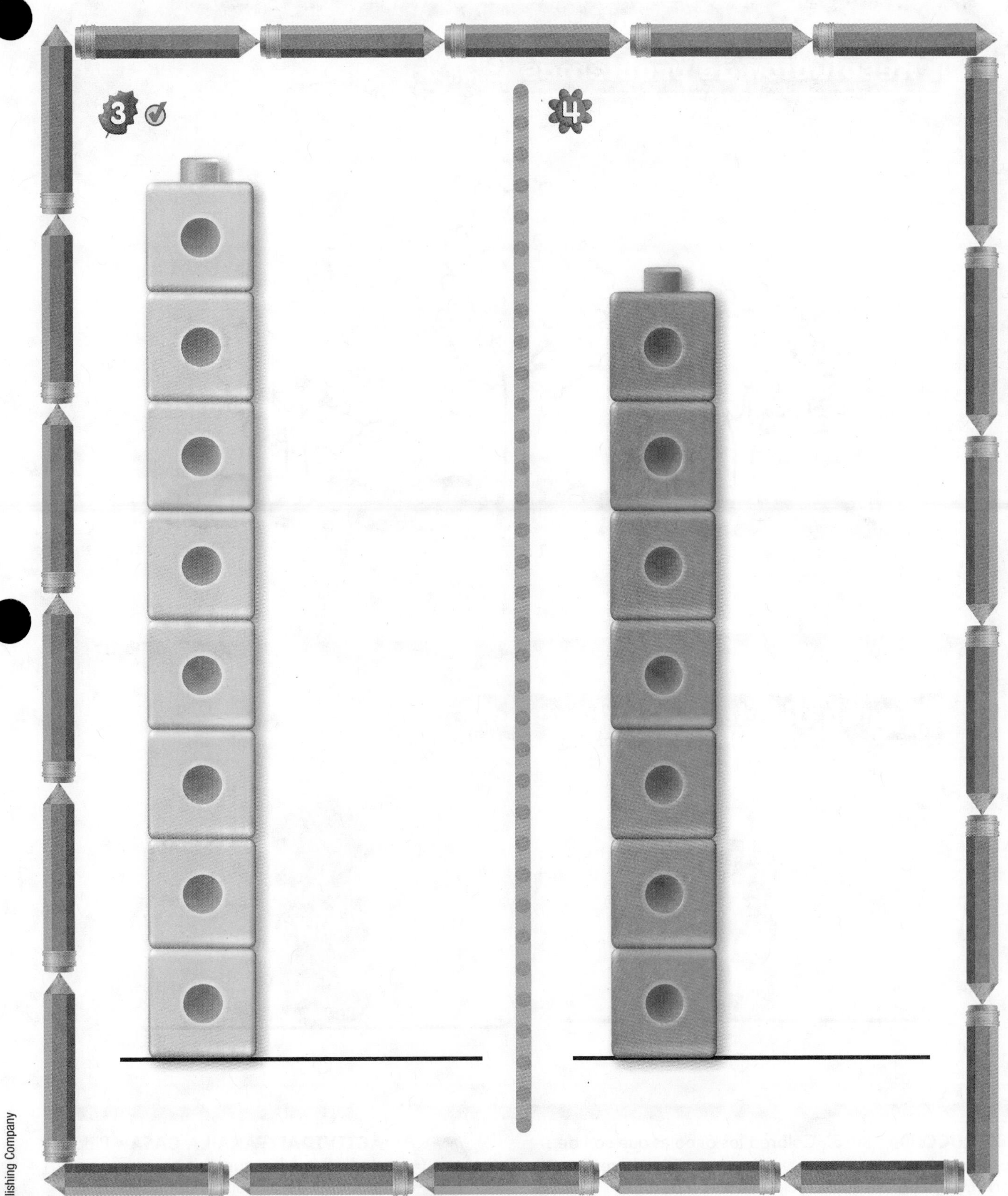

INSTRUCCIONES 3 y 4. Arma una torre de cubos más baja que la torre de cubos que se muestra. Dibuja la torre de cubos y coloréala.

Escribe

Resolución de problemas En el mundo

5

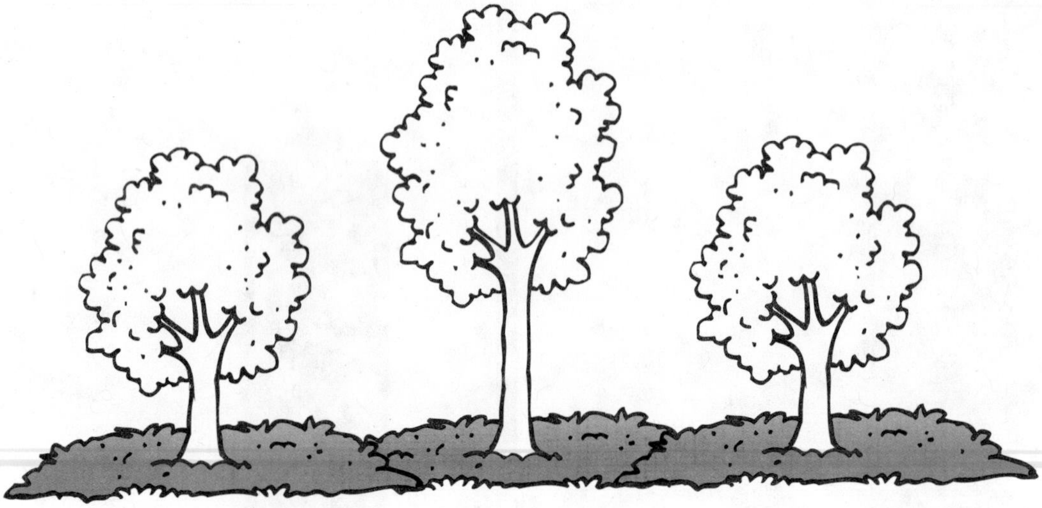

Tarea diaria de evaluación

6

○ ○

INSTRUCCIONES **5.** Colorea los árboles que son de aproximadamente la misma altura. **6.** Elige la respuesta correcta. ¿Cuál de estos recipientes es más alto?

ACTIVIDAD PARA LA CASA • Pida a su niño que busque dos objetos, como juguetes de plástico o animales de peluche. Pídale que coloque los objetos uno al lado del otro para comparar su altura. Pregunte al niño cuál de los objetos es más alto y cuál es más bajo.

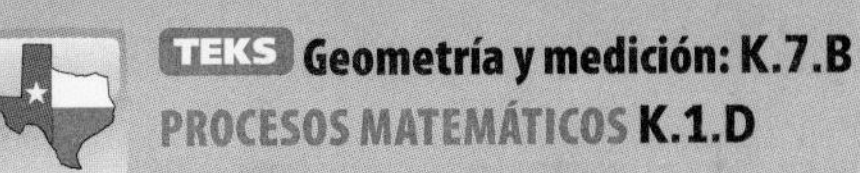

Nombre ______________________________

19.3 Comparar alturas

MANOS A LA OBRA

1

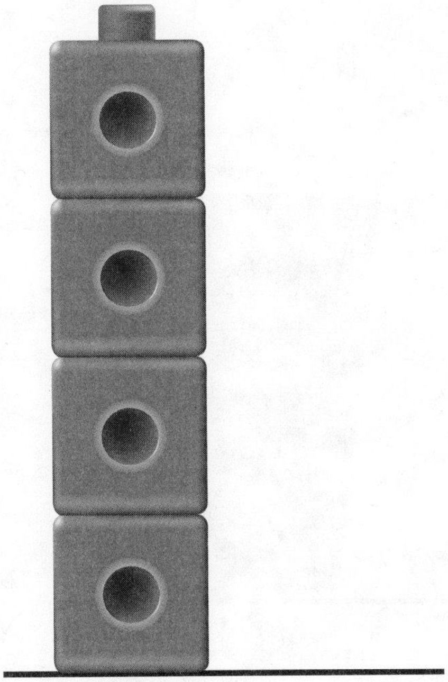

2

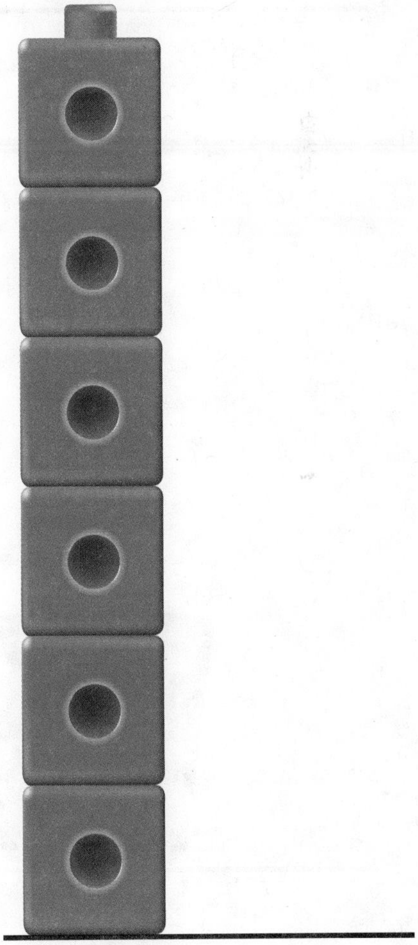

INSTRUCCIONES 1. Dibuja una torre de cubos más alta que la torre de cubos que se muestra y coloréala. 2. Dibuja una torre de cubos más baja que la torre de cubos que se muestra y coloréala.

Repaso de la lección

Preparación para la prueba de TEXAS

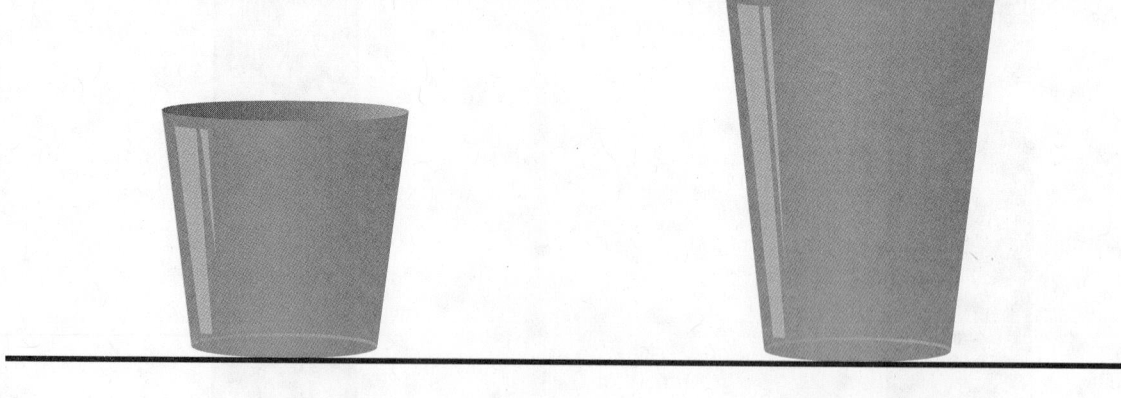

○ ○

INSTRUCCIONES Elige la respuesta correcta. **3.** ¿Cuál de estos vasos azules es más alto? **4.** ¿Cuál de estos vasos rojos es más bajo?

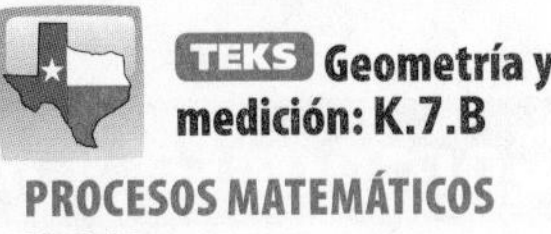

Nombre ____

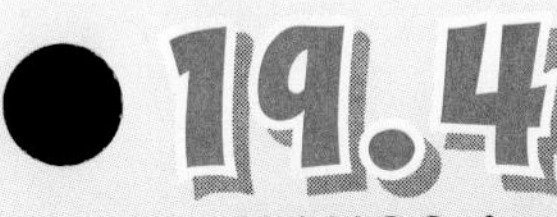

TEKS Geometría y medición: K.7.B
PROCESOS MATEMÁTICOS
K.1.D

19.4 Comparar pesos

MANOS A LA OBRA

Pregunta esencial ¿De qué manera puedes comparar el peso de dos objetos?

Explora *En el mundo*

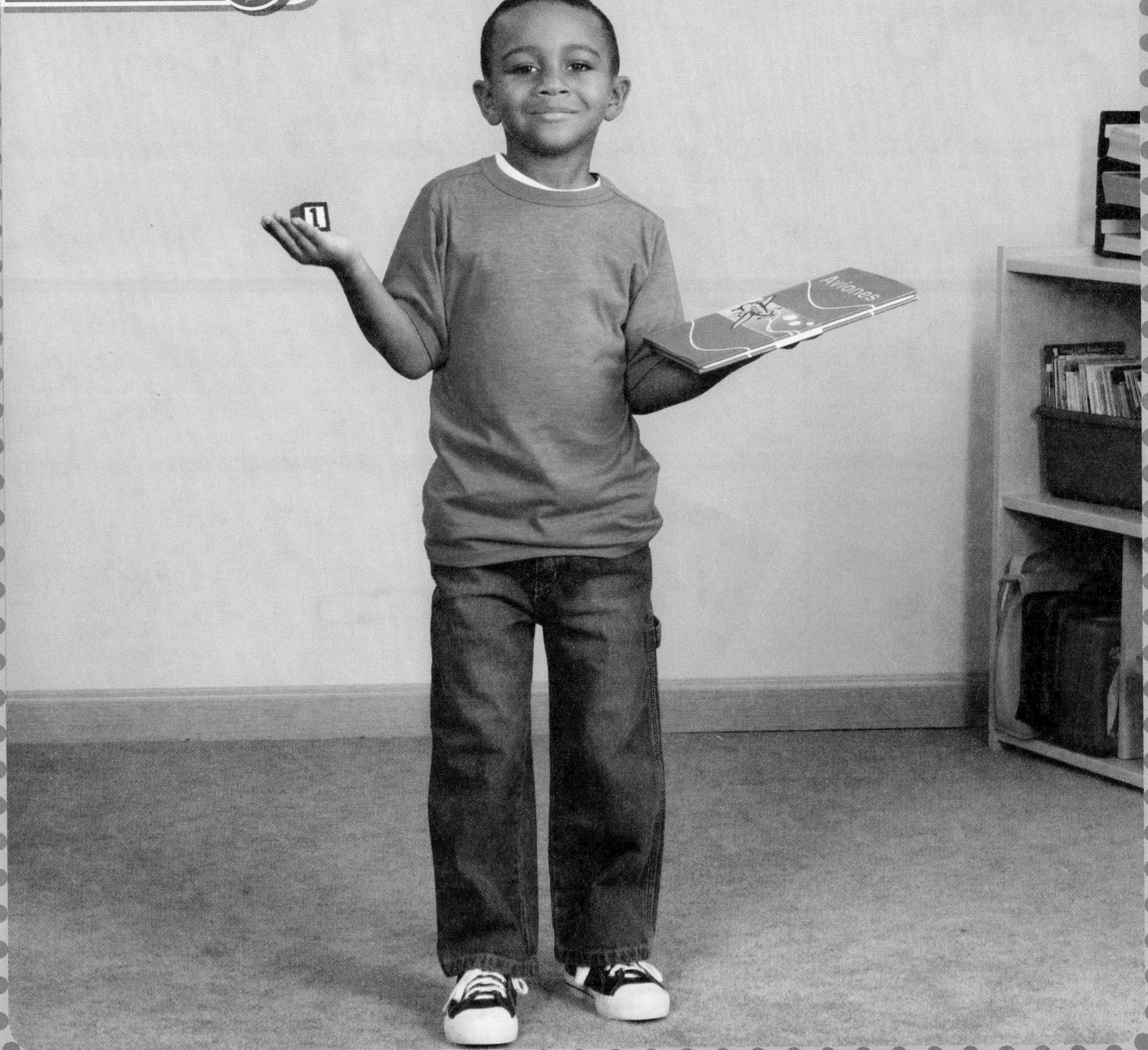

INSTRUCCIONES Mira la fotografía. Compara el peso de los dos objetos. Describe los pesos con las palabras *más pesado que*, *más liviano que* o *de aproximadamente el mismo peso.* Encierra en un círculo el objeto más liviano. Tacha con una X el objeto más pesado.

Comparte y muestra

1

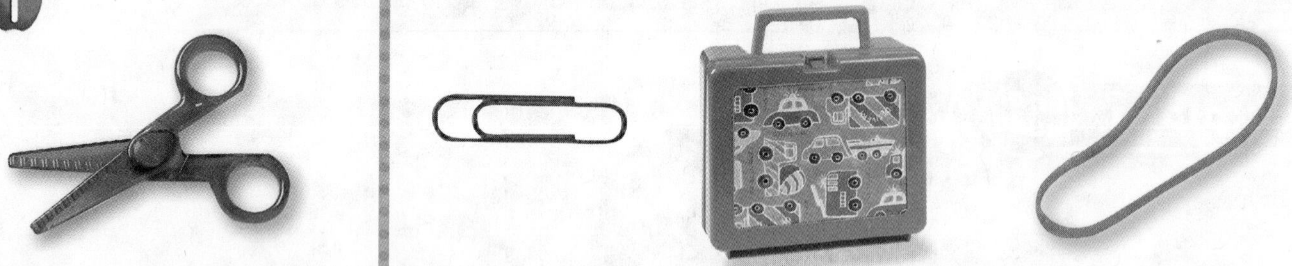

2

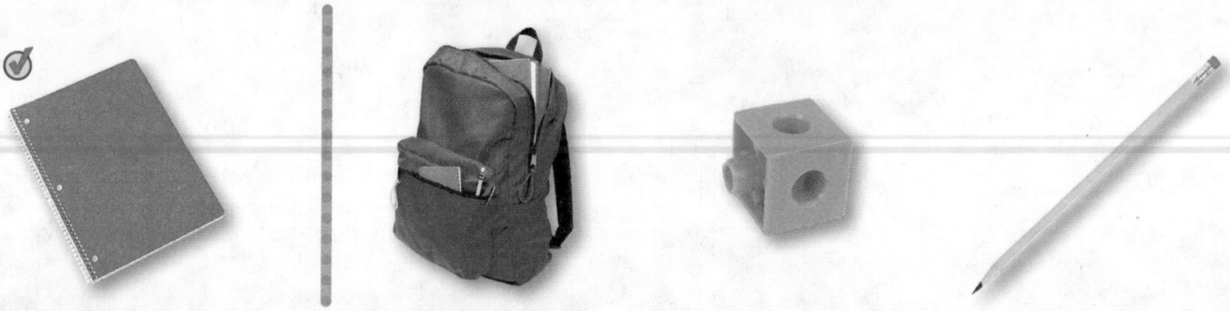

3

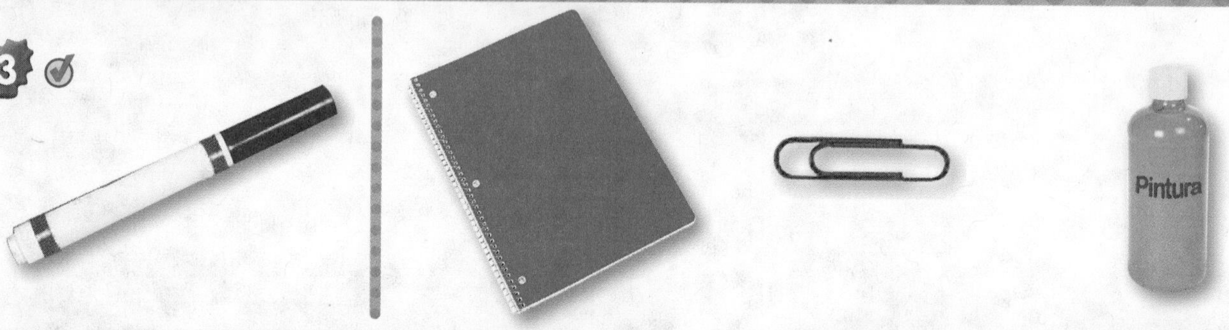

4

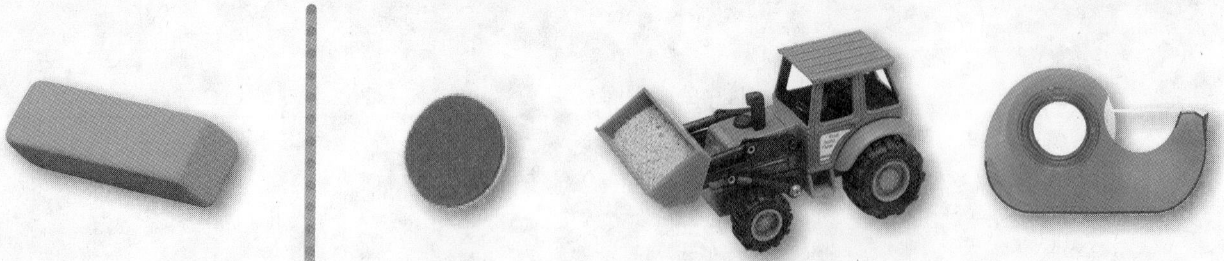

INSTRUCCIONES Busca el primer objeto de la hilera y sostenlo con la mano izquierda. Busca los otros objetos de la hilera y sostenlos uno a uno con la mano derecha. **1.** Encierra en un círculo el objeto que sea más pesado que el objeto de tu mano izquierda. **2.** Encierra en un círculo el objeto que sea más pesado que el objeto de tu mano izquierda. **3 y 4.** Encierra en un círculo el objeto que sea más liviano que el objeto de tu mano izquierda.

Nombre ______________________________

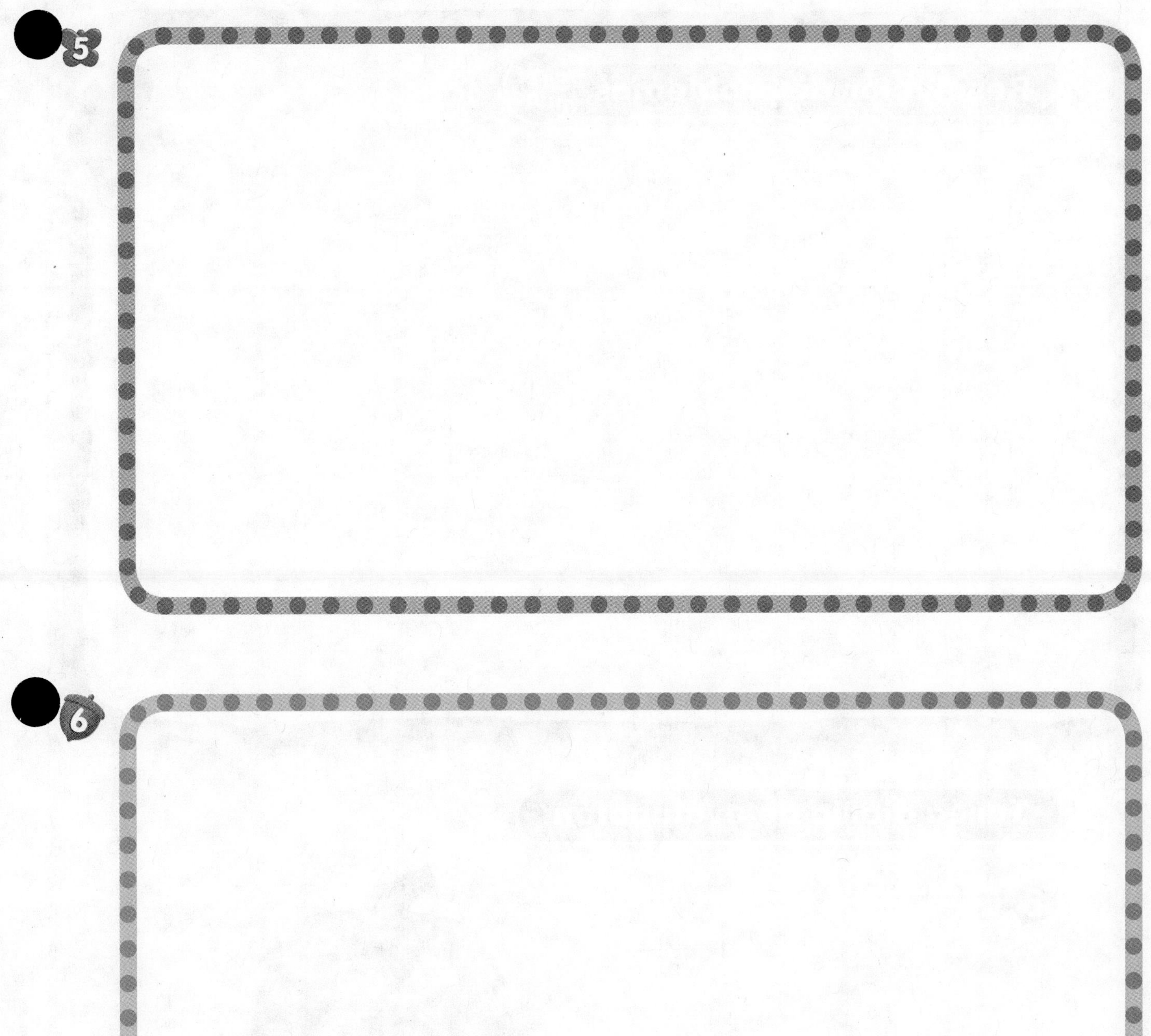

INSTRUCCIONES Busca un libro en el salón de clases. **5.** Busca un objeto del salón de clases que sea más liviano que el libro. Dibújalo en el área de trabajo. **6.** Busca un objeto del salón de clases que sea más pesado que el libro. Dibújalo en el área de trabajo.

Procesos matemáticos
Representar • Razonar • Comunicar

Resolución de problemas En el mundo

Escribe

7

Tarea diaria de evaluación

8

○ ○

INSTRUCCIONES **7.** Haz un dibujo para mostrar lo que sabes acerca de cómo se compara el peso de una hoja de papel y de otro objeto. Describe tu dibujo a un amigo. **8.** Elige la respuesta correcta. ¿Cuál de estas calabazas es más liviana?

ACTIVIDAD PARA LA CASA • Pida a su niño que compare el peso de dos objetos de la casa. Luego, pídale que describa los pesos con los términos *más pesado* y *más liviano*.

TEKS Geometría y medición: K.7.B
PROCESOS MATEMÁTICOS K.1.D

Nombre ______________________

19.4 Comparar pesos

MANOS A LA OBRA

1

2

INSTRUCCIONES Busca un objeto de la casa, como una lata de sopa. **1.** Busca un objeto más liviano que el objeto de la casa. Dibújalo en el área de trabajo. **2.** Busca un objeto más pesado que el objeto de la casa. Dibújalo en el área de trabajo.

Repaso de la lección

○ ○

○ ○

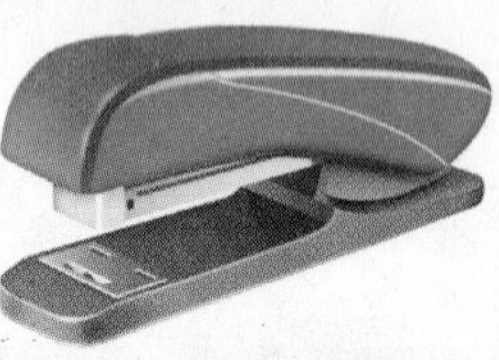

○ ○

INSTRUCCIONES Elige la respuesta correcta. **3.** ¿Cuál de estos perros es más liviano? **4.** ¿Cuál de estos patos es más pesado? **5.** ¿Cuál de estos objetos es más liviano?

Nombre ______________________________

Evaluación del Módulo 19

Conceptos y destrezas

○ ○

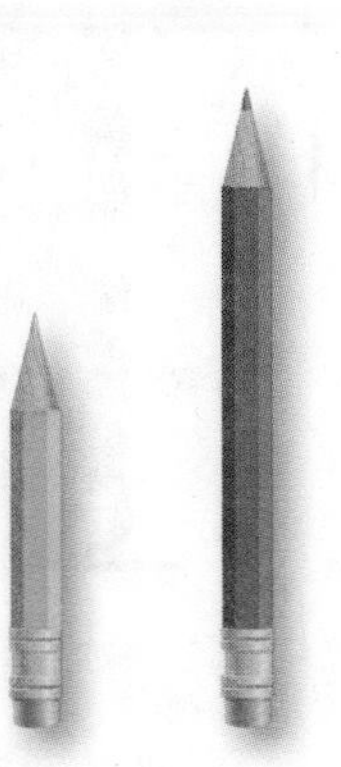

○ ○

INSTRUCCIONES **1.** Elige la respuesta correcta. ¿Cuál sería el objeto que más probablemente medirías para hallar cuánto le cabe? TEKS K.7.A **2.** Encierra en un círculo el lápiz más corto. TEKS K.7.B **3.** Encierra en un círculo la torre de cubos más alta. TEKS K.7.B **4.** Elige la respuesta correcta. ¿Cuál de estos objetos es más liviano? TEKS K.7.B

5

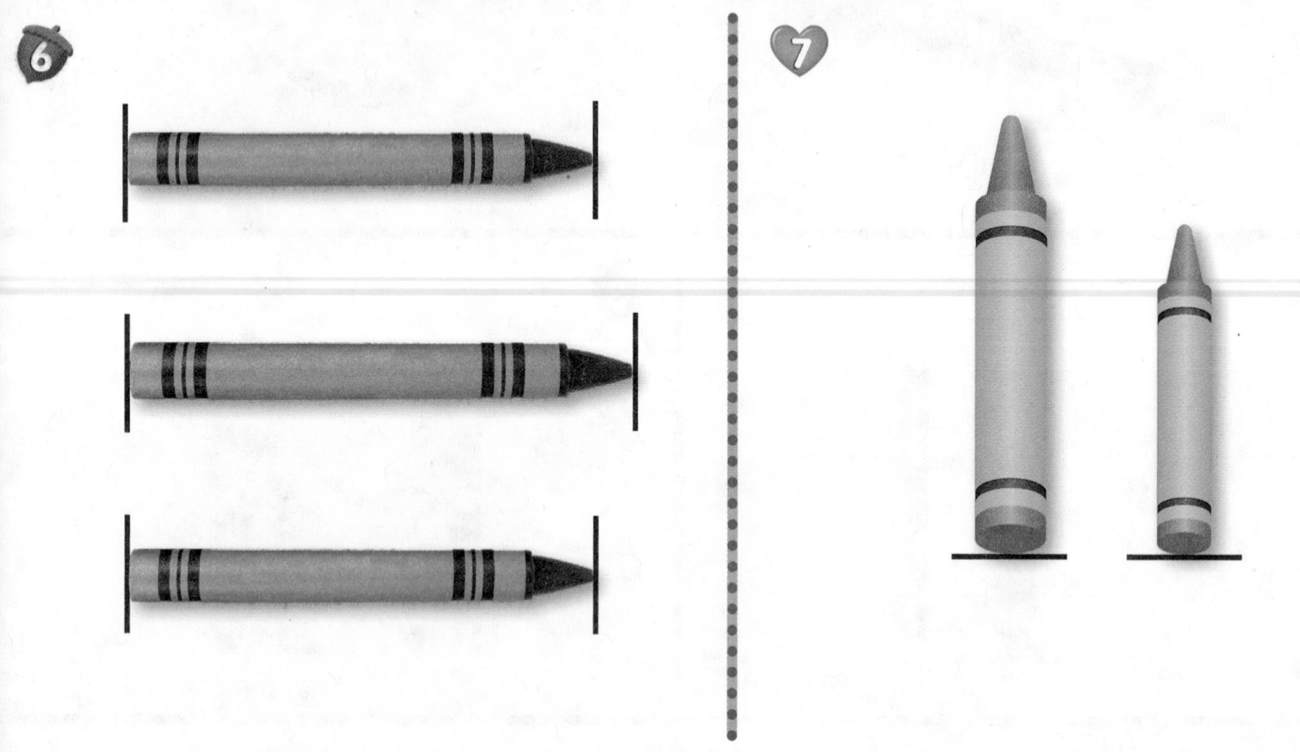

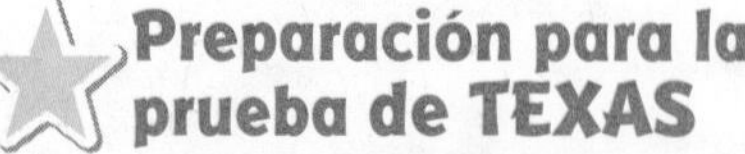

INSTRUCCIONES **5.** Arma un tren de cubos más corto que el que se muestra. Dibújalo. TEKS K.7.B **6.** Encierra en un círculo los crayones que son de aproximadamente la misma longitud. TEKS K.7.B **7.** Encierra en un círculo el crayón más corto. TEKS K.7.B **8.** Elige la respuesta correcta. ¿Cuál de estos conjuntos muestra lápices de aproximadamente la misma longitud? TEKS K.7.B

Nombre ______________________________

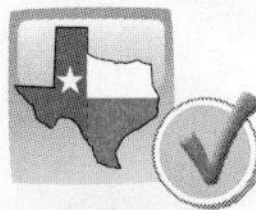

Evaluación de la Unidad 4

Vocabulario

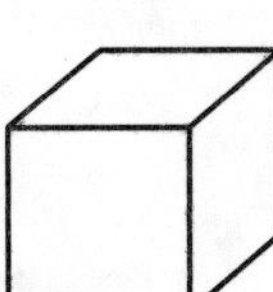

Conceptos y destrezas

lado

vértice

superficie plana

superficie curva

INSTRUCCIONES **1.** Colorea de azul la esfera. Colorea de verde el cilindro. Colorea de rojo el cubo. Colorea de morado el cono. TEKS K.6.B **2.** Conecta con una línea la palabra *lado* y un lado de cada figura. Conecta con una línea la palabra *vértice* y un vértice, o esquina, de cada figura. TEKS K.6.D **3.** Encierra en un círculo las palabras que describen un cubo. TEKS K.6.B **4.** Tengo cuatro vértices rectos y cuatro lados rectos. ¿Qué soy? Dibuja la figura. TEKS K.6.D

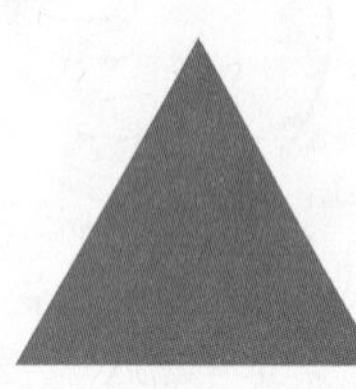

○ **3** ○ **2**

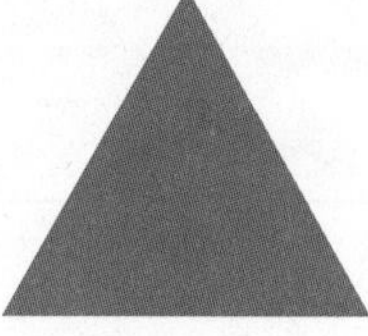

○ **2** ○ **3**

INSTRUCCIONES **5.** Haz una marca debajo de la figura que es igual a la figura que está al comienzo de la hilera. TEKS K.6.A **6.** Haz una marca debajo de la figura que es un triángulo. TEKS K.6.A **7.** Haz una marca al lado del número que muestra cuántas superficies planas tiene el cilindro. TEKS K.6.B **8.** Haz una marca al lado del número que muestra cuántos lados tiene el triángulo. TEKS K.6.D

Nombre ______________________________

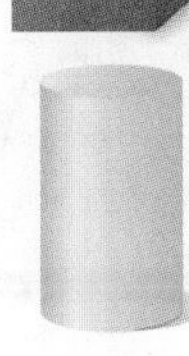

INSTRUCCIONES **9.** Haz una marca debajo de la figura plana. TEKS K.6.D **10.** Haz una marca debajo del conjunto que muestra un cubo y un cilindro. TEKS K.6.B **11.** Haz una marca debajo del conjunto que muestra un cilindro y un cubo. TEKS K.6.B **12.** Haz una marca debajo del conjunto que muestra que el crayón verde es más largo que el crayón azul. TEKS K.7.B

Tarea de rendimiento

TAREA DE RENDIMIENTO Esta tarea permitirá evaluar si el niño comprende las figuras de dos dimensiones.

Análisis de datos

Muestra lo que sabes

Nombre ______________________________

Representar más, representar menos

1 ______

2 ______

Igual y diferente

3

______ lados ______ vértices

______ lados ______ vértices

INSTRUCCIONES **1.** Coloca 4 fichas en el cuadro de cinco. Muestra una ficha más. Escribe el número. **2.** Coloca 4 fichas en el cuadro de cinco. Muestra una ficha menos. Escribe el número. **3.** Mira cada figura. Escribe el número de lados y de vértices. Di en qué son iguales y en qué son diferentes las figuras.

NOTA PARA LA FAMILIA: El propósito de esta página es comprobar si su niño comprende las destrezas importantes que se necesitan para tener éxito en la Unidad 5.

Opciones de evaluación: Soar to Success Math

Desarrollo del vocabulario

Palabras de repaso	
amarillo	rectángulo
azul	rojo
círculo	triángulo
cuadrado	

Visualizar

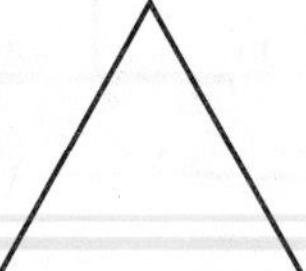

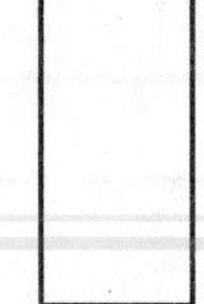

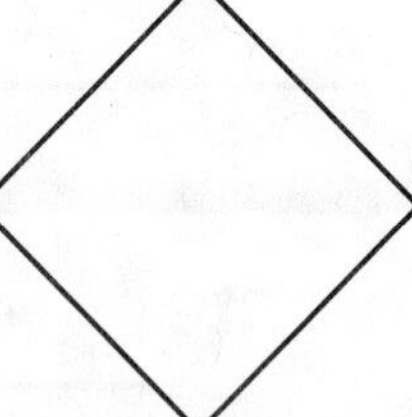

Comprender el vocabulario

INSTRUCCIONES **Visualizar** Mira las figuras. Conecta con líneas para emparejar la figura de la izquierda con la figura de la derecha que es igual.

Comprender el vocabulario Dibuja un triángulo. Coloréalo de amarillo. Dibuja un cuadrado. Coloréalo de azul. Dibuja un círculo. Coloréalo de rojo.

- **Libro interactivo del estudiante**
- **Glosario multimedia**

Librito de vocabulario

Panqueques

escrito por Lucine Perry

ilustrado por Bernard Adnet

Este librito para la casa pertenece a:

____

Lectura y redacción de matemáticas

Este librito para la casa te servirá para repasar cómo identificar los círculos, los triángulos, los rectángulos y los cuadrados.

PROCESOS MATEMÁTICOS K.1.E

¡Panqueques, panqueques!
Mezclar, verter, freír.
Mi familia tiene hambre,
y no deja de pedir.
¿Qué figura formé?

¡Panqueques, panqueques!
La masa es muy pegajosa.
No quisiera salpicarla,
pero no es fácil la cosa.
¿Qué figura formé?

¡Panqueques, panqueques!
Les puse harina integral.
Me parecen más sabrosos,
nunca pueden salir mal.
¿Qué figura formé?

¡Panqueques, panqueques!
Se han dorado y ¡a voltear!
Hemos hecho suficientes
para a todos invitar.
¿Qué figura formé?

¡Panqueques, panqueques!
Creo que he hecho demasiados.
Formemos ya mismo un patrón
de panqueques alineados.

¿Qué figura podría seguir en el patrón?

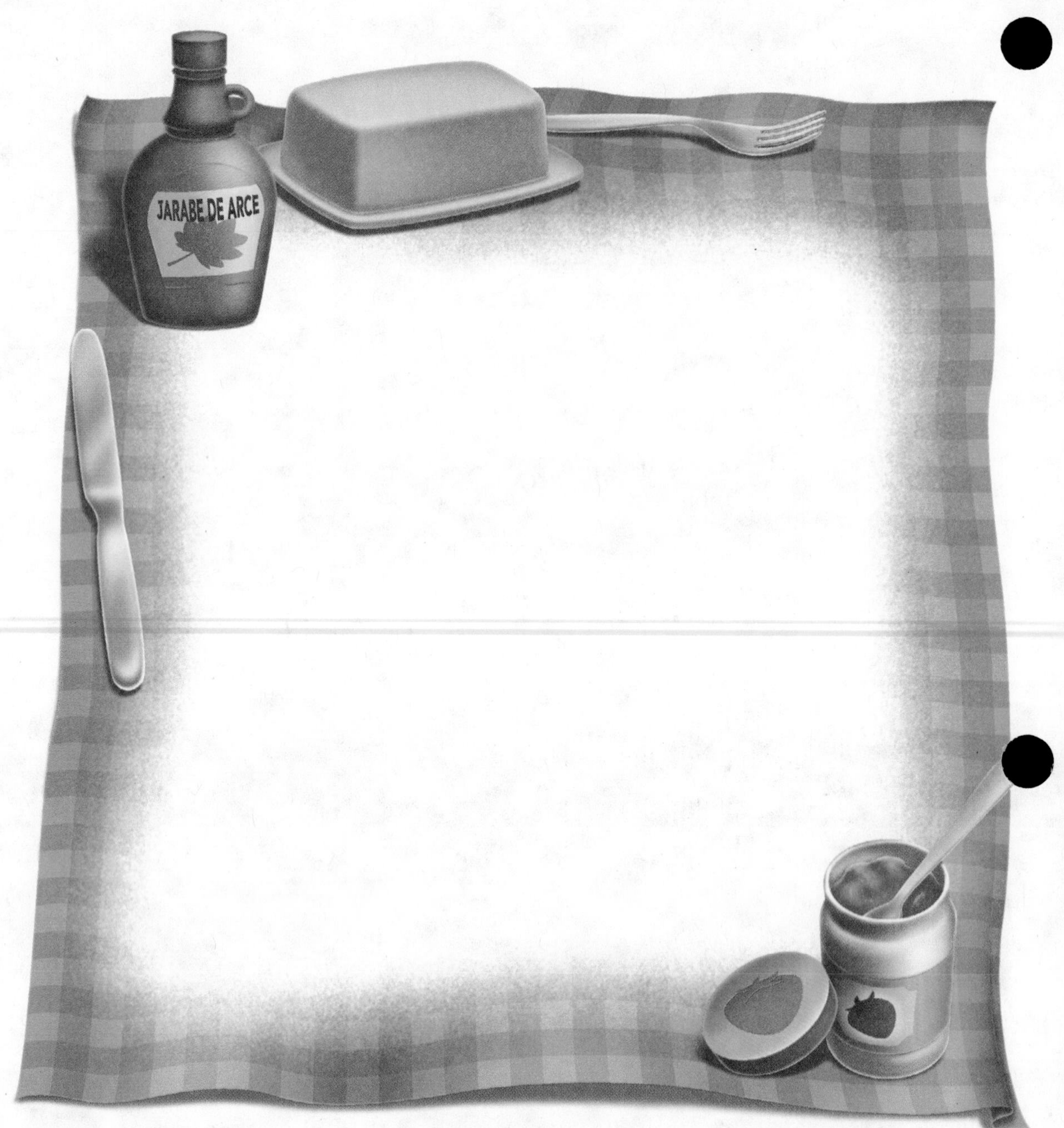

El desayuno está casi listo, ¡hurra!
Valió la pena el esfuerzo que hicimos.
¿Te animas a dibujar unos panqueques
con las figuras que aprendimos?

Nombre ________________________________

Escribe sobre las matemáticas

Repaso del vocabulario
figura
círculo
cuadrado
triángulo

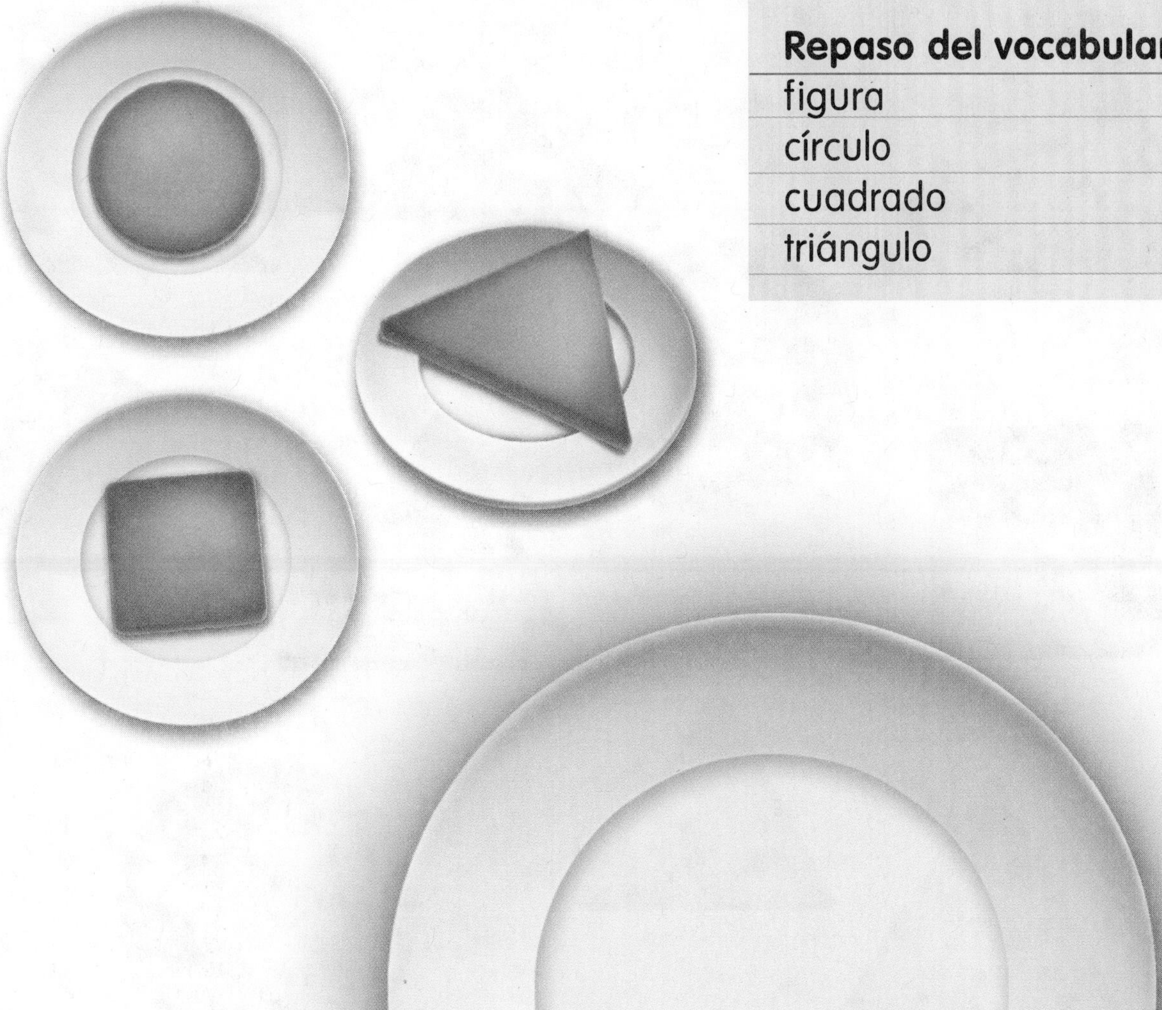

INSTRUCCIONES Mira los platos con panqueques. Elige la figura que más te gusta. En el plato vacío, dibuja otros panqueques con la misma forma que esa figura. Nombra la figura que tus panqueques muestran. Di cuántos panqueques hay en tu plato.

Agrupa las figuras

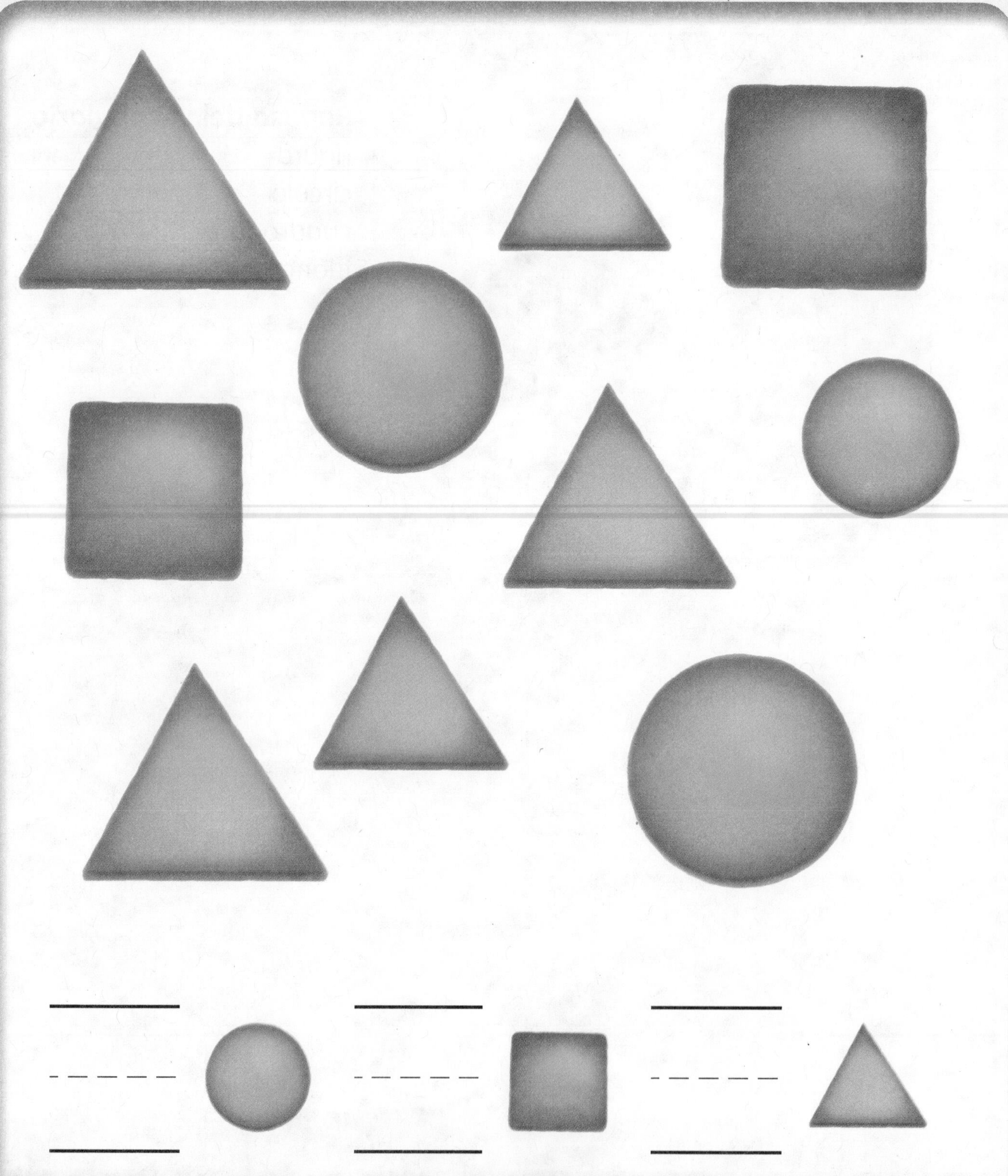

INSTRUCCIONES Cuenta cuántos panqueques tienen la misma forma que cada una de las figuras. Escribe los números.

Nombre ______________________________

MANOS A LA OBRA: ÁLGEBRA

Agrupar según el color y el tamaño

Pregunta esencial ¿De qué manera puedes agrupar los objetos en dos categorías según su color o su tamaño?

Explora

Son 	No son 

INSTRUCCIONES Elige un color. Colorea con un crayón de ese color las ilustraciones de crayones que están en la parte de arriba de la página. Agrupa un puñado de figuras para formar un conjunto de figuras que sean de ese color y otro conjunto de figuras que no sean de ese color. Dibuja las figuras y coloréalas para mostrar de qué manera las agrupaste.

Comparte y muestra

1

rojo

azul

INSTRUCCIONES 1. Usa figuras como las que se muestran en la parte de arriba de la página. Agrúpalas según su color. Dibuja las figuras y coloréalas para mostrar de qué manera las agrupaste.

Nombre ___________________________

2

pequeñas	grandes

INSTRUCCIONES **2.** Usa figuras como las que se muestran en la parte de arriba de la página. Agrúpalas según su tamaño. Dibuja las figuras y coloréalas para mostrar de qué manera las agrupaste.

ACTIVIDAD PARA LA CASA • Dé a su niño varios objetos, como botones. Pídale que los agrupe en dos conjuntos, según su color. Luego, pida al niño que vuelva a agrupar los objetos, esta vez según su tamaño.

Resolución de problemas

3

Escribe

Tarea diaria de evaluación

4

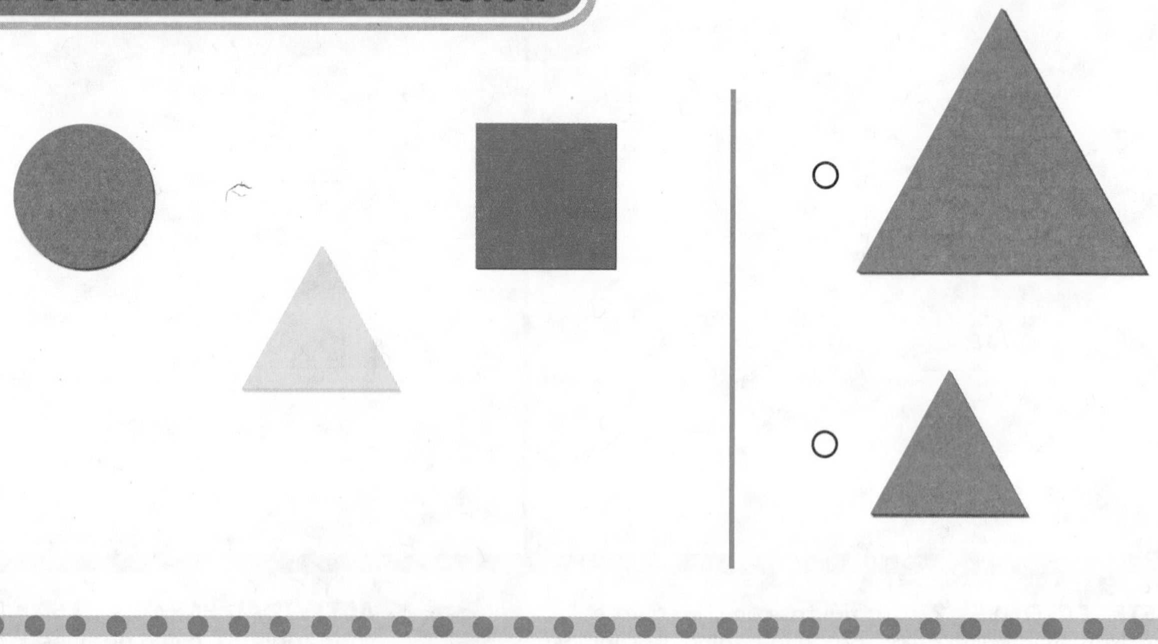

INSTRUCCIONES **3.** ¿Cómo están agrupadas estas figuras? Dibuja una figura más en cada categoría. **4.** Elige la respuesta correcta. ¿Cuál de estas figuras pertenece al conjunto?

TEKS **Análisis de datos: K.8.A**
También K.6.E
PROCESOS MATEMÁTICOS **K.1.E**

Nombre ______________________________

20.1 Agrupar según el color y el tamaño

MANOS A LA OBRA: ÁLGEBRA

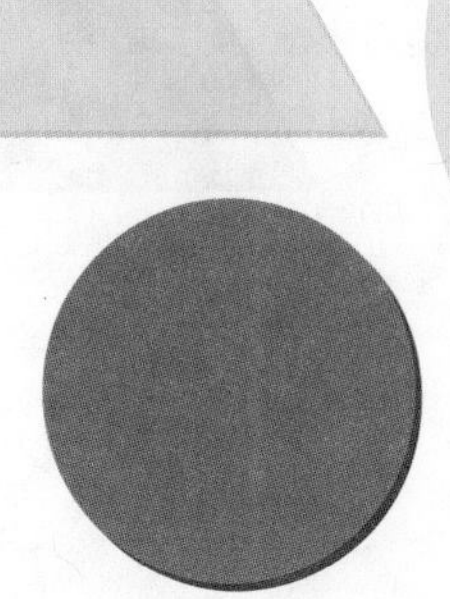

azul	amarillo

INSTRUCCIONES **1.** Agrupa las figuras que están en la parte de arriba de la página según su color. Dibuja las figuras y coloréalas para mostrar de qué manera las agrupaste.

Repaso de la lección

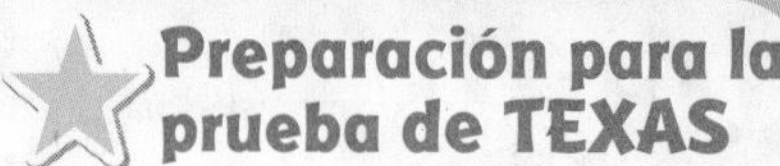

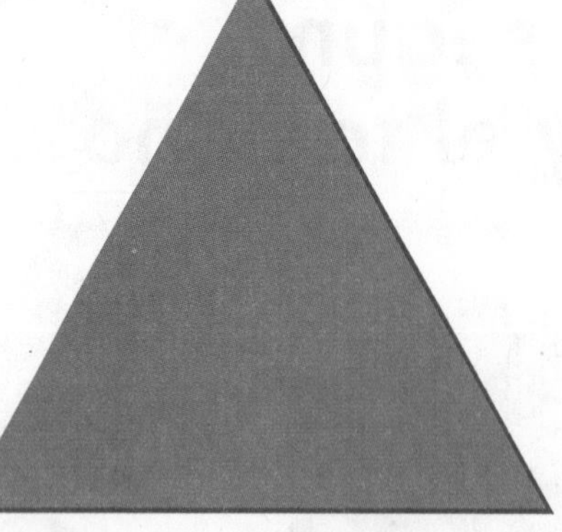

INSTRUCCIONES Elige la respuesta correcta.
2 y 3. ¿Cuál de estas figuras pertenece al conjunto?

Nombre ______________________________

TEKS Análisis de datos:
K.8.A *También K.6.D, K.6.E*

PROCESOS MATEMÁTICOS
K.1.E

20.2 Agrupar en tres grupos

MANOS A LA OBRA: ÁLGEBRA

Pregunta esencial ¿De qué manera puedes agrupar los objetos en tres categorías?

Explora

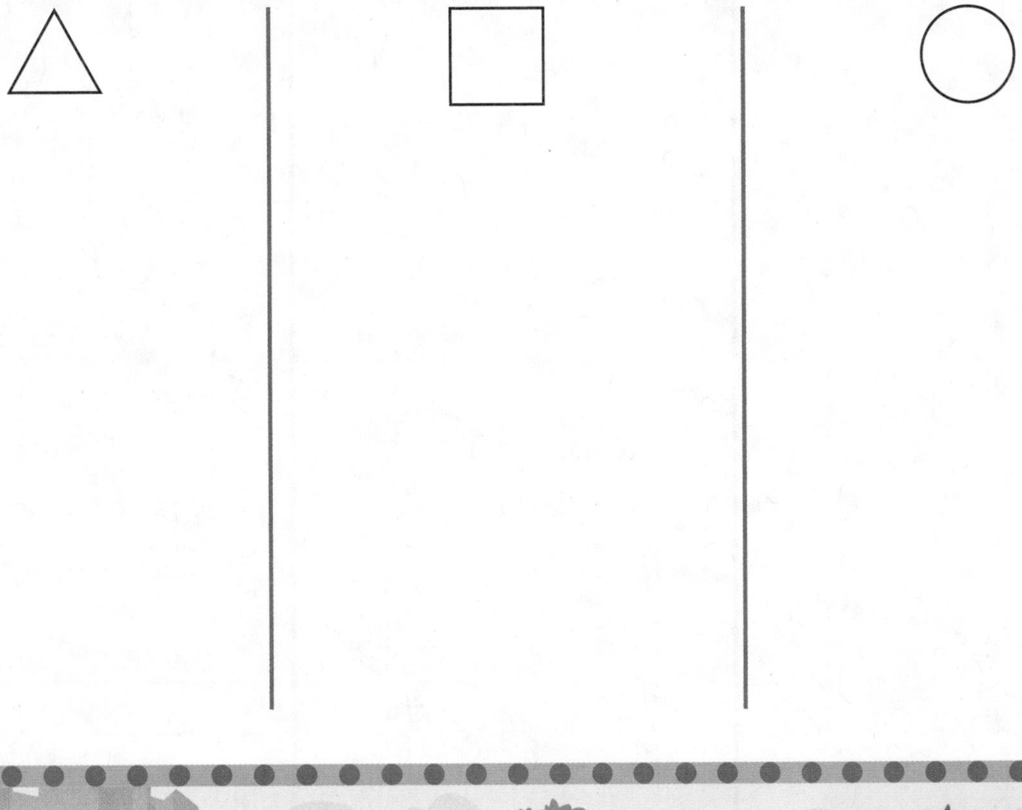

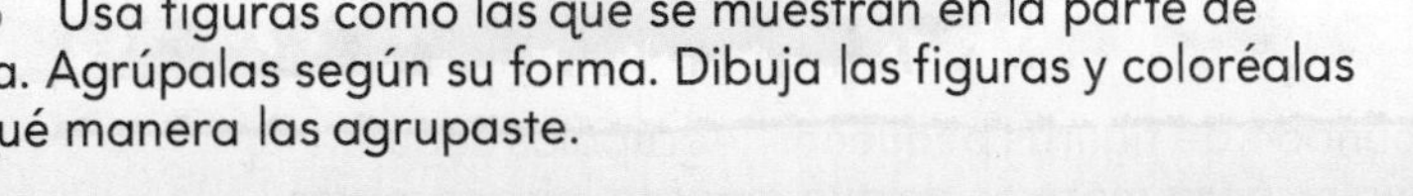
INSTRUCCIONES Usa figuras como las que se muestran en la parte de arriba de la página. Agrúpalas según su forma. Dibuja las figuras y coloréalas para mostrar de qué manera las agrupaste.

Comparte y muestra

ROJO	AZUL	AMARILLO

INSTRUCCIONES 1. Toma un puñado de figuras pequeñas. Agrúpalas según su color. Dibuja las figuras y coloréalas para mostrar de qué manera las agrupaste.

Nombre ___________________________

0 lados	3 lados	4 lados

INSTRUCCIONES **2.** Toma un puñado de figuras pequeñas. Agrúpalas según el número de lados que tienen. Dibuja las figuras y coloréalas para mostrar de qué manera las agrupaste.

ACTIVIDAD PARA LA CASA • Pida a su niño que explique de qué manera agrupó las figuras en esta página. Dibuje un cuadrado, un círculo o un triángulo. Pregunte al niño a qué categoría pertenecería la figura y por qué.

Procesos matemáticos
Representar • Razonar • Comunicar

Resolución de problemas

3

Escribe

Tarea diaria de evaluación

?

INSTRUCCIONES **3.** ¿Cómo están agrupadas las figuras? Dibuja una figura más en cada categoría. **4.** Elige la respuesta correcta. Mira de qué manera están agrupadas las figuras. ¿Cuál de estas figuras pertenece a la primera categoría?

Tarea y práctica

Nombre ______________________

20.2 Agrupar en tres grupos

MANOS A LA OBRA: ÁLGEBRA

1

0 lados	3 lados	4 lados

INSTRUCCIONES 1. Agrupa las figuras de la parte de arriba de la página según el número de lados que tienen. Dibuja las figuras y coloréalas para mostrar de qué manera las agrupaste.

Repaso de la lección

Preparación para la prueba de TEXAS

INSTRUCCIONES Elige la respuesta correcta. Mira de qué manera están agrupadas las figuras. **2.** ¿Cuál de estas figuras pertenece a la categoría del medio? **3.** ¿Cuál de estas figuras pertenece a la última categoría?

Nombre ___________________________

TEKS Análisis de datos: K.8.B, K.8.C *También K.8.A*
PROCESOS MATEMÁTICOS K.1.D, K.1.E

20.3 Hacer y leer una gráfica con objetos reales

MANOS A LA OBRA

Pregunta esencial ¿De qué manera puedes hacer una gráfica con objetos reales para contar los objetos que están agrupados en diferentes categorías?

Explora

Cubos anaranjados y verdes					

INSTRUCCIONES Coloca un puñado de cubos anaranjados y verdes en el área de trabajo. Agrupa los cubos y clasifícalos según su color. Mueve los cubos a la gráfica. Dibuja los cubos y coloréalos. Di a un amigo cuántos cubos hay en cada categoría.

Comparte y muestra

1

2

Cubos rojos, azules y verdes				

3

INSTRUCCIONES **1.** Coloca un puñado de cubos rojos, azules y verdes en el área de trabajo. Agrupa los cubos según su color. **2.** Mueve los cubos a la gráfica. Dibuja los cubos y coloréalos. **3.** Lee la gráfica. Escribe cuántos hay en cada categoría.

Nombre ____

Nuestro color favorito de cubos

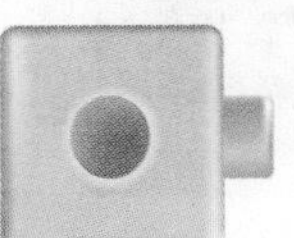

INSTRUCCIONES **4.** Usa cubos azules, amarillos y verdes. Pide a 5 compañeros de clase que elijan el cubo de su color favorito. Coloca los cubos en la gráfica. Dibuja los cubos y coloréalos. **5.** Lee la gráfica. Escribe cuántos hay de cada color.

ACTIVIDAD PARA LA CASA • Pida a su niño que describa la gráfica que hizo en esta página.

Procesos matemáticos
Representar • Razonar • Comunicar

Resolución de problemas En el mundo

Escribe

6

Cubos rojos y azules					

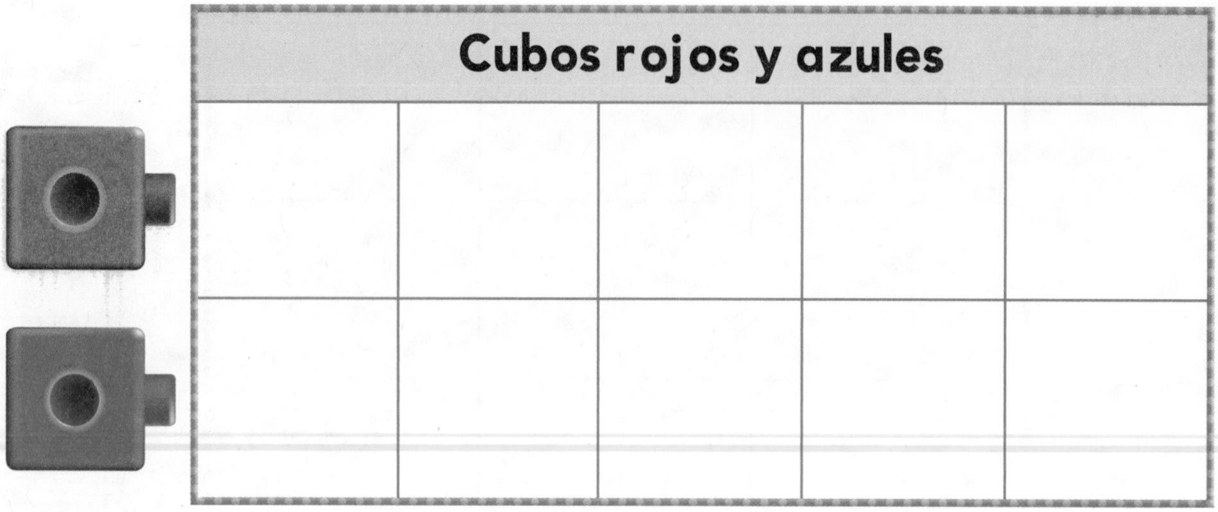

Tarea diaria de evaluación

7

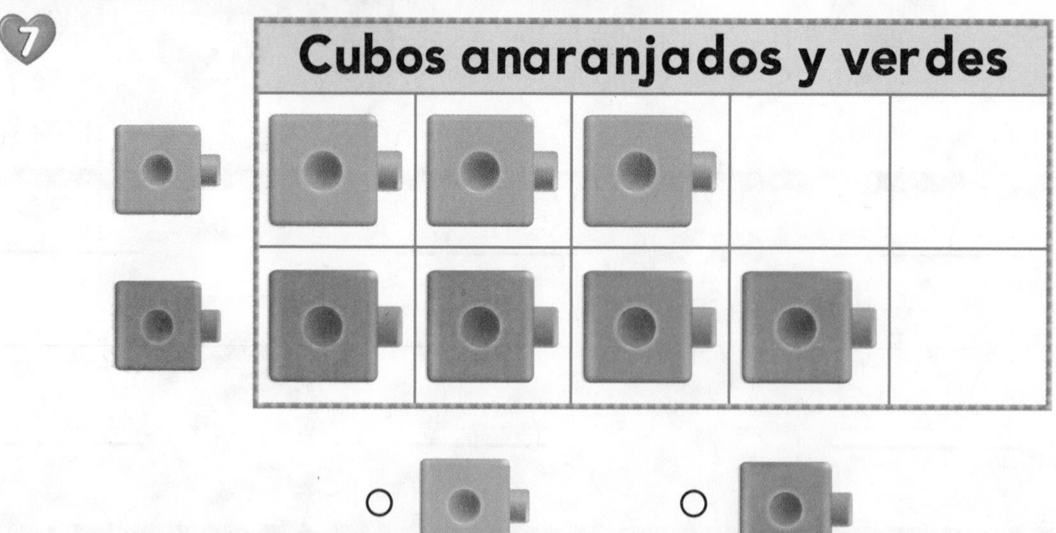

INSTRUCCIONES **6.** Eli tiene 3 cubos rojos. Tiene dos cubos azules más que cubos rojos. Haz un dibujo para mostrar los cubos de la gráfica. **7.** Elige la respuesta correcta. Mira la gráfica. ¿Hay más cubos anaranjados o más cubos verdes?

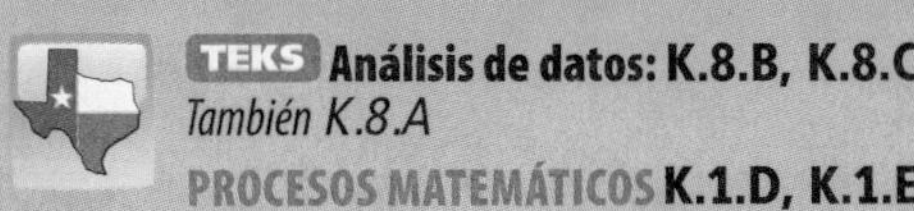

Nombre ______________________

20.3 Hacer y leer una gráfica con objetos reales

MANOS A LA OBRA

1

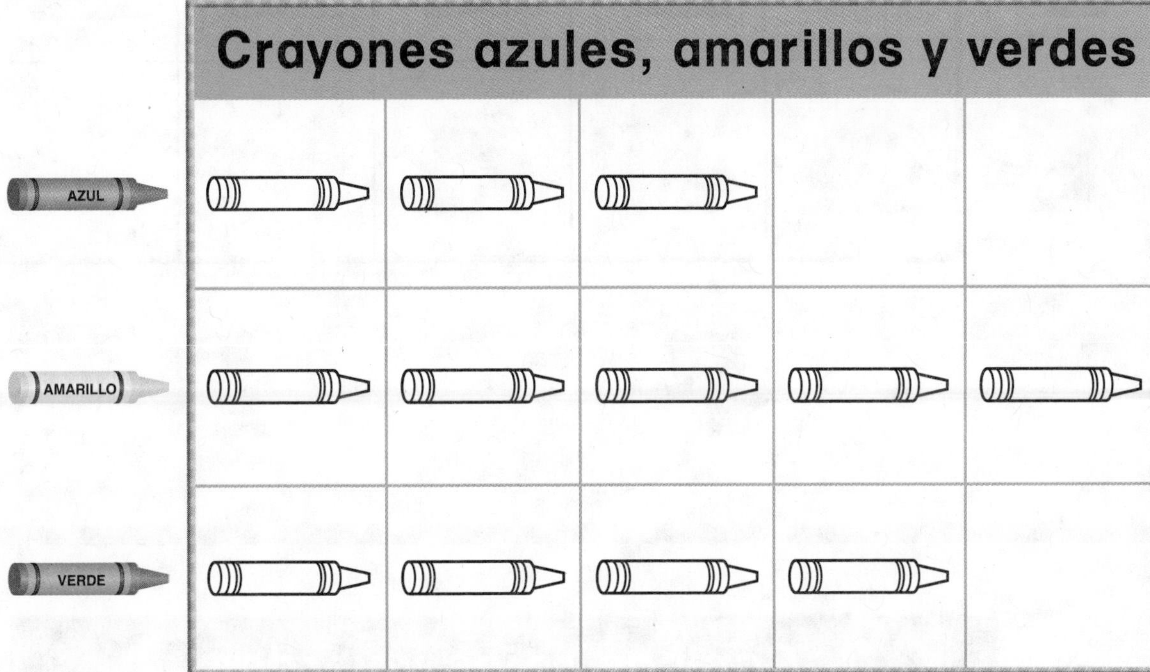

2

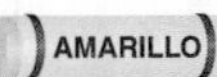

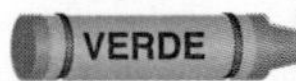

INSTRUCCIONES Mira la gráfica. **1.** En la hilera de arriba, colorea de azul los crayones. En la hilera del medio, colorea de amarillo los crayones. En la hilera de abajo, colorea de verde los crayones. **2.** Lee la gráfica. Escribe cuántos hay de cada color.

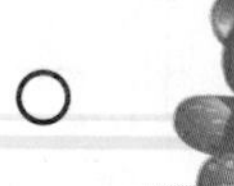

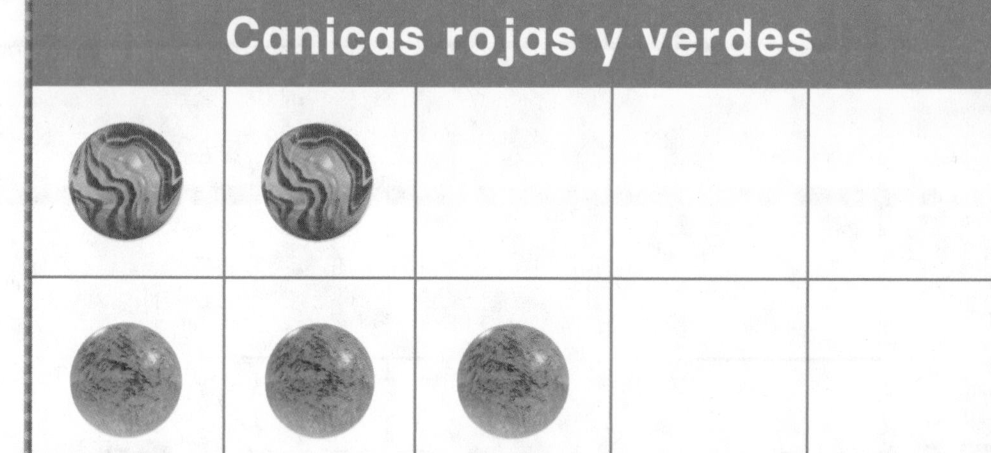

INSTRUCCIONES Elige la respuesta correcta.
3. ¿Hay más osos amarillos o más osos azules?
4. ¿Hay más canicas rojas o más canicas verdes?

Nombre ____________________

20.4 Hacer y leer una gráfica con ilustraciones

MANOS A LA OBRA

TEKS Análisis de datos: K.8.B, K.8.C *También K.8.A*

PROCESOS MATEMÁTICOS K.1.D, K.1.E

Pregunta esencial ¿De qué manera puedes usar una gráfica con ilustraciones para mostrar los objetos agrupados en diferentes categorías?

Explora

Cubos rojos y amarillos

(cubo rojo)					
(cubo amarillo)					

Cubos rojos y amarillos

(cubo rojo)					
(cubo amarillo)					

INSTRUCCIONES Mira la gráfica que está en la parte de arriba de la página. Escucha el problema. Usa cubos para mostrar el problema. Mira la gráfica que está en la parte de abajo de la página. Dibuja círculos para mostrar los cubos de la parte de arriba de la página.

Comparte y muestra

1

Cubos azules, verdes y rojos

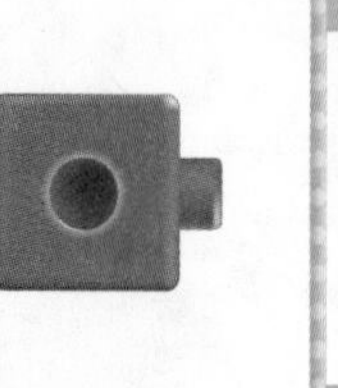

2

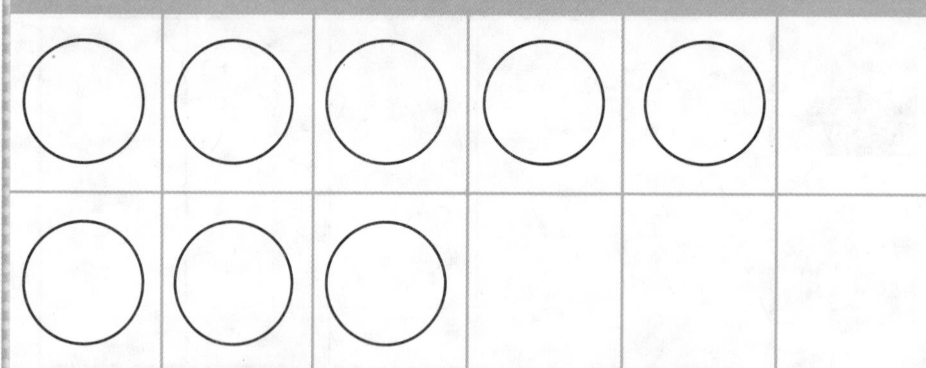

INSTRUCCIONES **1.** Usa los cubos que se muestran en la parte de arriba de la página. Agrupa los cubos y muévelos a la gráfica. Dibuja círculos para mostrar los cubos. **2.** Lee la gráfica. ¿De qué color hay menos cubos? Encierra en un círculo el cubo de ese color que está debajo de la gráfica.

Nombre ______________________________

3

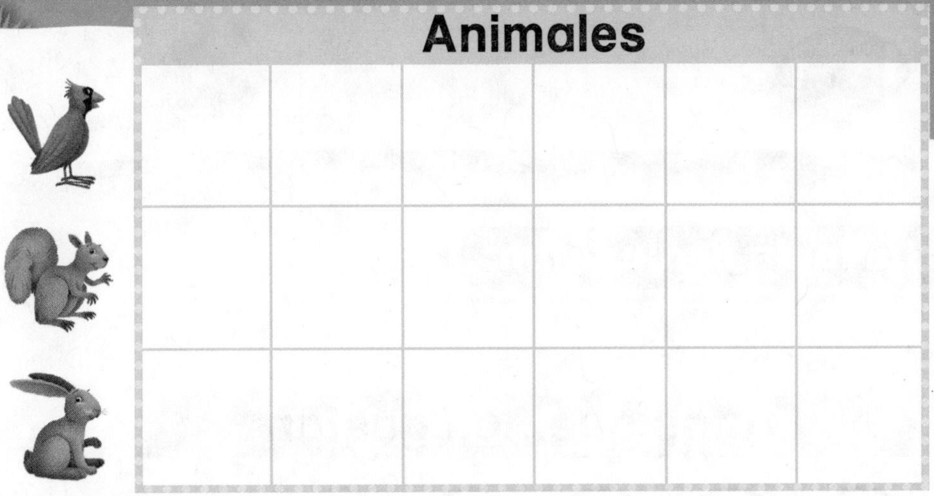

Animales

(cardenal)						
(ardilla)						
(conejo)						

4

______

______

______

INSTRUCCIONES **3.** Mira la ilustración. ¿Cuántos animales de cada tipo hay? Dibuja círculos en la gráfica para mostrar el número de animales que hay de cada tipo. **4.** Escribe cuántos animales hay de cada tipo.

ACTIVIDAD PARA LA CASA • Pida a su niño que dibuje otro conejo en la ilustración de la parte de arriba de la página. Pídale que cambie la gráfica para que concuerde con la ilustración y que explique por qué la gráfica cambió.

Procesos matemáticos
Representar • Razonar • Comunicar

Resolución de problemas

5

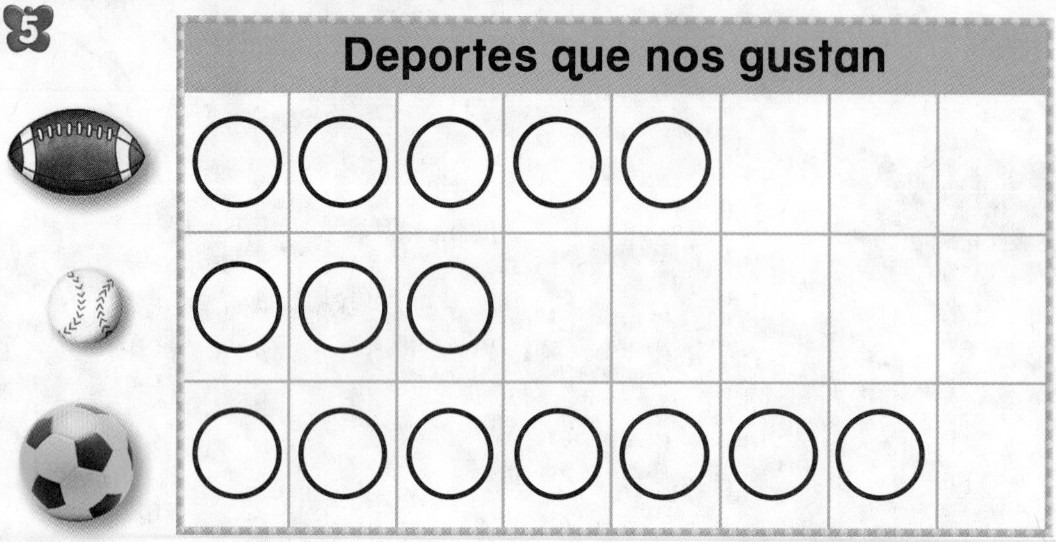

Deportes que nos gustan								
fútbol americano	○	○	○	○	○			
béisbol	○	○	○					
fútbol	○	○	○	○	○	○	○	

Tarea diaria de evaluación

6

Frutas que nos gustan						
plátano	○	○	○	○	○	
manzana	○	○	○	○		

○ 4

○ 5

INSTRUCCIONES **5.** Lee la gráfica con ilustraciones. Encierra en un círculo la pelota para mostrar el deporte que les gusta al mayor número de niños. **6.** Elige la respuesta correcta. ¿A cuántos niños les gustan las manzanas?

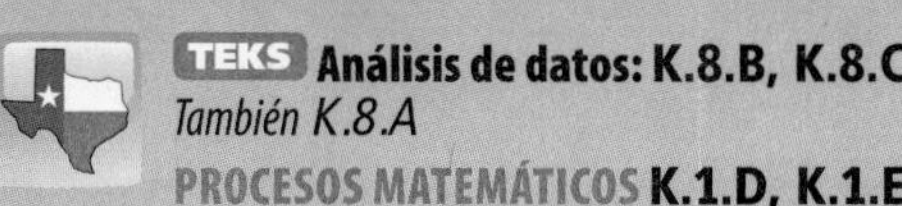

TEKS Análisis de datos: K.8.B, K.8.C
También K.8.A
PROCESOS MATEMÁTICOS K.1.D, K.1.E

Nombre ______________________________

20.4 Hacer y leer una gráfica con ilustraciones

MANOS A LA OBRA

Animales marinos					

 ______

 ______

 ______

INSTRUCCIONES **1.** Mira la pecera. ¿Cuántos animales marinos de cada tipo hay? Dibuja círculos en la gráfica para mostrar el número de animales marinos que hay de cada tipo. **2.** Escribe el número de animales marinos que hay de cada tipo.

Repaso de la lección

Preparación para la prueba de TEXAS

Carros que nos gustan						
	○	○	○			
	○	○	○	○	○	

○ 3 ○ 5

Animal favorito del bosque						
	○	○	○	○	○	○
	○	○	○	○		

○ 6 ○ 4

INSTRUCCIONES Elige la respuesta correcta.
3. ¿A cuántos niños les gustan los carros amarillos?
4. ¿A cuántos niños les gustan los conejos?

Nombre ____________________________________

TEKS Análisis de datos: K.8.C *También K.8.A, K.8.B*
PROCESOS MATEMÁTICOS
K.1.B, K.1.D, K.1.E

20.5 RESOLUCIÓN DE PROBLEMAS • Reunir datos y crear una gráfica

Pregunta esencial ¿De qué manera puedes reunir datos y usarlos para crear una gráfica?

Soluciona el problema En el mundo

Tipos de zapatos						

______

______

INSTRUCCIONES Pregunta a cinco compañeros de clase si sus zapatos tienen cordones o no. Dibuja círculos en la gráfica con ilustraciones para mostrar sus respuestas. Escribe cuántos zapatos hay de cada tipo.

Haz otro problema

Frutas favoritas						
(plátano)						
(manzana)						
(naranja)						

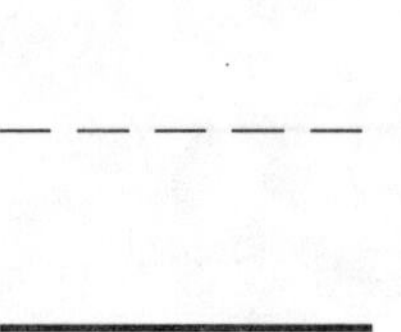

INSTRUCCIONES **1.** Pregunta a cinco compañeros de clase si las frutas que más les gustan son los plátanos, las manzanas o las naranjas. Dibuja círculos en la gráfica con ilustraciones para mostrar sus respuestas. **2.** Escribe a cuántos niños les gusta cada fruta. **3.** Encierra en un círculo la fruta que les gusta a más niños.

Nombre ____________________

Comparte y muestra

	Cómo venimos a la escuela					

5

 ______

 ______

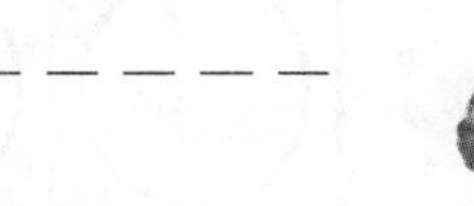
 ______

6

INSTRUCCIONES **4.** Pregunta a cinco compañeros de clase cómo vinieron a la escuela esta mañana. Dibuja círculos en la gráfica con ilustraciones para mostrar sus respuestas. **5.** Escribe el número de niños. **6.** Encierra en un círculo la ilustración que muestra cómo vinieron a la escuela el menor número de niños.

ACTIVIDAD PARA LA CASA • Pida a su niño que explique de qué manera completó la gráfica. Luego, haga una pregunta como la siguiente: "¿Fueron más los niños que llegaron a la escuela caminando o los que llegaron en autobús?".

Tarea diaria de evaluación

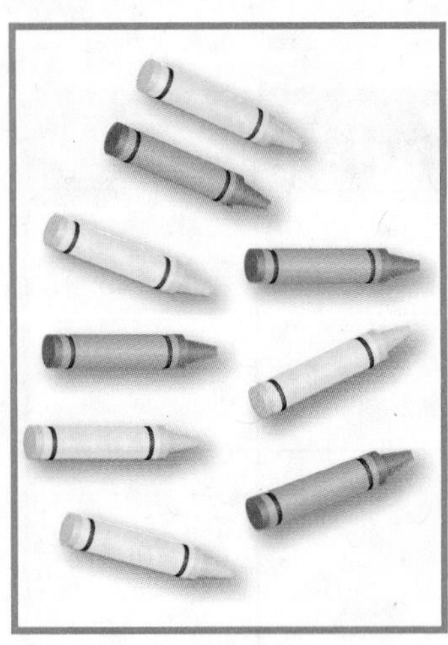

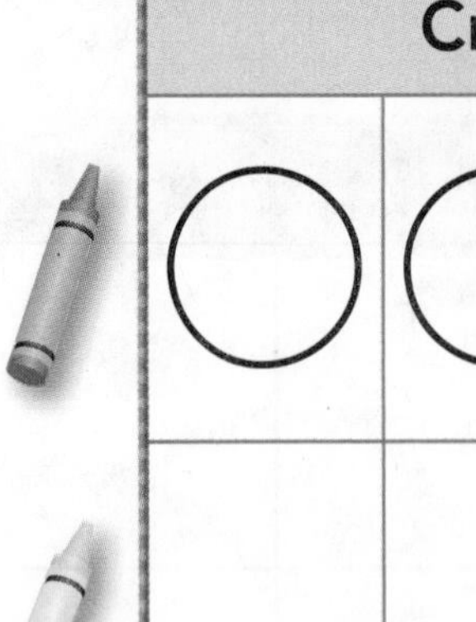

Crayones rojos y amarillos					
○	○	○	○		

○ 5 ○ 4

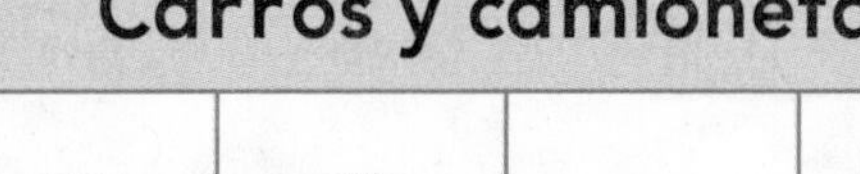

Carros y camionetas					
○	○	○			

○ 2

○ 3

INSTRUCCIONES Elige la respuesta correcta. **7.** Allie agrupa los crayones y hace una gráfica. ¿Cuántos círculos dibujará en la segunda hilera de la gráfica? **8.** David agrupa sus juguetes y hace una gráfica. ¿Cuántos círculos dibujará en la segunda hilera de la gráfica?

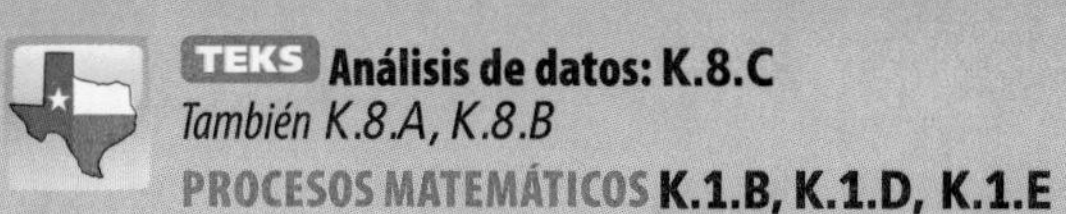

Nombre ____________________

20.5 RESOLUCIÓN DE PROBLEMAS • Reunir datos y crear una gráfica

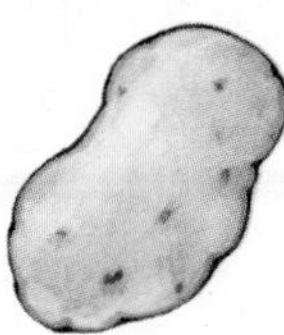

Tipos de verduras					

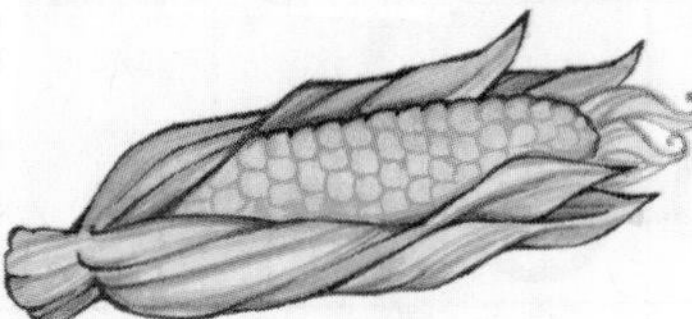

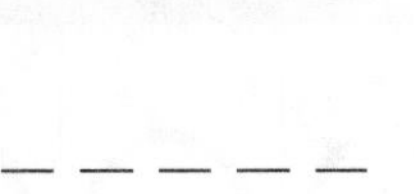

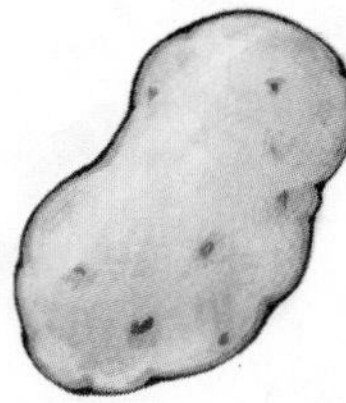

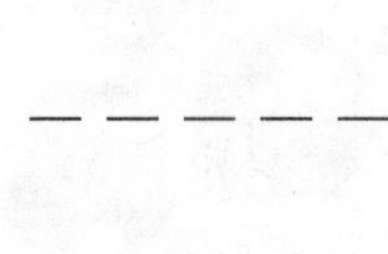

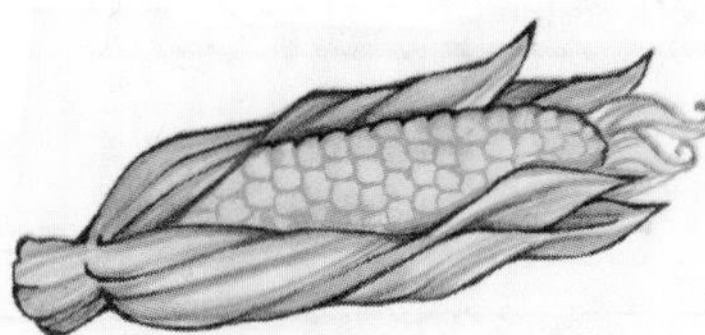

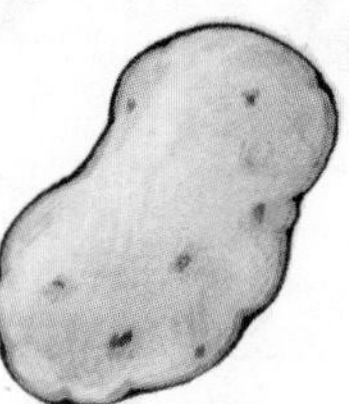

INSTRUCCIONES **1.** Pregunta a cinco amigos o miembros de tu familia si les gusta el maíz o la papa. Dibuja círculos en la gráfica con ilustraciones para mostrar sus respuestas. **2.** Escribe a cuántas personas les gusta cada verdura. **3.** Encierra en un círculo la verdura que les gusta a más personas.

Repaso de la lección

Preparación para la prueba de TEXAS

○ 6 ○ 5

5

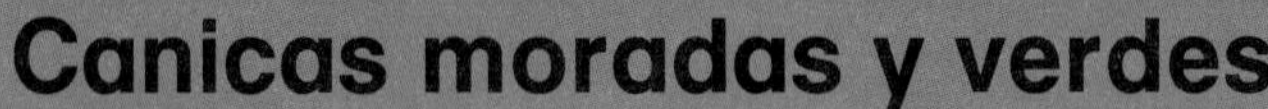

○ 3 ○ 4

INSTRUCCIONES Elige la respuesta correcta. **4.** Jen clasifica los adhesivos y hace una gráfica. ¿Cuántos círculos dibujará Jen en la segunda hilera de la gráfica? **5.** Brad clasifica las canicas y hace una gráfica. ¿Cuántos círculos dibujará en la segunda hilera de la gráfica?

Nombre ________________________________

Evaluación de la Unidad 5

Vocabulario

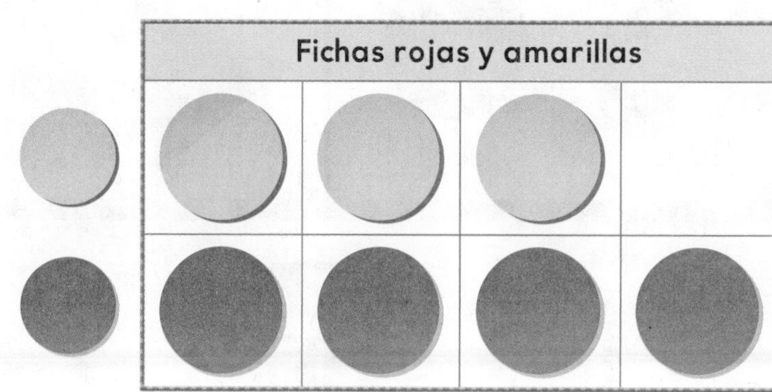

Conceptos y destrezas

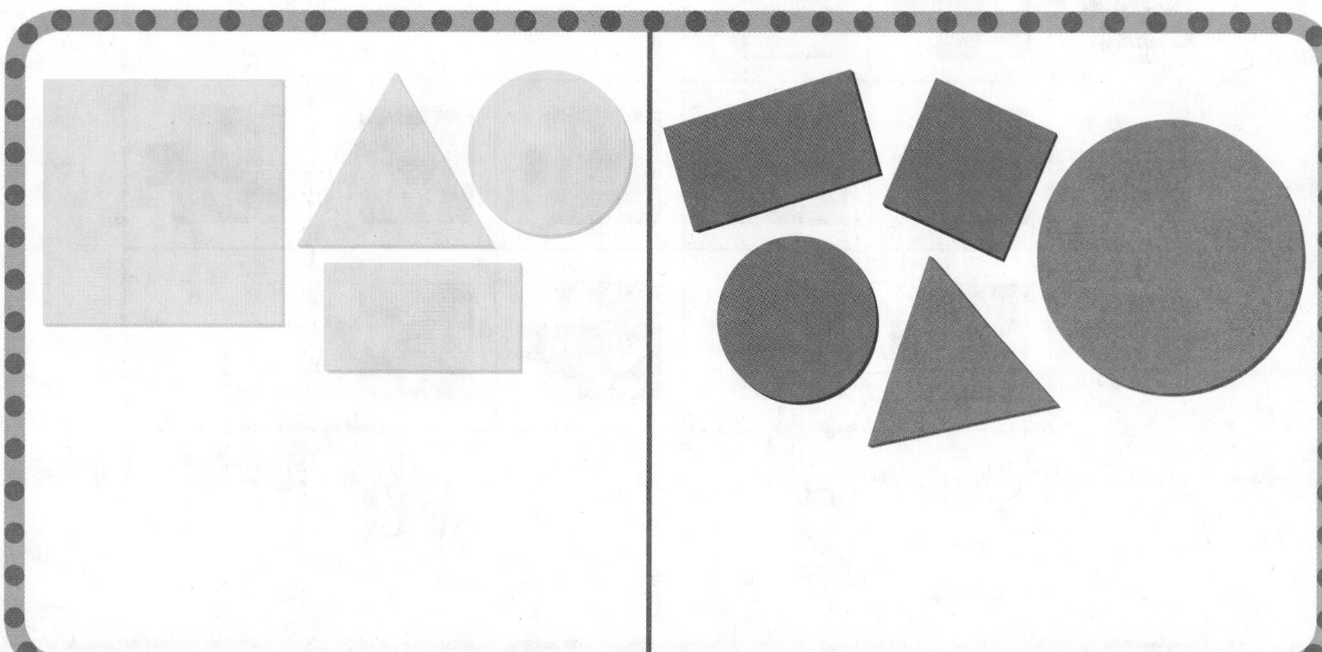

INSTRUCCIONES **1.** Encierra en un círculo la gráfica. TEKS K.8.B **2.** ¿Cómo están agrupadas las figuras? Dibuja una figura más en cada categoría. TEKS K.8.A

3

○ ○

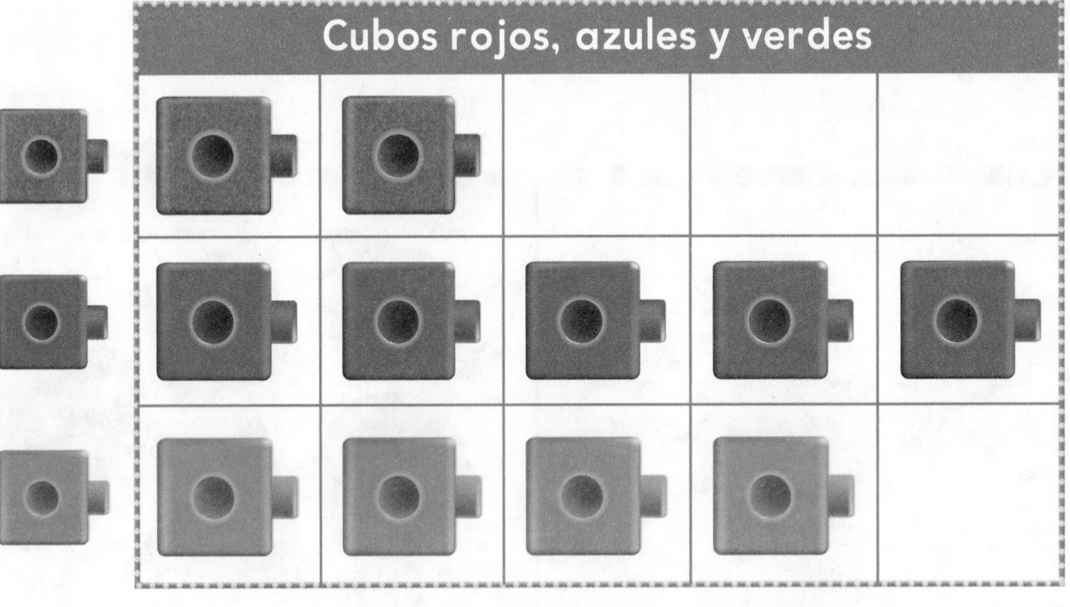

○ 2 ○ 4

INSTRUCCIONES Rellena el círculo de la respuesta correcta. **3.** Mira de qué manera están agrupadas las figuras. ¿Qué figura pertenece a la última categoría? TEKS K.8.A **4.** Mira la gráfica. ¿Cuántos cubos verdes hay? TEKS K.8.C

Nombre ______________________________

5

Bocadillos que nos gustan

pretzel	○	○	○	○	○	
naranja	○	○	○	○		

○ 5

○ 6

6

Bebidas que nos gustan

jugo	○	○	○	○		
leche	○	○	○			
agua	○	○	○	○	○	

○ 4

○ 5

7

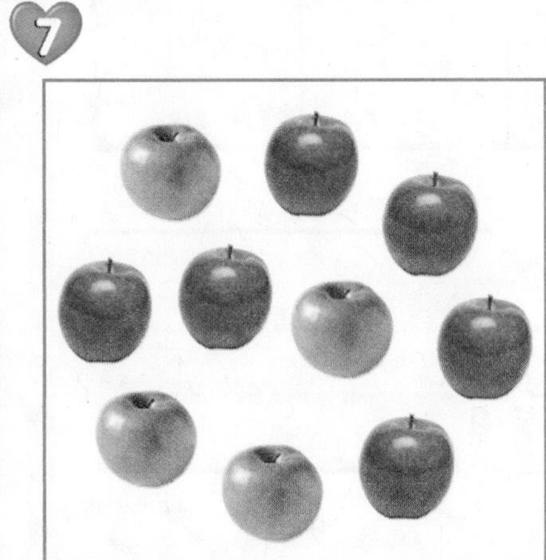

Manzanas

○	○	○	○	○	○

○ 6 ○ 4

INSTRUCCIONES **5.** Mira la gráfica con ilustraciones. ¿A cuántos niños les gustan los pretzels? TEKS K.8.C **6.** Mira la gráfica con ilustraciones. ¿A cuántos niños les gusta el agua? TEKS K.8.C **7.** Callie agrupa las manzanas y hace una gráfica. ¿Cuántos círculos dibujará en la hilera de abajo? TEKS K.8.B

Tarea de rendimiento

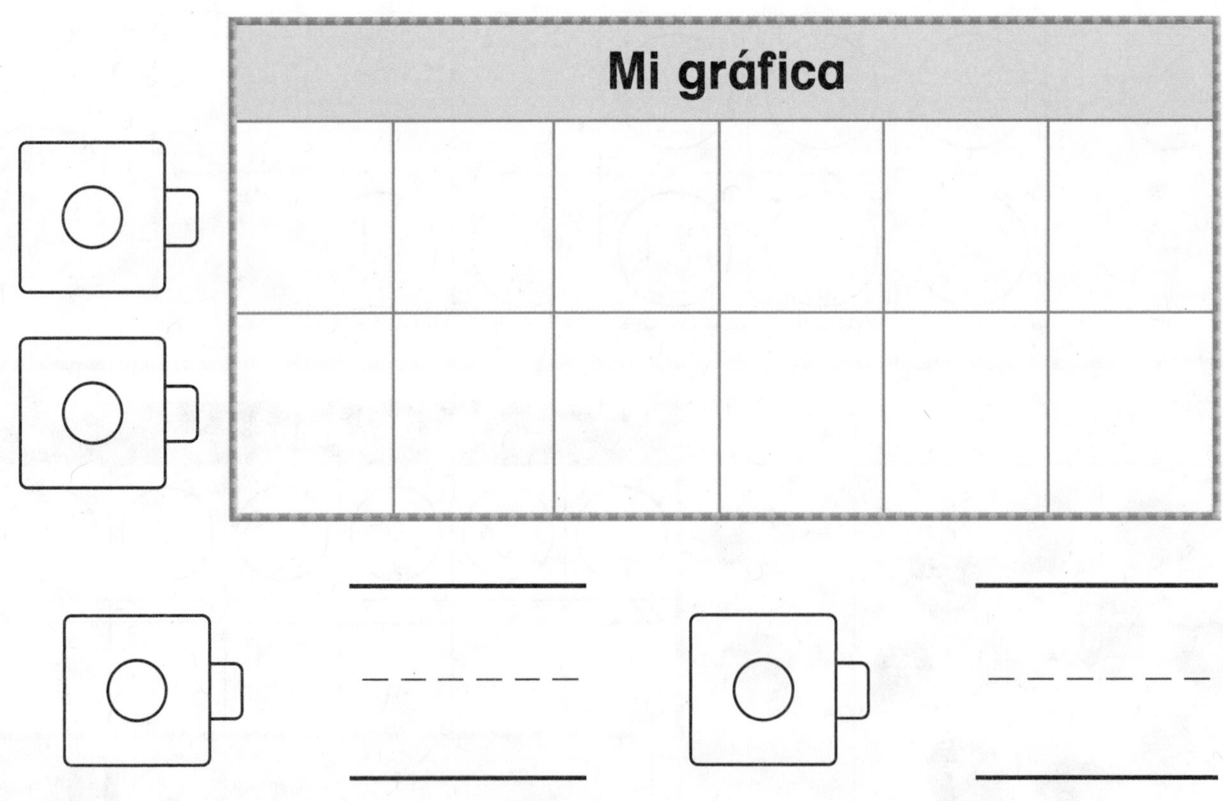

TAREA DE RENDIMIENTO Esta tarea permitirá evaluar si el niño comprende cómo agrupar objetos y cómo hacer gráficas.

Comprensión de finanzas personales

Muestra lo que sabes

Nombre ______________________________

Agrupar según la forma

Hacer una gráfica con objetos reales

Monedas de un centavo y de diez centavos				

INSTRUCCIONES **1.** Encierra en un círculo los triángulos **2.** Coloca monedas sobre las monedas que se muestran. Agrupa las monedas y muévelas a la gráfica. Luego, dibújalas.

NOTA PARA LA FAMILIA: El propósito de esta página es comprobar si su niño comprende las destrezas importantes que se necesitan para tener éxito en la Unidad 6.

Opciones de evaluación: Soar to Success Math

Desarrollo del vocabulario

Palabras de repaso

- agrupar
- moneda de un centavo
- moneda de cinco centavos
- moneda de diez centavos
- moneda de veinticinco centavos

Visualizar

Comprender el vocabulario

INSTRUCCIONES **Visualizar** Mira las monedas. Conecta con líneas la moneda de la izquierda con la moneda que corresponde de la derecha.

Comprender el vocabulario Coloca monedas sobre las monedas que se muestran arriba. Agrupa las monedas en dos categorías. Dibuja las monedas que agrupaste. Explica de qué manera las agrupaste.

- **Libro interactivo del estudiante**
- **Glosario multimedia**

Un verano divertido

escrito por Tim Johnson

ilustrado por Promotion Studios

Este librito para la casa pertenece a:

____

¿Puedes encontrar estas cuatro figuras en cada página del cuento?

Lectura y redacción de matemáticas

Este librito para la casa te servirá para repasar cómo identificar los cilindros, los conos y las esferas.

PROCESOS MATEMÁTICOS K.1.A, K.1.D

—¡Acabamos! —gritaron los ratones—,
¡terminamos de limpiar nuestro jardín!
Vayámonos a la playa
que el verano ha llegado por fin.

Los ratones prepararon un paseo,
con sombrilla, refrescos y pantalla solar.
Nada mejor para un recreo
que irse a la playa a descansar.

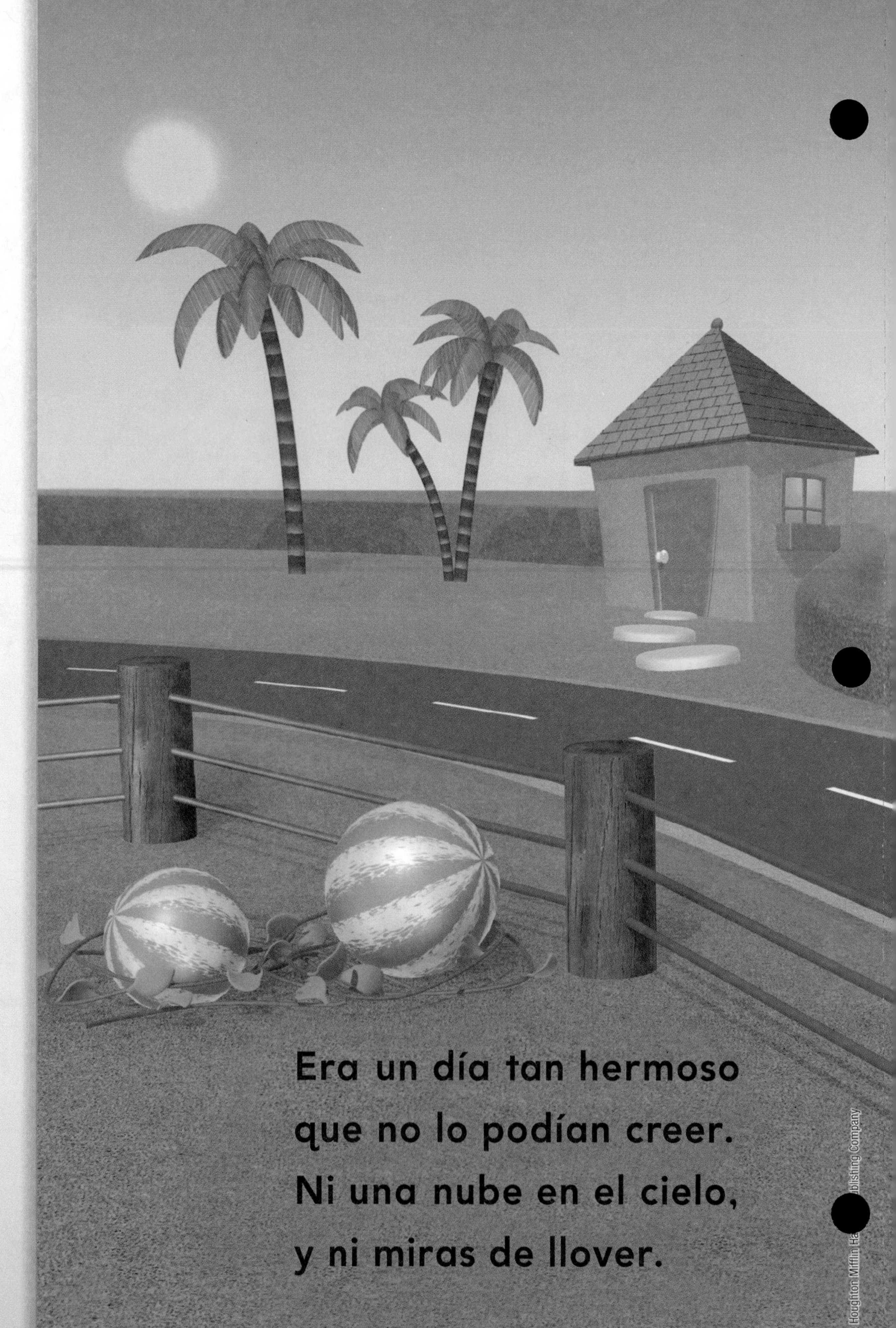

Era un día tan hermoso
que no lo podían creer.
Ni una nube en el cielo,
y ni miras de llover.

PLAYA

Cuando a la playa llegaron
los ratones finalmente,
se dijeron muy contentos:
—¡Este es un día excelente!

¡Busca las figuras una vez más! Luego, encierra en un círculo la paleta que muestre tu figura favorita.

Nombre ______________________________

Escribe sobre las matemáticas

Repaso del vocabulario

trabajar

INSTRUCCIONES Mira la ilustración. Dibuja a varias personas que estén trabajando. Describe a un amigo los trabajos que muestras en tu dibujo.

¿Quién está trabajando?

INSTRUCCIONES **1 y 2.** Mira las ilustraciones. Encierra en un círculo los ratones que están trabajando.

Nombre ______________________________

TEKS Comprensión de finanzas personales: K.9.A
También K.8.A
PROCESOS MATEMÁTICOS
K.1.A, K.1.D

21.1 Ganar dinero

Pregunta esencial ¿De qué maneras se pueden ganar ingresos?

Explora En el mundo

______________ ______________

INSTRUCCIONES Sam y Ellie ganan dinero vendiendo limonada. Mira el letrero del puesto de limonadas. Escribe el número de monedas de un centavo que ganarán si alguien compra una limonada pequeña. Escribe el número de monedas de un centavo que ganarán si alguien compra una limonada grande.

Comparte y muestra

INSTRUCCIONES **1 y 2.** Encierra en un círculo la ilustración que muestra a un niño que trabaja para ganar ingresos. Tacha con una X la ilustración que muestra a un niño que juega.

Nombre ___________________________

INSTRUCCIONES 3. Recorta algunas ilustraciones de personas que estén trabajando o jugando. En la primera columna, pega las ilustraciones de personas que trabajan para ganar dinero. En la segunda columna, pega las ilustraciones de personas que hacen una actividad en su tiempo libre.

ACTIVIDAD PARA LA CASA • Describa de qué manera algunas personas que su niño ve a diario trabajan para ganar dinero, como un guardia de cruce peatonal, un conductor de autobús o un bombero.

Procesos matemáticos
Representar • Razonar • Comunicar

Resolución de problemas En el mundo

4

Escribe

Tarea diaria de evaluación

5

○ ○

INSTRUCCIONES **4.** Jazmín pasea un perro una vez al día. Cada día gana 10 monedas de un centavo. ¿Cuántas monedas de un centavo gana en dos días? Escribe el número. **5.** Elige la respuesta correcta. ¿Cuál de estas ilustraciones muestra una manera de ganar dinero?

Tarea y práctica

TEKS **Comprensión de finanzas personales: K.9.A**
También K.8.A
PROCESOS MATEMÁTICOS K.1.A, K.1.D

Nombre ______________________

21.1 Ganar dinero

INSTRUCCIONES 1 y 2. Encierra en un círculo la ilustración que muestra a un niño que trabaja para ganar ingresos. Tacha con una X la ilustración que muestra a un niño que juega.

Repaso de la lección

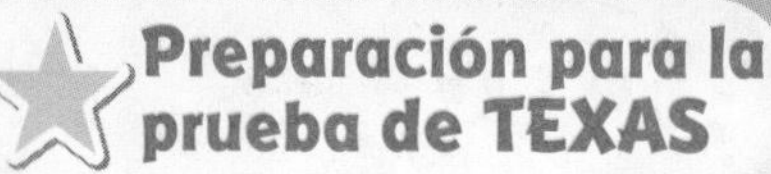

○

○

○

○

INSTRUCCIONES Elige la respuesta correcta.
3 y 4. ¿Cuál de estas ilustraciones muestra una manera de ganar dinero?

Nombre ______________________________

TEKS Comprensión de finanzas personales: K.9.B
También K.2.G, K.8.A
PROCESOS MATEMÁTICOS
K.1.A, K.1.D

21.2 Recibir dinero

Pregunta esencial ¿Cuál es la diferencia entre ganar dinero y recibir dinero de regalo?

Explora En el mundo

INSTRUCCIONES Sarah limpió la habitación de su hermana y ganó 10 monedas de un centavo. El abuelo le dio a Alex 10 monedas de un centavo de regalo. ¿Cuántas monedas de un centavo ganó Sarah? Escribe el número. ¿Cuántas monedas de un centavo recibió Alex? Escribe el número. Encierra en un círculo la ilustración del niño que ganó dinero.

Comparte y muestra

INSTRUCCIONES **1 y 2.** Encierra en un círculo la ilustración de un niño que gana dinero. Tacha con una X la ilustración de un niño que recibe dinero de regalo.

Nombre ______________________________

Ganar	Recibir de regalo

INSTRUCCIONES **3.** Recorta algunas ilustraciones de niños que estén recibiendo dinero. En la primera columna, pega las ilustraciones de niños que ganen dinero. En la segunda columna, pega las ilustraciones de niños que reciban dinero de regalo.

ACTIVIDAD PARA LA CASA • Comente diferentes maneras en que su niño podría ganar ingresos, por ejemplo, haciendo tareas en su casa o en las de sus vecinos.

Procesos matemáticos
Representar • Razonar • Comunicar

Resolución de problemas En el mundo

Escribe

4

_______ _______ _______

Tarea diaria de evaluación

5

○ ○

INSTRUCCIONES 4. Mikah ganó 10 monedas de un centavo por rastrillar las hojas del jardín de un vecino. Escribe el número. Además, su abuela le dio 5 monedas de un centavo de regalo. Escribe el número. ¿Cuántas monedas de un centavo recibió en total? Escribe el número. 5. Elige la respuesta correcta. La tía Olivia le dio a Elena un poco de dinero de regalo. ¿Cuál de estas ilustraciones muestra de qué manera Elena obtuvo el dinero?

TEKS **Comprensión de finanzas personales: K.9.B**
También K.2.G, K.8.A
PROCESOS MATEMÁTICOS K.1.A, K.1.D

Nombre ______________________

21.2 Recibir dinero

INSTRUCCIONES **1 y 2.** Encierra en un círculo la ilustración de un niño que gana dinero. Tacha con una X la ilustración de un niño que recibe dinero de regalo.

Repaso de la lección

Preparación para la prueba de TEXAS

○ ○

○ ○

INSTRUCCIONES Elige la respuesta correcta. **3.** El tío John le dio a David el dinero que el niño ganó. ¿Cuál de estas ilustraciones muestra de qué manera David ganó el dinero? **4.** La abuela le dio a Elena un poco de dinero de regalo. ¿Cuál de estas ilustraciones muestra de qué manera Elena obtuvo el dinero?

Nombre ___________________________

TEKS **Comprensión de finanzas personales: K.9.D**
También K.8.A

PROCESOS MATEMÁTICOS
K.1.A, K.1.D

21.3 Usar el dinero para satisfacer deseos y necesidades

Pregunta esencial ¿Cuál es la diferencia entre algo que se desea y algo que se necesita?

Explora En el mundo

INSTRUCCIONES Maeve está empacando porque pasará el fin de semana en la casa de sus abuelos. Ha empacado algunas cosas que necesita llevar y algunas cosas que desea llevar. Encierra en un círculo los objetos que Maeve necesita. Tacha con una X los objetos que desea.

Comparte y muestra

INSTRUCCIONES **1.** Encierra en un círculo la ilustración que muestra algo que se desea. **2.** Encierra en un círculo la ilustración que muestra algo que se necesita.

Nombre ___________________________________

INSTRUCCIONES **3.** Anna ganó dinero ayudando a su mamá a rastrillar las hojas. Con el dinero que ganó, compró lo que necesitaba para la escuela. Encierra en un círculo la ilustración que muestra los objetos que Anna compró. **4.** El Sr. Jacobs fue al mercado. Como ya tenía todo lo que necesitaba, compró algo que deseaba. Encierra en un círculo la ilustración que muestra lo que el Sr. Jacobs compró.

ACTIVIDAD PARA LA CASA • Clasifique con su niño algunos objetos, como alimentos y juguetes, para determinar cuáles se necesitan y cuáles se desean.

Procesos matemáticos
Representar • Razonar • Comunicar

Resolución de problemas En el mundo

Escribe

5

Tarea diaria de evaluación

6

INSTRUCCIONES **5.** Molly usó el dinero de su mesada para comprar algo que necesitaba. Encierra en un círculo la ilustración que muestra lo que Molly compró. **6.** Elige la respuesta correcta. ¿Cuál de estas ilustraciones muestra algo que se necesita?

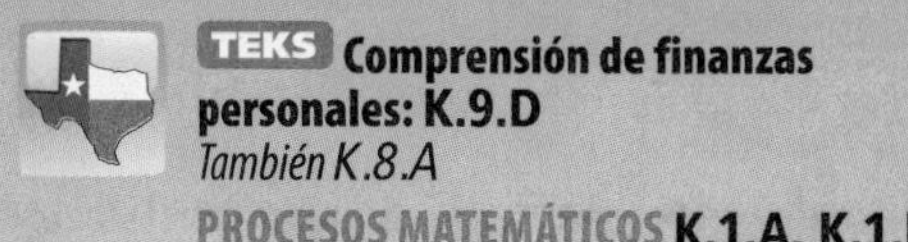

Nombre ___________________

21.3 Usar el dinero para satisfacer deseos y necesidades

INSTRUCCIONES **1.** Encierra en un círculo la ilustración que muestra algo que se necesita. **2.** Encierra en un círculo la ilustración que muestra algo que se desea.

Repaso de la lección

○ ○

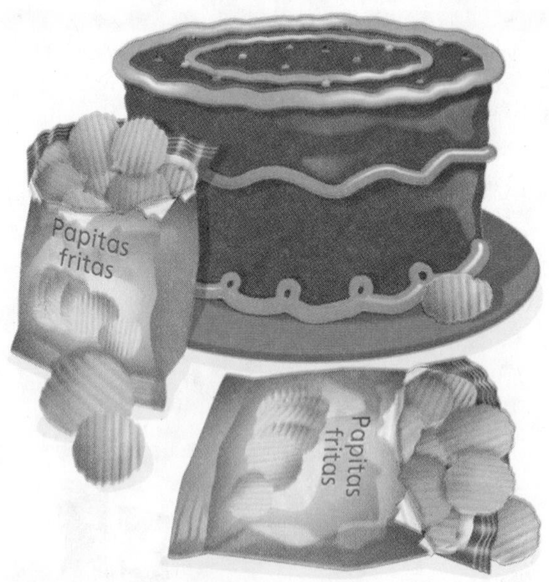

○ ○

INSTRUCCIONES Elige la respuesta correcta. **3.** ¿Cuál de estas ilustraciones muestra algo que se desea? **4.** ¿Cuál de estas ilustraciones muestra algo que se necesita?

Nombre ___________________________

PROCESOS MATEMÁTICOS
K.1.A, K.1.B, K.1.D

RESOLUCIÓN DE PROBLEMAS • Relacionar las destrezas con un trabajo

Pregunta esencial ¿De qué manera identificas las destrezas que se necesitan para un trabajo?

Soluciona el problema

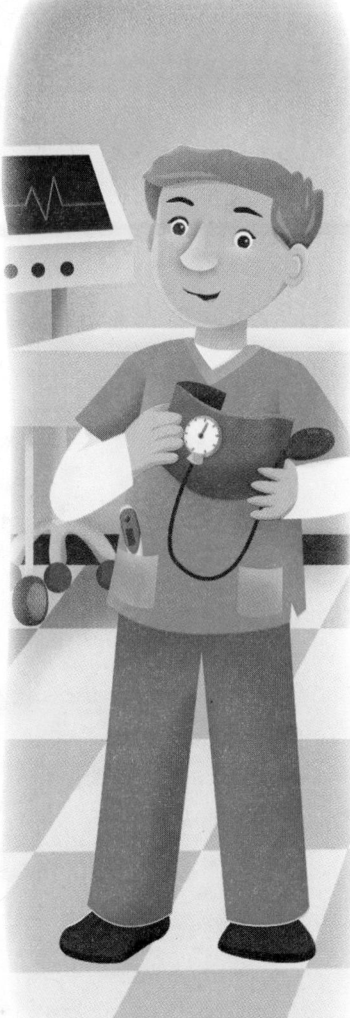

INSTRUCCIONES Encierra en un círculo azul a la persona que debe saber medir la temperatura del cuerpo. Encierra en un círculo rojo a la persona que debe saber apagar un incendio. Encierra en un círculo verde a la persona que debe saber usar una llave.

Haz otro problema

1

INSTRUCCIONES I. Encierra en un círculo azul a la persona que debe saber medir los ingredientes de una receta. Encierra en un círculo verde a la persona que debe saber leer un mapa. Encierra en un círculo rojo a la persona que debe saber contar dinero. Encierra en un círculo amarillo a la persona que debe saber leer una partitura.

Nombre ______________________________

Comparte y muestra

INSTRUCCIONES **2.** Encierra en un círculo azul a la persona que debe saber oír el latido del corazón de un animal. Encierra en un círculo verde a la persona que debe saber usar una balanza para pesar alimentos. Encierra en un círculo rojo a la persona que debe saber medir cuánto ha llovido. Encierra en un círculo amarillo a la persona que debe saber medir una distancia.

ACTIVIDAD PARA LA CASA • Pregunte a su niño qué trabajo le gustaría tener cuando crezca. Comenten cuáles son las herramientas y las destrezas que se necesitan para hacer ese trabajo.

Tarea diaria de evaluación

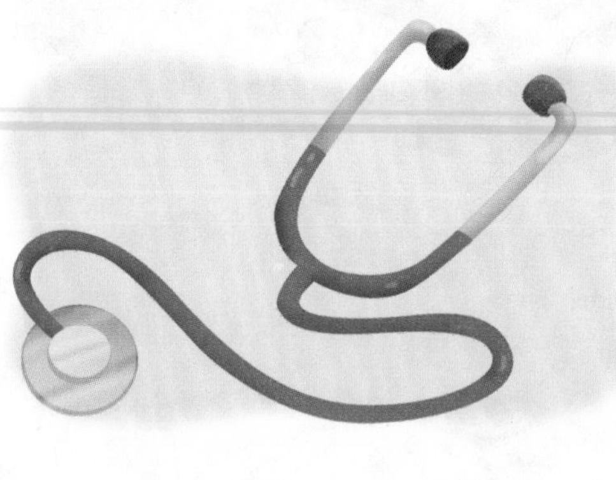

INSTRUCCIONES Elige la respuesta correcta. **3.** ¿Para qué trabajo debes saber sembrar semillas? **4.** ¿Cuál es el instrumento que un doctor debe saber usar para trabajar? **5.** Raj es un cocinero excelente. ¿Cuál de estas ilustraciones lo muestra usando su destreza?

TEKS Comprensión de finanzas personales: K.9.C
PROCESOS MATEMÁTICOS K.1.A, K.1.B, K.1.D

Nombre ______________________________

21.4 RESOLUCIÓN DE PROBLEMAS • Relacionar las destrezas con un trabajo

INSTRUCCIONES I. Encierra en un círculo azul a la persona que debe saber pintar un cuadro. Encierra en un círculo verde a la persona que debe saber medir longitudes. Encierra en un círculo rojo a la persona que debe saber conducir un autobús de manera segura. Encierra en un círculo amarillo a la persona que debe saber arreglar un motor.

Repaso de la lección

Preparación para la prueba de TEXAS

○ ○

○ ○

○ ○

INSTRUCCIONES Elige la respuesta correcta. **2.** El Sr. Murphy debe saber apagar un incendio de manera segura. ¿Cuál de estas ilustraciones muestra al Sr. Murphy? **3.** Nancy debe saber usar una cámara. ¿Cuál de estas ilustraciones muestra a Nancy? **4.** El Sr. Romero debe saber enseñar a los niños a leer. ¿Cuál de estas ilustraciones muestra al Sr. Romero en su lugar de trabajo?

Nombre ___________________________

Evaluación de la Unidad 6

Vocabulario

Conceptos y destrezas

INSTRUCCIONES **1.** Conecta con una línea para emparejar el dinero con una manera de ganar ingresos. TEKS K.9.A **2 y 3.** Encierra en un círculo la ilustración de un niño que gana dinero. TEKS K.9.A

INSTRUCCIONES Elige la respuesta correcta. **4.** ¿Cuál de estas ilustraciones muestra a un niño que gana dinero? TEKS K.9.B **5.** La mamá de Rachel le dio dinero de regalo. ¿Cuál de estas ilustraciones muestra de qué manera obtuvo el dinero Rachel? TEKS K.9.B **6.** Tamara es una cocinera excelente. ¿Cuál de estas ilustraciones muestra a Tamara usando su destreza? TEKS K.9.C

Nombre ______________________________

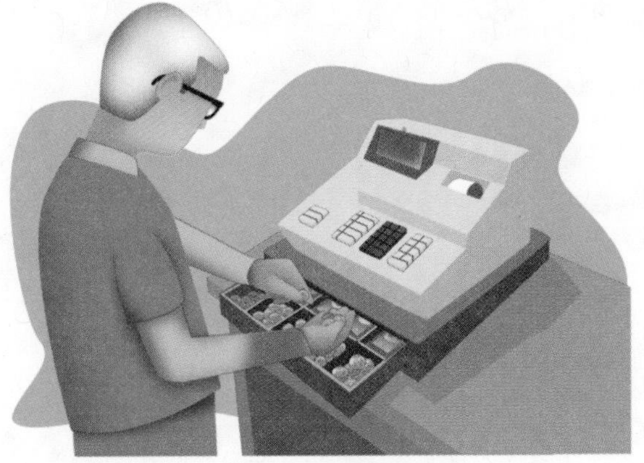

○ ○

○ ○

○ ○

INSTRUCCIONES Elige la respuesta correcta. **7.** ¿Cuál de estas ilustraciones muestra a una persona que debe saber contar dinero? TEKS K.9.C **8.** ¿Cuál de estas ilustraciones muestra lo que se desea? TEKS K.9.D **9.** John fue a la tienda con su mamá. Compró lo que necesitaba. ¿Cuál de estas ilustraciones muestra lo que John y su mamá compraron? TEKS K.9.D

Tarea de rendimiento

TAREA DE RENDIMIENTO Esta tarea permitirá evaluar si el niño comprende cómo se gana el dinero.

Glosario ilustrado

agrupar sort

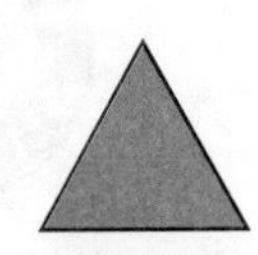
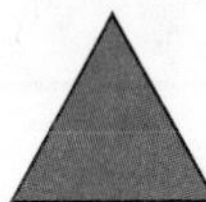
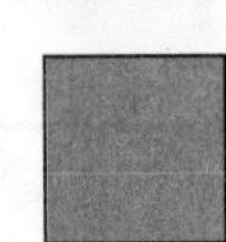

capacidad capacity

La **capacidad** es la cantidad que le cabe a algo.

categoría category

frutas

juguetes

catorce fourteen

cero, ninguno zero, none

cero peces

cien one hundred

1	2	3	4	5	6	7	8	9	10
11	12	13	14	15	16	17	18	19	20
21	22	23	24	25	26	27	28	29	30
31	32	33	34	35	36	37	38	39	40
41	42	43	44	45	46	47	48	49	50
51	52	53	54	55	56	57	58	59	60
61	62	63	64	65	66	67	68	69	70
71	72	73	74	75	76	77	78	79	80
81	82	83	84	85	86	87	88	89	90
91	92	93	94	95	96	97	98	99	100

cilindro cylinder

cinco five

cincuenta fifty

1	2	3	4	5	6	7	8	9	10
11	12	13	14	15	16	17	18	19	20
21	22	23	24	25	26	27	28	29	30
31	32	33	34	35	36	37	38	39	40
41	42	43	44	45	46	47	48	49	50

círculo circle

clasificar classify

Son manzanas.

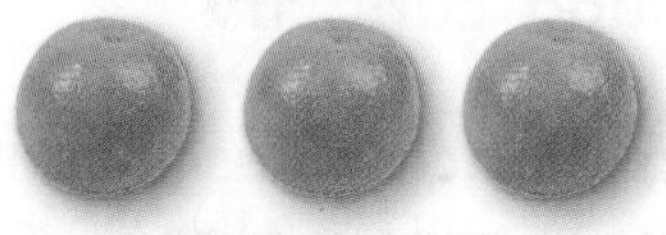

No son manzanas.

color color

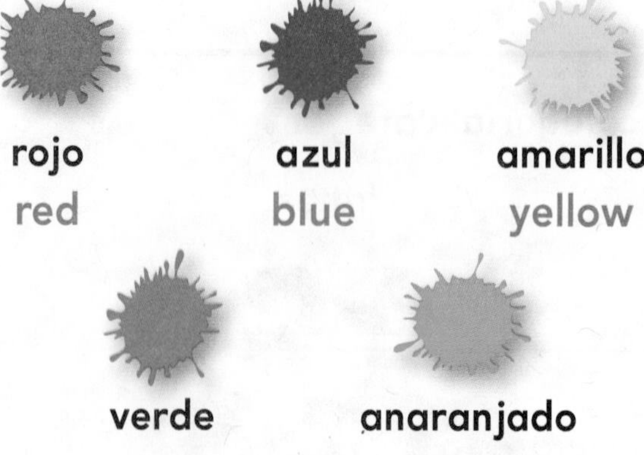

comparar compare

cono cone

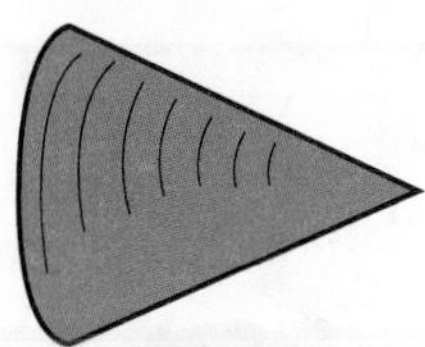

contar hacia adelante count forward

1, 2, 3, 4, 5

contar hacia atrás count backward

5, 4, 3, 2, 1

cuadrado square

cuadro de cinco five frame

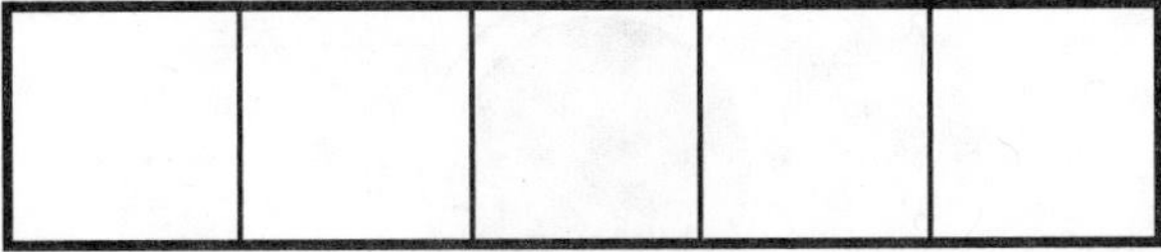

cuadro de diez ten frame

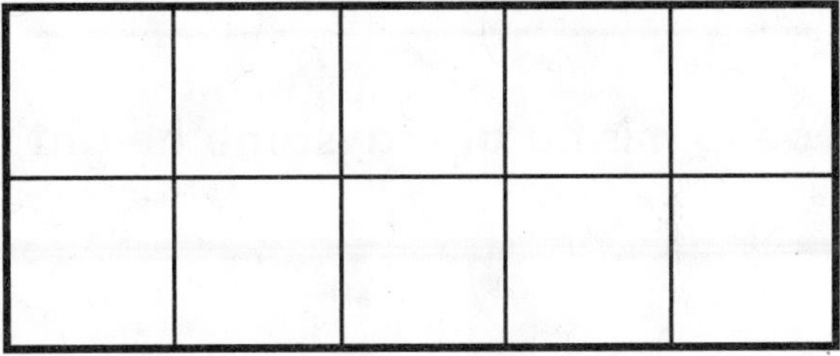

cuatro four

cubo cube

curvo curved

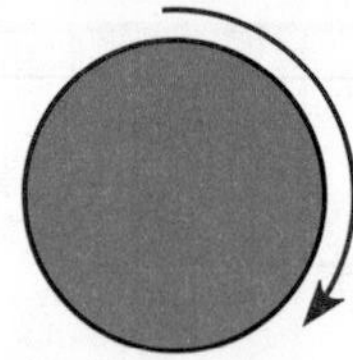

El contorno de un círculo es **curvo.**

de la misma altura same height

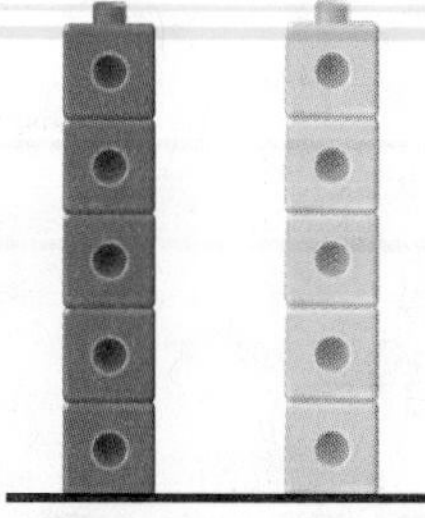

decenas tens

1	2	3	4	5	6	7	8	9	10
11	12	13	14	15	16	17	18	19	20
21	22	23	24	25	26	27	28	29	30
31	32	33	34	35	36	37	38	39	40
41	42	43	44	45	46	47	48	49	50
51	52	53	54	55	56	57	58	59	60
61	62	63	64	65	66	67	68	69	70
71	72	73	74	75	76	77	78	79	80
81	82	83	84	85	86	87	88	89	90
91	92	93	94	95	96	97	98	99	100

decenas

de la misma longitud same length

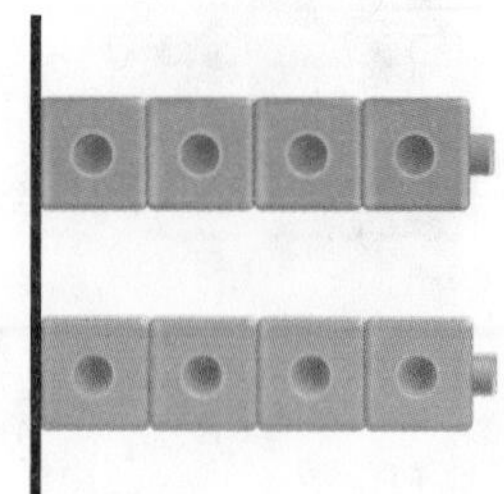

del mismo peso same weight

diecinueve nineteen

dieciocho eighteen

dieciséis sixteen

diecisiete seventeen

diez ten

diferente different

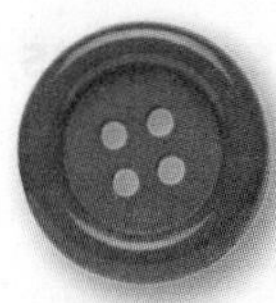

doce twelve

dos two

el mismo número same number

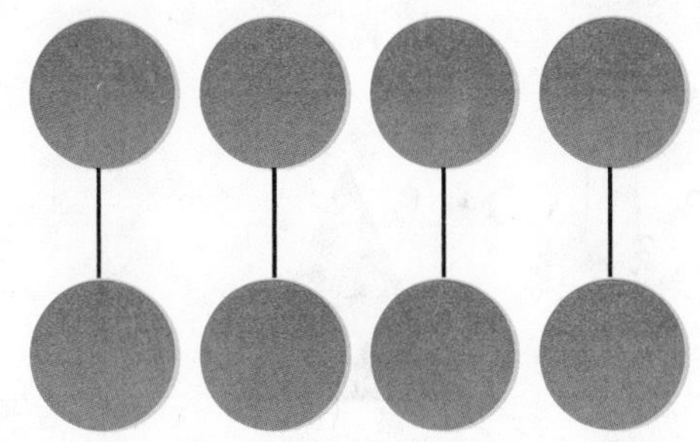

emparejar match

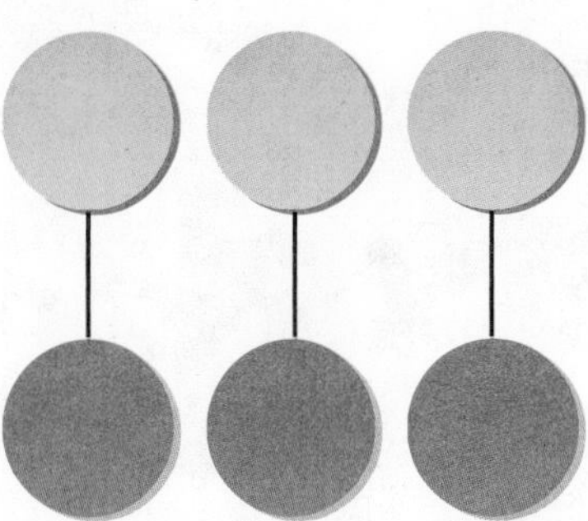

es igual a is equal to

3 + 2 = 5

3 + 2 **es igual a** 5.

esfera sphere

esquina corner

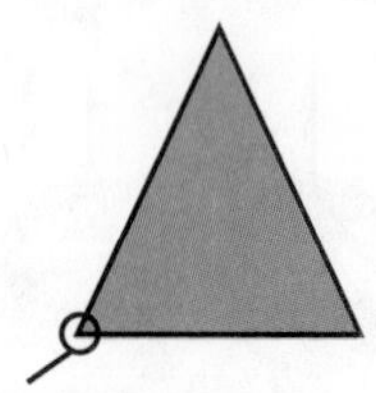

figura shape, solid

Un **cilindro** es una figura.

figuras de dos dimensiones two-dimensional shapes

 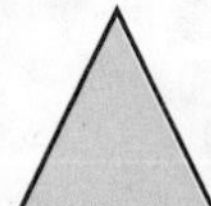  

figuras de tres dimensiones three-dimensional shapes

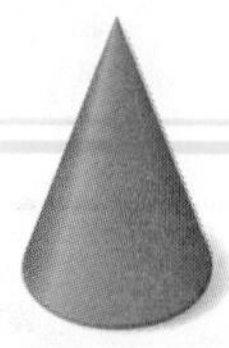   

forma/figura shape

ganar earn

Cuando trabajas, **ganas** tus ingresos.

gráfica graph

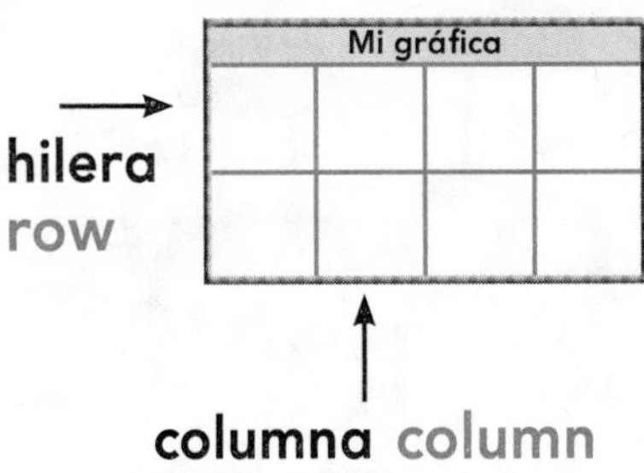

gráfica con ilustraciones
picture graph

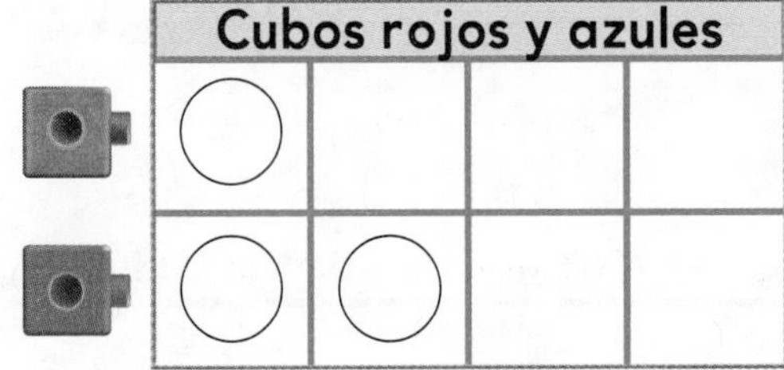

gráfica con objetos reales
real-object graph

grande big

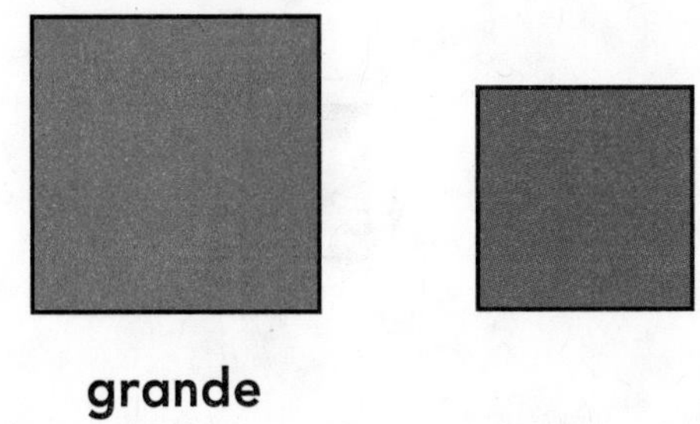

igual alike

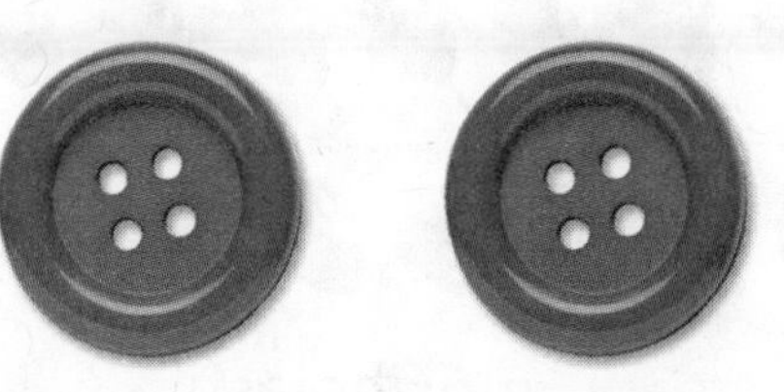

lado side

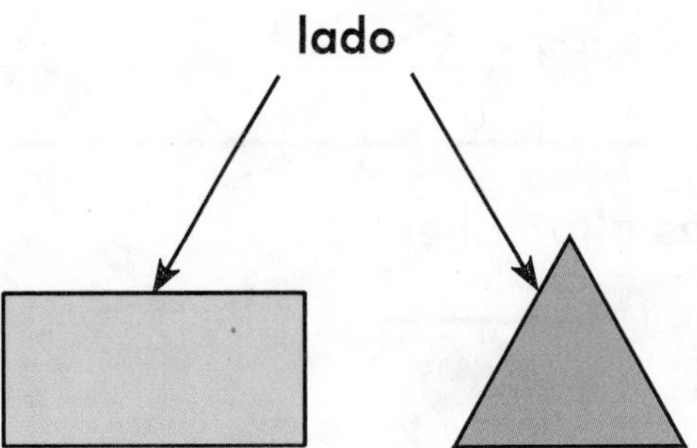

lados de igual longitud sides of equal length

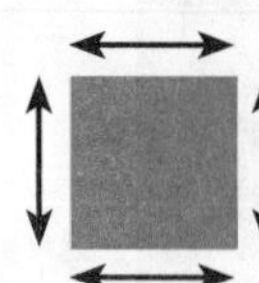

más more

más hojas

más + plus

2 **más** 1 es igual a 3.

$2 + 1 = 3$

más alto taller

más bajo shorter

más corto shorter

más largo longer

más liviano lighter

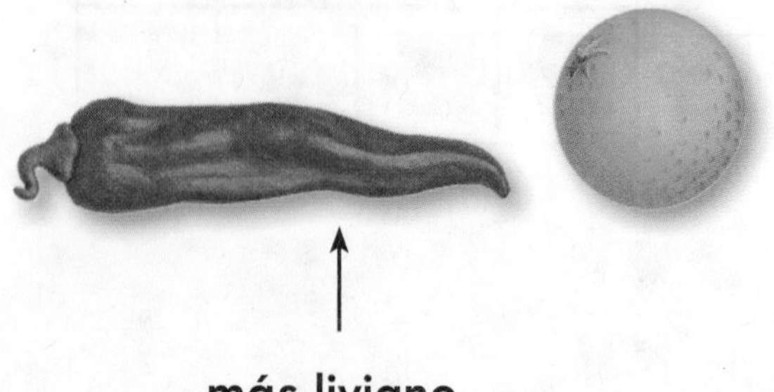

más pesado heavier

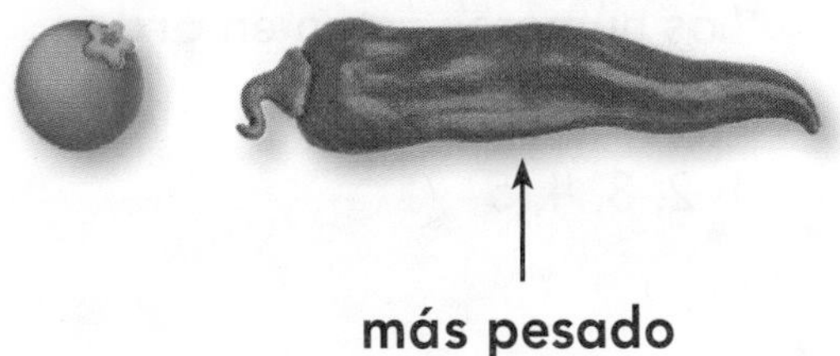

mayor greater

9 es **mayor** que 6.

menor/menos less

9 es **menor** que 11.

menos fewer

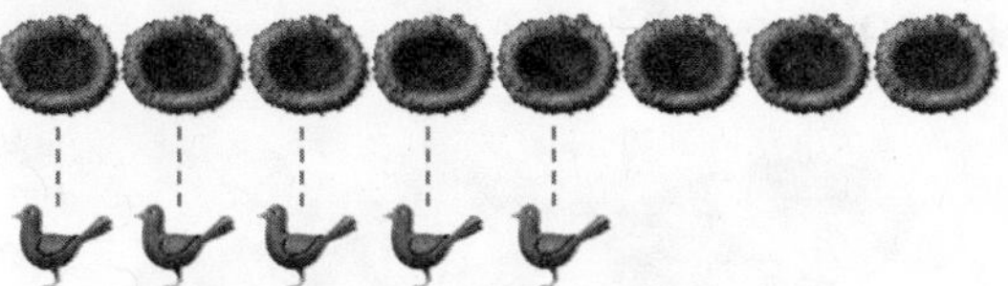

menos aves

menos – minus

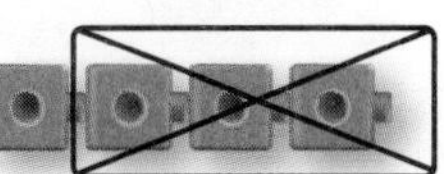

4 – 3 = 1

4 **menos** 3 es igual a 1.

moneda de cinco centavos
nickel

moneda de diez centavos
dime

moneda de un centavo
penny

moneda de veinticinco centavos quarter

orden order

Los números están en **orden** del 1 al 5.

1, 2, 3, 4, 5

nueve nine

pares pairs

pares de números que forman 3:

3 y 0

2 y 1

1 y 2

0 y 3

ocho eight

pequeño small

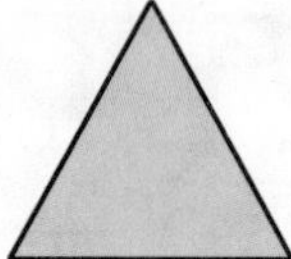

pequeño

once eleven

peso weight

plano flat

Un círculo es una figura **plana**.

quince fifteen

rectángulo rectangle

restar subtract

Resta para hallar cuántas quedan.

3 − 1 = 2

seis six

siete seven

sumar add

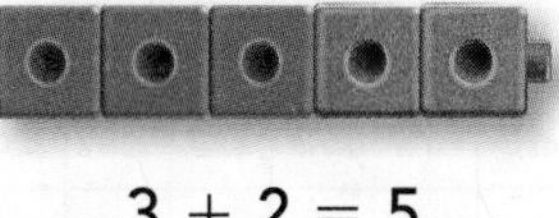

3 + 2 = 5

superficie curva curved surface

Algunas figuras de tres dimensiones tienen una **superficie curva**.

superficie plana flat surface

Algunas figuras de tres dimensiones tienen **superficies planas.**

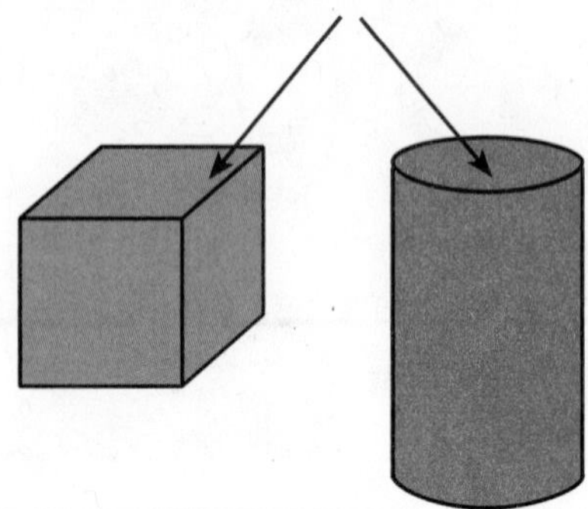

tabla con los números hasta el 100 hundred chart

1	2	3	4	5	6	7	8	9	10
11	12	13	14	15	16	17	18	19	20
21	22	23	24	25	26	27	28	29	30
31	32	33	34	35	36	37	38	39	40
41	42	43	44	45	46	47	48	49	50
51	52	53	54	55	56	57	58	59	60
61	62	63	64	65	66	67	68	69	70
71	72	73	74	75	76	77	78	79	80
81	82	83	84	85	86	87	88	89	90
91	92	93	94	95	96	97	98	99	100

tamaño size

trece thirteen

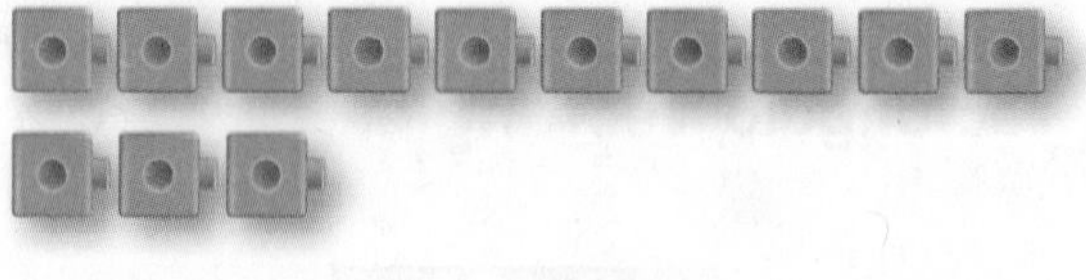

tres three

triángulo triangle

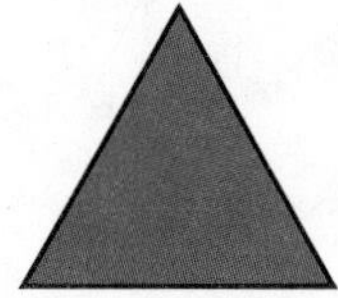

uno one

veinte twenty

vértice vertex

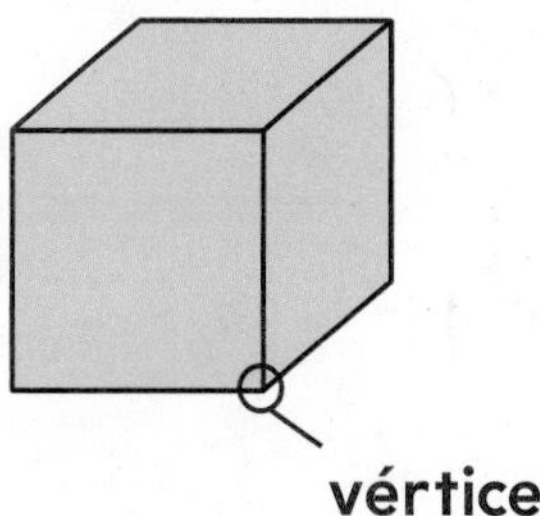

y and

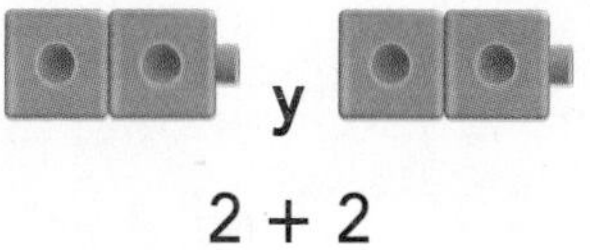